萌える!
事典シリーズ
EXTRA
える!
日本刀事典

萌える！事典シリーズEXTRA
萌える！日本刀事典　目次

天下の名匠

日本刀歴史入門

日本刀文化入門

インタビュー記事

コラム

はじめに

日本刀は好きですか？

日本刀は「もっとも切れ味がよく、美しい刃物」とも評価される、日本が誇る伝統工芸品です。世界中の人々を魅了する日本刀の魅力を、日本でも、もっと知ってもらいたい！　この本はそんな思いで作られました。

名刀や刀匠の紹介、日本刀の基礎知識の解説などで、ゼロから日本刀を知ろうと思う人が、楽しく読みながら日本刀への理解を深められる一冊です。加えて合計五八本の実物写真を掲載。国宝や重要文化財など、日本を代表する名刀を鑑賞できるようにしました。

また、「萌える！事典シリーズ」のコンセプトとして、紹介する日本刀は、それを扱う女の子とともにイラスト化。刀の逸話や持ち主を意識したイラストで、美しい日本刀とかわいい女の子の両方を楽しめます。

さらに、六章中二章は「日本刀の歴史」と「日本刀を楽しむ方法」のご案内。本のなかだけでなく、ぜひ実物の日本刀にも触れてほしい、そのために必要な、ごく基本的で、外せない情報をすべてまとめました！

本書を読めば、日本刀ファン見習いとして刀剣を楽しむために、最低限必要な知識がすべて身につきます。ぜひ本書を、刀剣鑑賞のお供として活用してください!!

データ欄の見かた

本署で紹介する刀剣や刀匠のデータ欄は、以下のように読みます。

刀剣データの見方

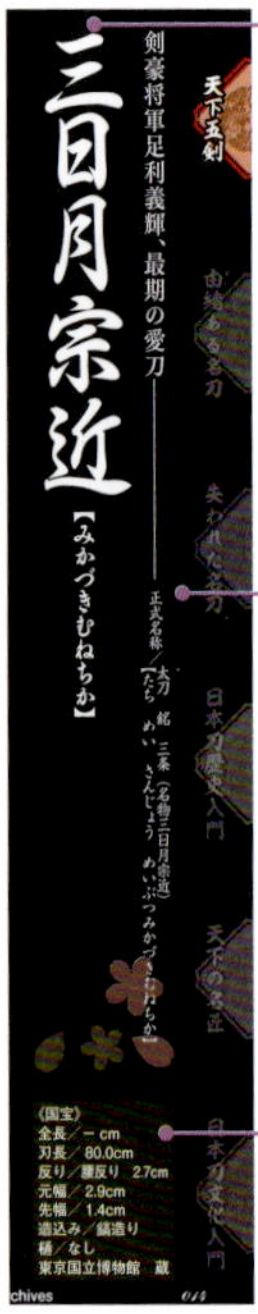

通称……世間に知られている刀の呼び名です。

正式名称……刀の学術的な正式名称です。

データ欄

指定内容……国宝、重要文化財など、日本刀が文化財に指定されている場合、その区分を表示します。天皇家の所有物になっている刀剣は《御物《ぎょぶつ》》と表示します。

全長～先幅……日本刀の部分ごとの寸法です。
データが不明の場合は「－」と表示します。
用語は折り込みの「日本刀の部位解説」で確認してください。
「反り」の欄には、寸法のほかに「反り方の種類」（➡102ページ）が書かれます。

造込み……刀身全体の形の種類です（➡28ページ）。

樋……日本刀の刀身に彫られている溝「樋」の種類（➡102ページ）と、彫刻の内容を表示します。

所蔵……刀を所有、保管している組織の名前です。

刀匠データの見方

活躍した時代／
鎌倉時代中期
鍛刀地／相模国
（現在の神奈川県）
五箇伝流派／相州伝

活躍した時代……その個人あるいは流派が活躍した時代です。

鍛刀地……刀匠が工房を置いた場所を説明します。

五箇伝流派……110ページで紹介する刀剣制作の技法「五箇伝」の、どの伝を得意とする刀匠かを説明します。

凡例と注意点

凡例

本文内で特殊なカッコが使われている場合、それぞれ以下の意味を持ちます。
・『　』……原典資料の名前
・《　》……近現代の解説資料の名前

刀剣の専門用語

刀剣の部位などについての専門用語には、同じ用語でも漢字での表現方法が複数種類ある場合があります。（例：刀のツバには「鐔」と「鍔」という二種類の漢字があります）

本書では、刀匠の全国組織である全日本刀匠会の出版物で使用されている表記を基本に、用語の知名度などを考慮して表記を統一しています。

刀剣の正式名称

国宝や重要文化財に指定されている日本刀の正式名称は、文化財として登録されている名前で紹介します。
それ以外の日本刀は、刀を所蔵する施設が使っている表記を正式名称とします。

鍛冶の女神「金屋子神《かなやごのかみ》」をめざして

我が国日本には、金屋子神という鍛冶の女神がいます。

金屋子神は、水不足に苦しむ民衆を救うために、神々が住む地「高《たか》天原《まがはら》」から、シラサギに乗って地上へ降り立ち、地上に雨をもたらしました。

その後「西の国に行き、人々に鉄の製法を教える」と言って飛び立った金屋子神は、現在の島根県東部の安来《やすき》市に降り立ち、七五柱の下級神を生み出して、彼らとともに人々に「たたら製鉄」の技術を教えたといいます。金屋子神は桂や藤の木を好み、鍛冶場の近くに人間の死体を置くことも好みます。嫌いなのは犬とツタと麻。そして女神でありながら極端な女嫌いで、鍛冶場に女性を入れることを決して許しませんでした。この教えを守って金屋子神と一緒に鉄を作ると質のいい鉄ができると評判になり、全国の「たたら師」や、鍛冶師、刀匠などの「鉄にまつわる仕事」をする職人たちが、金屋子神を篤く信仰するようになったのです。

数千年の時が流れた現代の高天原では、神々の「代替わり」の時期が近づいていました。次代の「金屋子神」に選ばれたのは、火の神ヒノカグツチの下で鍛冶神として修行を積んできた、カグヤという幼い女神です。

金屋子神は、現代において七万人を数える製鉄業界関係者、そして全国三〇〇人を越える刀匠、多くの鍛冶師や職人の信仰を受け止める大役です。はたしてカグヤは、この大事な役目を果たす「金屋子神」になることができるのでしょうか？

見習い鍛冶神、カグヤの修行のはじまりです。

カグヤよ、高天原からお前に命令が来ておるぞ。
（手紙を開封して）
……いいか、気をしっかり持って聞きなさい。
「其琥珀兎無迦具夜比売命“金屋子神”の名を継ぐことを命ず」
　金屋子神といえば、日本の製鉄と鍛冶師の総元締めのような女神だ。先代の金屋子神が引退するから、カグヤ、お前が次代の「カナヤゴ神」になりなさいということらしい。

ええっ!?
私が、あのカナヤゴ様のお名前を継ぐんですか!?
そんな、私のような未熟者がついでいい神様ではないと思うのですが……まだ鍛冶師として一人前にもなっていないのに、あまりにお役目が大きすぎますよぉ～！
助けてください、お師匠様ー！

案内役のご紹介!

読者のみなさんを日本刀の世界に案内する、ふたりの案内役をご紹介!

カグヤ

神としての本名は「其琥珀兎無迦具夜比売命（そこはかとなくかぐやひめのみこと）」。女神見習い、見習い鍛冶師としてヒノカグツチに弟子入りして修行の日々を送っていたが、高天原の都合でいきなり大役に大抜擢されてしまった。

お師匠様大好きのシショコンで、言われたことを素直に真面目にこなすが、一人前の神になることを考えるとどうにも経験不足は否めない。

高天原の偉大な神様と、お師匠様が「やりなさい」と言うのですから、もちろん全身全霊をかけてつとめさせていただきます……が、いくらなんでも荷が重すぎですよぉ!!　まだ満足に刀を打つこともできないのに……ちゃんとカナヤゴ様の名前にふさわしい女神になれるんでしょうか？

ヒノカグツチ

日本列島を作ったイザナギ、イザナミという偉大な神様の子供で、全身が火の玉になっているのが特徴。体が火の玉なので、火の神様として、そして火を扱う鍛冶の神様としても信仰されている。

弟子のカグヤに対してはなるべく厳しく鍛えようとしているのだが、カグヤがあんまり素直になついてくるのでついつい甘やかしてしまう。

あの子は神の名跡を継ぐにはまだまだ未熟なのだが……まあ、何にせよワシのやることは変わらん。どこに出してもどの名を名乗っても恥ずかしくないよう、カグヤをびしびし鍛えることにしようではないか。

ゲストのご紹介！

レギュラーの案内役であるカグヤとヒノカグツチのほかにも、左の四名がゲストとして登場。それぞれの得意な時代、分野ごとの日本刀について紹介します。

アマテラス

日本神話の最高神にして太陽神。ヒノカグツチの妹にあたり、きょうだいのなかでは年下の女神だが、天皇家のご先祖さまとして人間を見守り続けている。世話焼きのお姉さん気質だが、若干引きこもり癖あり。

はーいみんな～！ 今日は日本刀の歴史について、アマテラスお姉さんがゲストのみんなといっしょにたっぷり教えちゃうよ～。日本刀がどんなふうに発展したのか、ぜひ読んでってね♪

坂上田村麻呂《さかのうえのたむらまろ》

平安時代に生きる、腕っ節自慢の女の子。その力を買われて、東北地方の敵を討伐する「征夷大将軍」に任命された。メイン武器である刀には、なみなみならぬこだわりがあるのだとか。

やあやあ！ 僕たち朝廷の軍隊が使う武器と言ったら、長い棒の先に刃物をつけた「戟《げき》」や、弓矢、そしてなんといっても「刀」なんだ。刀のことなら何でも聞いてよ！

ツナヨシ

もとは現代の家庭で飼われていた犬だったが、不思議な事件で徳川幕府５代将軍「徳川綱吉」の魂が乗り移ってしまった。刀の役割が激変した「江戸時代」の生き証人である。

うむ！ 江戸時代は、武士が野蛮さをすてて、行儀よく生きることを求めた時代なんだワン。そうなると武士が持ってる刀の役目も、それまでとはだいぶ違ってくるワン！

山本八重子《やまもとやえこ》

江戸時代末期の東北地方にある「会津藩《あいづはん》」の武家に生まれた女の子。兄の影響で新しい物に目がなく、一流の鉄砲撃ちである。侍が兵隊に取って代わられた時代の生き証人である。

自分はどっちかというと銃のほうがくわしいけど、刀のことももちろん知っとるよ！ 明治時代から、日本刀がどういうふうに変わったかを話してくよ！

そもそも!

日本刀って何なの?

日本刀について知る前に、そもそも日本刀というものがどんなものなのかを知っておかねばならん。鍛冶見習いとして当然身につけていなければいかん知識だが……せっかくの機会だ、あらためて一からおさらいしてみなさい。

〝折れず、曲がらず、よく斬れる〟

日本刀は、世界中の刀剣のなかでも屈指の鋭さで知られる刀剣です。ただ「斬れる」というだけなら西洋の剣も優れていますが、刀身の重さに頼るだけでなく、刃の鋭さで切るという点において、日本刀は他の刀剣の追随を許しません。

古くから日本では、日本刀に求められる性能を「折れず、曲がらず、よく斬れる」と表現してきました。日本刀の刀身は、金属鎧とともに発達した西洋の刀剣と比較するとかなり細いものです。ですが優れた日本刀は、世界的に見れば強度不足に思える細身の刀身で、人間の骨を断ち割り、胴体を真っ二つにする切れ味を持っています。

日本刀の定義とは?

日本刀とは**「日本固有の鍛冶《かじ》技術によって作られた刀剣」**であると定義されています。

つまり、工場で生産された鋼材を型抜きして作ったような刃物は、どんなに外見が似ていても、日本刀ではないのです。

どこまでが“日本刀”なの?

太刀《たち》

脇指《わきざし》

直剣

この３本だと、太刀と脇指は「日本刀」ですが、「直剣」は日本刀に含まないことが多いそうです。たしかにあんまり日本刀って感じの形じゃないですよね～。

〝どこまでが〝日本刀〟か?

日本刀の定義である「日本固有の鍛冶技術」がどこまでの範囲を指すかについては、正確な定義はありません。どこまでを「日本固有」と定義づけるかによって、日本刀の枠組みが左のように広くも狭《せま》くもなります。

狭い意味の日本刀

日本人が独自に開発した「刀身の側面に鎬《しのぎ》(出っ張った部分)を持ち、反りがある、片刃の刀」のみを日本刀と定義する考え方です。刀剣の世界ではこちらの考え方が比較的優勢です。

広い意味の日本刀

近代になって持ち込まれた西洋式の刃物を除く、日本の古い鍛冶技術で作られたものはすべて「日本刀」とする考え方です。この定義だと、古墳から発掘された両刃の鉄剣など、あきらかに中国の影響を受けているものも「日本刀」になります。

日本刀には四つの呼び名がある！

これが今回見せていただく日本刀、国宝の「へし切長谷部」ですね！この刀は、「古刀」で「打刀」の形式、名前は刀《かたな》　金象嵌銘《きんぞうがんめい》　長谷部《はせべ》国重《くにしげ》……ええっ、日本刀の名前ってこんなに長いんですか？

うむ、たしかに長いな。だがなんで長いのかを知っておけば戸惑うこともなくなろう。日本刀というものについての理解も深まって一石二鳥よな。どれ、ひとつ日本刀の名前の意味について教えてやろう。

1 形で決まる名前 ➡P10

日本刀は、刀身の長さや形式によって、呼び名が数種類に分かれているのだ。

「打刀《うちがたな》」

3 号《ごう》と通称 ➡P11

これって刀のニックネームのようなものですよね。号と通称はどう違うんでしょう？

「号　へし切
へし切長谷部《はせべ》」

4 時代で決まるもの ➡P11

日本刀は「どの時代に作られた刀」かで、「新刀」「古刀」のように呼び名が変わるのだ。

「古刀《ことう》」

刀　銘　金象嵌銘　長谷部国重本阿花押（名物へし切）／黒田筑前守

「金象嵌銘《きんぞうがんめい》　長谷部国重本阿花押《はせべくにしげほんあかおう》／黒田筑前守《くろだちくぜんのかみ》」

日本刀の持ち手部分「茎（なかご）」には、生産者表示である「銘」が切られておる。この部分は、刀の法律上の正式名称にも使われる、刀の個体識別のための大事な情報なのだ。

2 刀の"銘《めい》" ➡P10

ちなみにこの銘の「金象嵌銘」とは、溝の中に金を流し込んだ銘という意味だ。「長谷部国重本阿花押」は、作者が長谷部国重であることを本阿弥という鑑定家が保証するという意味。「黒田筑前守」はこの刀の持ち主だな。

このように、きちんとひとつずつ理解していけば、難しいことは何もないから安心しなさい。
さあ、それでは刀の名前の「それぞれの意味」について話すとしよう。

日本刀の呼び名①

形で決まる名前

日本刀は、長さや形状などによって、六つの種類に分類されておる。日本には刀を管理するための法律、「銃刀法」というものがあってな。種類ごとの長さが決まっておる。法律に規定がないものは(現代基準なし)としたぞ。

名前	大太刀《おおだち》	太刀《たち》	小太刀《こだち》	打刀《うちがたな》	脇指《わきざし》	短刀《たんとう》
外見						
長さの基準	約100cm 以上 (現代基準なし)	60cm 以上	51.5 ～60.6cm (現代基準なし)	60cm 以上	30cm ～60cm	6cm ～30cm
解説	日本刀のなかで最大級のもの。大きさの基準は明確ではなく、おおむね刃の長さが一〇〇センチ以上あり、両手持ちの刀が大太刀と呼ばれることが多い。	刃を下向きにして身につける大振りな刀。現代では刃長六〇センチ以上のものが太刀となるが、江戸時代は二尺六寸（七八・八センチ）以上のものが太刀と呼ばれた。	小振りな太刀で、一般的に長さが二尺（六〇・六センチ）～一尺七寸（五一・五センチ）程度のもの。太刀の補助として身につけたり、儀礼用に使用するものである。	江戸時代の武士が身につける「大小二本差し」の大きい方。刃を上に向けて身につける。江戸時代には二尺三寸（約七〇センチ）が刃長の上限と決められていた。	脇差とも書く。打刀の補助として身につける短めの刀で、武士が身につける二本の刀「大小」の「小」はこれ。現代の法律では、刃長三〇～六〇センチの刀を脇指と呼ぶ。	現在の法律では、刃長が六～三〇センチの刀の総称。なお、刃が六センチ以下の刀は銃刀法の規制対象外となる。本来は刃長三〇センチ前後の刀の総称だった。

日本刀の呼び名②

刀の〝銘《めい》〟

日本刀の「茎(なかご)」の部分には、銘という文字が刻まれておる。これは刀を作ったの刀匠が自分の名前を刻んで、誰の作品かわかるようにしておるのだ。だが、作者以外の人間が、あとになってから別の目的で銘の文字を刻むこともあるようだな。

「へし切長谷部」の茎の表面。黒田筑前守の文字が切られている。裏面には「長谷部国重」の字と、鑑定家本阿弥光悦の花押（現代でいうサイン）が刻まれている。

銘とは、日本刀の持ち手にあたる茎《なかご》に、ノミなどで彫り込まれている文字です。「彫る」ではなく「銘を切る」と表現します。

本来は刀を作った刀匠本人が、自分の作品であることを示すために、自分の名前を刻み込みます。銘には刀匠ごとに決まったクセがあるため、銘は刀が本物かどうかを判別する目安でもあります。

銘は、刀にとってもっともわかりやすい身分証明になるため、日本刀の正式名称には、かならず刀の茎の表裏に銘として刻まれている文字が表示されます。

特殊な〝銘〟

普通の銘はノミで刻んだだけのものですけど、へし切長谷部のように、刻んだところに金を流し込んだ「金象嵌《きんぞうがん》銘《めい》」なんていうのもあるんですって！

この銘は刀匠さんじゃなくて鑑定家さんが切ったもので「この刀には銘がありませんが、刀匠の●●さんが作った刀です」って意味があるんだそうです。

日本刀の呼び名③

"号《ごう》"と"通称"

日本刀の法律上の正式名称は、①の「形で決まる名前」と、②の「銘」の組みあわせだ。だが世間に名高い名刀には、正式名称とは別に、刀の異名である「号」や、号を発展させた「通称」がつけられることがあるのだ。

号というのは日本刀の、いわば"正式なニックネーム"です。日本刀が文化財となる場合、刀の種類と銘の文字のほかに「号」が登録されます。号とはその刀の過去の活躍や外見的特徴、有名な持ち主などから連想され、世間に広まったものです。

通称は、号から派生した呼び名で、正式なものではありません。たいていの場合通称は、刀の号と、その刀を作った刀匠の名前を組みあわせて作られています。本書ではわかりやすさを重視し、刀の名前を呼ぶときは基本的に通称で呼んでいます。

通称で日本刀を紹介してくれると、刀の特徴と作った刀匠さんが両方同時にわかって便利ですよね。それに刀の号って「別の刀に同じ号がついている」ことがあるから区別するのが大変です。たとえば「笹露」という号の刀がありますが、これは笹の葉についた水滴がコロリと下に落ちるのと同じくらい簡単に首を落とせる、切れ味のいい刀という意味なんですけど……日本には「笹露」って号のついた刀が一〇振り以上あるんです。号だけじゃ、とてもじゃないけど区別できませーん!

例:「へし切長谷部」という通称は、このようにできている

号　へし切

刀匠名　長谷部《はせべ》国重《くにしげ》

通称　へし切長谷部

日本刀の呼び名④

時代で決まる名前

日本刀の世界では、製作年代で刀を分類します。これは江戸時代に初めて行われた分類方法で、日本刀の作り方や材料となる鉄の性質が、戦国時代末期から江戸時代初期にかけてにガラリと変わったために生まれました。

その後も時代が進むにつれて分類が増え、現在では日本の刀は時代ごとに五種類に分類されます。

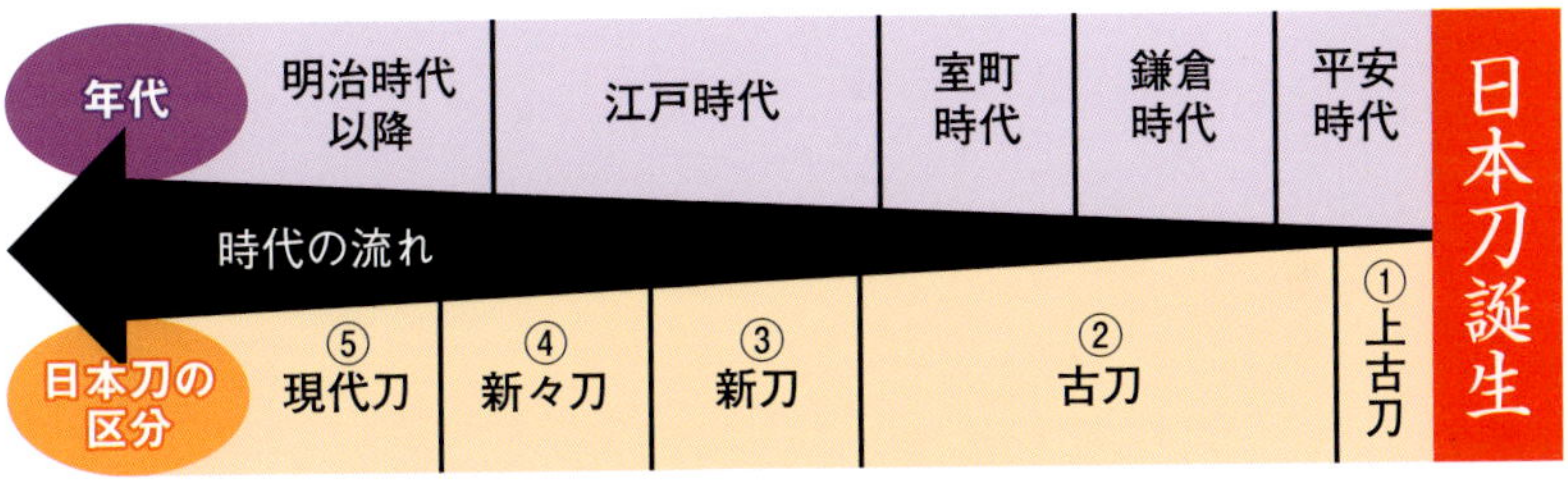

日本刀誕生
年代
平安時代
鎌倉時代
室町時代
江戸時代
明治時代以降
時代の流れ
日本刀の区分
①上古刀
②古刀
③新刀
④新々刀
⑤現代刀

②古刀《ことう》
日本刀が生まれてから、戦国時代末期までに作られた刀です。もっとも質が高いとされ、日本の国宝となった刀はすべて古刀です。

③新刀《しんとう》
江戸時代前半期に作られた刀です。材料として均質な鉄が使われたため刀の表面に荒っぽさが少ないこと、反りが浅めなことが特徴です。

④新々刀《しんしんとう》
江戸幕府が崩壊する前の100年間に作られた刀を新々刀と呼びます。古刀のすばらしさを確認し、その作風を復活させようとした刀です。

ちなみに、日本刀が発明された平安初期以前の刀①は「上古刀《じょうことう》」、明治時代初期に刀剣の携帯が禁止されたあとの時代の刀⑤は「現代刀《げんだいとう》」と呼ばれています。

こうして見ると、日本刀を作っていた時期のほとんどが「古刀」に分類されてますね。四〇〇年以上前に作られた刀がきれいな姿で残ってるなんて、日本刀ってほんとにすごいですね!

これだけは知っておこう！
基本の日本刀用語

日本刀の重要な部位名

1 鋒《きっさき》、帽子《ぼうし》
日本刀の先端の曲がった部分を鋒といいます。帽子とはここに描かれた模様のことです。

2 刃《は》、棟《むね》（峰《みね》）
敵を斬る鋭い部分を「刃」、その反対側を「棟」といいます。棟は「峰」とも呼びます（刃のないところで敵をたたく「峰打ち」という言葉で有名）が、刀剣界では「棟」のほうが一般的な表記です。

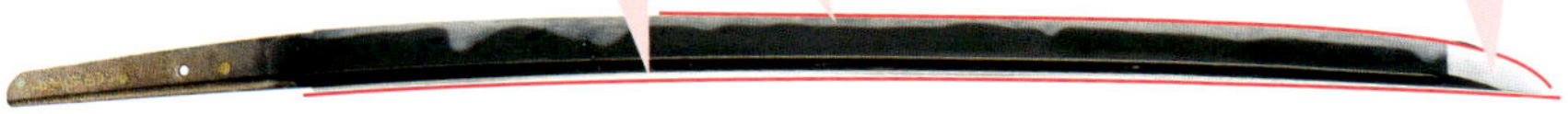

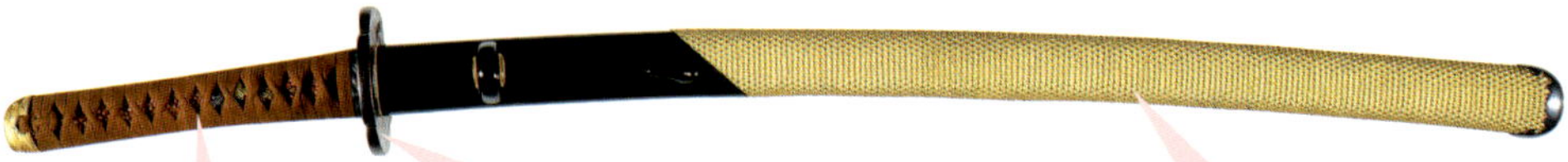

3 鞘《さや》
刀身をおさめる木製の筒です。内部は刀の大きさにあわせて彫られており、刀は鞘の中で中空に浮いていて、木材に触れることはありません。

4 鐔《つば》
刀身の根本にはまっている円盤状の部品は「鐔」といいます。敵と刀を打ちあわせたときなどに、敵の刃から自分の手を守る役目があります。

5 柄《つか》、茎《なかご》
持ち主が刀を握る部分のことを「柄」、柄の中に隠れている刀身の持ち手部分を「茎」といいます。

日本刀の形の分類と重要な用語

部品名、部位ごとの名前、模様や外見の種類名など、日本刀の専門用語から、刀を知るために最低限必要なものを紹介しよう。刀の外見の細かい種類は、別途ページを用意して説明してあるから、そちらも読むとよい。

造《つく》り込《こ》み
刀剣の全体的な形のこと。刀の反り方、どこが厚くてどこが薄いかなどによって多彩な呼び名があります。

二八ページ

刃文《はもん》
刃の近くに描かれる模様のことを指します。まっすぐなもの、波打ったものなど、種類ごとに別々の名前がつけられています。

地肌《じはだ》
日本刀には刃文だけではなく、刀身全体にも木の断面のような模様があります。これを地肌と呼びます。

九〇ページ

反《そ》り
刀身がどれだけ反り返っているかをあらわす数字。どの部分で大きく反っているかによって反りの名前も変わります。

樋《ひ》
刀身に、軽量化や装飾などの目的でほどこされる彫刻のことです。これも形式によって別々の名前がつけられています。

一〇二ページ

磨《す》り上げ
刀の茎を切り取ることで、刀を短くする技法です。現存する刀の多くに行われています。

一三七ページ

お師匠様、このページに載っていない用語はどこで見ればいいのでしょうか？
……折り込みページの裏側ですか？
おお、なるほど！　すごく細かく刀の部品名が書かれていますね！
これさえあれば安心です！

天下五剣

天下五剣とは、明治時代以降に刀剣関係者のあいだで定められた、日本を代表する５振りの名刀のことです。単純な刀の出来映えだけでなく、その刀が持つ由緒や逸話なども加味して選ばれています。

この章では天下五剣として知られる５振りの刀、三日月宗近、童子切安綱、大典太光世、数珠丸恒次、鬼丸国綱のすべてをイラストつきで紹介します。

剣豪将軍足利義輝、最期の愛刀──

三日月宗近

【みかづきむねちか】

正式名称／太刀《たち》　銘《めい》　三条《さんじょう》（名物三日月宗近《めいぶつみかづきむねちか》）

《国宝》
全長／ー cm
刃長／ 80.0cm
反り／腰反り　2.7cm
元幅／ 2.9cm
先幅／ 1.4cm
造込み／鎬造り
樋／なし
東京国立博物館　蔵

Image: TNM Image Archives

刀身に小さな三日月が描かれた日本最古の在銘刀のひとつ

日本において並ぶもののない名刀五振りのことを、明治時代以降の刀剣界では「天下五剣《てんかごけん》」という肩書きで紹介している。その筆頭にあがる名刀が、日本最古の刀匠のひとりだとされる「三条宗近《さんじょうむねちか》」の傑作、三日月宗近である。この刀は、美術的価値のみならず、初期の日本刀の姿を伝える資料的価値を高く評価され、日本政府によって国宝に指定されている。

三日月宗近の刃の長さは、太刀の標準的なサイズである八〇センチ。刀身は手元に近い部分で強く反っていて、刀身の手元近くは幅が広く、先端に近づくにつれて急激に細くなっていく。このような形状のことを、刀剣用語では「踏《ふ》ん張《ば》りが強い」という表現で語っている。

「踏ん張りが強い」形状の刀は、平安時代に作られた日本刀独特のものである。日本刀の「踏ん張り」は、刀身を研ぎ直すなど手を加えるたびに失われていくので、「踏ん張りの強い」形状だということは、作られた状態そのままに近い、保存状態がいい刀だという証明にもなる。三日月宗近は、その姿をもって平安時代の日本刀の姿を今に伝える「動かぬ証拠」なのである。また、刀身の中程の部分には、刀を打ちあわせたときにできる「切り込み傷」という傷が付いていて、この刀が単なる美術品ではなく、実戦で活躍した事実を伝えている。

ちなみにこの刀が三日月宗近という号（あだ名）で呼ばれているのは、刃の部分に「打ち除《の》け」という、独特の三日月形の刃文がたくさんついているからだ。

また、この刀には右に掲載した刀身だけでなく、室町時代末期に新しく作られたという外装「菊桐紋蒔絵糸巻太刀拵《きくきりもんまきえいとまきたちこしらえ》」のうち、鞘《さや》だけが現存している。刀身と鞘はどちらも東京国立博物館に保管されており、刀剣関連の特別展などでその姿を楽しむことができる。

免許皆伝の達人「足利義輝《あしかがよしてる》」が最後の戦で振るったとされる名刀のひとつ

三日月宗近は、江戸幕府をつくった徳川将軍家伝来の刀であり、第二次世界大戦後に徳川家から個人の愛刀家に渡ったのち、一九九二年に東京国立博物館に寄贈された。平安時代に作られた三日月宗近が、どのような経緯をたどって徳川将軍家の刀となったのか、はっきりしたことはわかってない。

だが有名な説に、この刀が室町幕府の将軍である足利家伝来の刀であり、現役の征夷大将軍《せいいたいしょうぐん》によって戦闘に使われたというものがある。その使い手は、室町幕府十三代将軍「足利義輝《あしかがよしてる》」。戦国時代を代表する剣術家「塚原卜伝《つかはらぼくでん》」に指導を受け、その奥義「一之太刀《いちのたち》」を伝授されたという説もある、武芸に優れた将軍である。

足利義輝が将軍となった一六世紀は、室町幕府の権威が崩れ、幕府と将軍は近畿地方の有力大名が支えなければ存続できないほど弱体化していた。義輝は将軍の権力を取り戻して強い幕府を復活させようとしていたが、これに反発した大名が、将軍の住居である京都の二条御所《にじょうごしょ》に軍勢を差し向けたのだ。この事件を「永禄《えいろく》の変」と呼んでいる。

江戸時代に広まった逸話によれば、自分を暗殺しようとする刺客の軍勢が迫っていることを聞いた義輝は、まず鎧を着込み、さらに足利将軍家に伝わる天下の名刀を、自分の周囲の畳《たたみ》に円を描くように突き刺して刺客たちを待ち受けた。このとき義輝が畳に突き刺したのは、このページで紹介している「三日月宗近」のほか、「童子切安綱《どうじぎりやすつな》（➡一八ページ）」「大典太光世《おおでんたみつよ》（➡二〇ページ）」「鬼丸国綱《おにまるくにつな》（➡二六ページ）」「大包平《おおかねひら》（➡八〇ページ）」など、のちに国宝に指定されるような名刀ばかりだったと伝えられている。

こうして戦闘準備を整えた義輝は、〝生涯不敗の剣聖〟塚原卜伝の直弟子ともされるその名に恥じない戦いぶりを見せる。押し寄せてくる敵をひたすら斬り捨て、刀に血がついて切れ味が鈍ったと見れば、畳に刺しておいた刀を抜いて次の敵に襲いかかるという具合で、両手の指では足らない数の敵を斬って捨てたのだ。

義輝があまりに強いので、彼を殺そうとしていた武将は正攻法をあきらめ、兵たちに畳とふすまを盾がわりにさせて義輝を四方から押しつぶし、槍や刀で畳ごとめった突きにすることでようやく義輝を殺害したという。

ただしこの逸話には不信な点も多い。足利義輝が二条御所で刺客たちを迎え撃った、ということ自体は、公文書にも記されている事実なのだが、このとき義輝が畳に刺したと伝わっている刀のなかに、あきらかにこの時期に将軍家から手放されている刀が混じっているのだ。そのため、将軍が畳に刺した名刀で戦ったという逸話には後世の誇張が混じっている可能性が高く、それゆえに義輝が本当に三日月宗近を振るって戦ったかどうか、明確な証拠はない。

三条宗近さんの伝説のなかでは『小鍛治』というお話が有名なんだそうです。「能」という古典演劇の台本で、宗近さんが狐の妖怪と刀を作る話なんだそうですよ。三二ページで読んでみましょう！

平安時代屈指の刀匠　三条宗近

日本国内で、現在我々がよく知るような日本刀が完成した時期は、一〇世紀前後だと考えられている。三日月宗近の作者である三条宗近がいつごろ活躍した刀匠なのかは、証拠の乏しい説が乱立していて、はっきり断言することはできない。だがおおむね十世紀後半から十一世紀初頭にかけて、つまり日本刀が完成してからそうたっていない時代に活躍した刀匠だという見方が一般的だ。

宗近は、刀に「宗近」「三条」などと銘《めい》を切ることから「三条宗近」の名前で呼ばれる。宗近は個人名だが、三条とは京都の地名であり、彼は京都で活躍した刀匠だと考えられている。そもそも平安時代は貴族と武士の時代であり、刀匠のような身分が低い人間の活躍ぶりについて記録する習慣がない。宗近が自分の名前を銘切りした名刀を複数残したため、その名が後世に伝わったにすぎないのだ。

三条宗近の作風は、刀身の反りが強く、細身で優雅な外見が特徴とされる。刃文がひとつの線としてつながっていないことが多く、刃文の一部が三日月状に分離した「打ち除け」があらわれたり、刃文が二本の線として焼かれている「二重刃」になっていることが多いという。なお、これらは装飾として意図的に焼かれたものではなく、当時は刃文をつける技術が成熟していなかったため、自然にできたものと考えられている。

茎《なかご》（刀身の持ち手部分）に切られる銘は、現存するものだと「三条」「宗近」の二種類しかないが、かつては「三条宗近」「日本一」など八種類もあったとする文献もある。ただし宗近は古くから名匠として有名であり、これらの銘のなかには、後世の職人が偽物の「三条宗近の刀」を作るために切ったものがあっただろうことは否定しがたい。

宗近の刀は稀少ゆえに偽物も多い。東京国立博物館に「宗近村上」という刀があるが、これは「近村上（ちかむらたてまつる）」という銘に「宗」の字を足して宗近の刀に見せたものだ。刀の出来はいいだけに惜しいの。

Illustrated by こぞう

鬼すら倒す「東の横綱」

童子切安綱【どうじきりやすつな】

正式名称／太刀 銘 安綱（名物童子切安綱）【たち めい やすつな めいぶつどうじきりやすつな】

《国宝》
全長／ー
刃長／ 80.3cm
反り／腰反り 2.7cm
元幅／ 2.9cm
先幅／ 1.9cm
造込み／鎬造り
樋／なし
東京国立博物館 蔵

Image: TNM Image Archives

伝説の妖怪「酒呑童子」の首を取った平安京の妖怪ハンター〝源頼光〟の愛刀

三日月宗近《みかづきむねちか》（➡一四ページ）と並ぶ、現代に残された最古の日本刀のひとつ。刀身の製作時期は一〇世紀末～一二世紀ごろで、平安時代の後期にあたる。なお刀を収める「糸巻太刀拵《いとまきたちこしらえ》」は江戸時代の作で、刀身よりはかなり新しいものだ。

童子切安綱の製作者は、伯耆国《ほうきのくに》（現在の鳥取県中西部）の大原という地域に住んでいた安綱《やすつな》という刀匠で、地名を取って「伯耆安綱《ほうきやすつな》」または「大原安綱《おおはらやすつな》」と呼ばれている。伯耆国は古くから鉄の生産が盛んな土地柄だったため、日本刀を作る場所としてはたいへん適《てき》した環境であった。

童子切安綱の刀身は、根元部分が大きく反っている「腰反り《こしぞ》」の姿で、手元に近い部分は太いが、先端に近づくつれて反りかえりながら徐々に細くなっていく。この姿が非常に美しいと評価され、童子切安綱は「日本刀の東の横綱」と賞賛されることもある。なお西の横綱は大包平《おおかねひら》（➡八〇ページ）という刀である。

この刀が「天下五剣」に数えられるほど有名になったのは、その優れた出来映えだけでなく、伝説の影響も大きい。この刀は、平安時代の妖怪ハンターとして有名な源氏の武士「源頼光《みなもとのらいこう》」が、日本の伝承でもっとも有名な鬼「酒呑童子《しゅてんどうじ》」の首を斬ったとされる刀なのだ。酒呑〝童子〟を切った、刀匠〝安綱〟の刀だから、童子切安綱と呼ばれているわけだ。

源頼光の酒呑童子退治の絵巻物『酒呑童子絵巻《しゅてんどうじえまき》』に描かれた物語によれば、京都の西にある大江山《おおえやま》という山のふもとで、巨大な鬼「酒呑童子」とその子分たちが周囲を荒らし回っていた。そこで源頼光とその一党が、酒呑童子を退治することになったのだ。頼光は神々から授かった毒の酒「神便鬼毒酒《しんべんきどくしゅ》」を酒呑童子に飲ませ、体がしびれて動けなくなった酒呑童子の首を、この安綱の刀で切り落としたという。

また、童子切安綱は、狐が人間に憑依する現象「狐憑《きつねつ》き」を治すという伝承や、この刀があるところに狐が集まってくるなど、奇妙に狐と縁の深い刀でもある。日本では狐は妖怪の一種と見られてきた歴史があり、童子切安綱に不思議な力があると信じられていたことをうかがわせる。

室町時代の刀剣解説書には「酒呑童子を倒したのはこの童子切安綱だ」って書いてありましたけど、原典の『酒呑童子絵巻』だと、刀の名前は「血すい」とか「くもきり」って書いてあります……童子切じゃないんですかー!?

Illustrated by kgr

加賀前田家、門外不出の宝刀――

大典太光世【おおでんたみつよ】

正式名称／太刀《たち》 銘《めい》 光世作《みつよさく》（名物大典太《めいぶつおおでんた》）附《つけたり》 革包太刀拵《かわづつみたちこしらえ》

《国宝》
全長／―
刃長／66.0cm
反り／腰反り 2.6cm
元幅／3.4cm
先幅／2.5cm
造込み／鎬造り
樋／棒樋に腰樋
前田育徳会 蔵

天下五剣のなかで異彩を放つ 太くて短い豪壮な太刀

平安時代後期に、筑後国《ちくごのくに》（現在の福岡県）で活躍した刀匠、三池典太光世《みいけでんたみつよ》の作品である。平安時代の日本刀は、一四ページで紹介した三日月宗近《みかづきむねちか》のように、刀身が長く、細い作りのものが多かった。だがこの大典太は、刀身が根元も先端も非常に太く、普通の太刀よりやや短めの作りになっている。

長い太刀が、刃の長さを短くする「磨《す》り上げ」の加工で短くなることはあるが、茎《なかご》（刀の持ち手部分）に「光世作」という銘が切られている位置を見ると、大典太にはそれほど大げさな磨り上げが行われたようには見えないので、この刀は作られた当初から、おおむねこのくらいの長さだったと思われる。

刀身が太いうえに厚さもかなりのものである大典太には、幅一・四センチという特大サイズの溝「棒樋《ぼうひ》」が鋒《きっさき》付近まで彫られており、さらに刀身の表側（右写真で見えている側）には、短い腰樋《こしひ》が彫られており、幅と厚みからくる重さを少しでもやわらげる意図が見てとれる。

大典太光世が日本刀である以上、気になるのはこの刀が「どのくらい切れる刀なのか」だろう。江戸時代後期の一七九二年、江戸幕府の死刑執行人である山田浅《やまだあさ》右衛門《えもん》が、死刑囚の遺体を使ってこの刀の切れ味を試した記録が残っている。記録によれば、連続三回の試し切りでいずれも軽々と胴体を両断し、四回目に胴体を三つ重ねて斬ってみたときは、二体分の胴体を両断して三体目の背骨でようやく止まるというすさまじい切れ味を示している。

加賀百万石の大名 前田家において門外不出の扱いを受ける

大典太光世はもともと室町幕府の将軍である足利家が代々伝えていた日本刀だが、のちに織田信長や豊臣秀吉の腹心として仕え、江戸時代には「加賀百万石」という有名なフレーズで知られる加賀藩の藩主、前田家の伝来の宝物となった。現代では前田家伝来の文献や宝物を管理している財団法人「前田育徳会《まえだいくとくかい》」が、この大典太を保存している。

日本刀の世界では、その刀匠を代表する傑作や、特に長い刀に対して「大」の字をつけて号にすることがあるが、この刀の場合は少し事情が違う。実は前田家には三池典太光世の刀が二振りあったため、両者を区別するために、二振りのなかでより長かったこの刀を「大典太」と呼ぶようになったという。つまり「大」とはいっても、光世の刀全体のなかでではなく、たまたま手元にあった二振りの刀のうち大きい方に「大」とつけたわけなのである。

この大典太は、前田家において門外不出の扱いを受けている。だがその管理体制の厳重さは、「門外不出」という言葉では軽すぎるとすら思えるものだ。大典太をはじめとする前田家の宝は、前田家の当主以外には触れることも許されない。それどころか当主自身も自由に見ることができず、毎年一回、決められた日に当主自身が手入れをするときだけ、箱を開けることができたという。

この厳重な扱いは、江戸時代が終わったあとも長く続いていた。明治時代の日本政府は、この刀を文化財に指定したかったのだが、日本刀を文化財に指定するためには、刀を審査員に見せなければいけない。当時の前田家の言葉を借りるなら、刀を持ち出して当主以外に見せるなど「以《もっ》ての外《ほか》」だったのである。

そのため大典太光世が文化財に指定されるのは、昭和三一年。第二次世界大戦が終わったあとまで待たなければいけなかった。通常、国の重要文化財の指定審査では、現物を東京国立博物館に数週間預けて審査することになる。だが大典太光世については、審査当日に実物を持参し、その日のうちに持ち帰るという特例が認められた。翌年に重要文化財より上位の「国宝」に指定する審査が行われたときは、「実物なしの写真審査」という、異例中の異例な審査が行われ、大典太光世はついに国宝の仲間入りを果たしたのである。

典太光世は魔を払う　姫の命を救った「守り刀」の力とは?

大典太光世が前田家の宝となった経緯に、おもしろい逸話が残されている。この刀には〝病気を払う力〟があるというものだ。

江戸時代の刀剣解説書『享保名物帳《きょうほうめいぶつちょう》』によれば、この刀を江戸幕府の二代将軍徳川秀忠《ひでただ》が所有していたとき、秀忠の妹「珠姫《たまひめ》」は前田家が統治する加賀藩の二代目藩主前田利常《としつね》に嫁いでいた。だが珠姫の娘が病気にかかってしまったため、加賀藩は病気を払うため、将軍秀忠に「守り刀」としてこの大典太を借りたのである。

病に苦しむ娘の枕元に大典太を置いて寝かせてみると、娘の病気はたちまち治ったのだが、大典太を返却するとすぐに病気が再発してしまったので、前田家はまたも秀忠に願い出て大典太を借り受けた。そのあとの展開も前回とまるっきり同じで、大典太を返すと直ったはずの病が再発し、また秀忠に大典太を借りにくるという始末。ついに秀忠も「もう返さなくてよろしい」と、大典太を前田家に与えることにしたという。

ちなみにこの逸話にはもう二種類のバリエーションがある。そのひとつでは「病気になったのは、利常の父である前田利家《としいえ》の三女で、豊臣秀吉から借りた」とする。もうひとつのバリエーションでは「病気になったのは前田利家の長女で、豊臣家から借りたが、病を癒す効果は出なかった」とする。

刀剣研究家の福永酔剣《ふくながすいけん》は「前田家の記録では、利家の三女のために秀吉から借りたとされているから、これが正しいと見るべきである」と判断している。

また、前田家に伝わる別の由緒《ゆいしょ》書き『大伝太太刀小鍛治薙刀記《おおでんたたちこかじなぎなたき》』では、前田利家が大典太を手に入れる前に、この刀を借りて肝試しを行った逸話が紹介されている。豊臣秀吉の居城である伏見城《ふしみじょう》で、深夜の廊下で「何者かに刀を引っ張られて前に進めない」という怪現象が起きたことが噂になっており、前田利家はそれを笑い飛ばして自分が実際に行ってみることにした。そのとき豊臣秀吉が、大典太を持って行けと言ったので受け取って現場に向かったところ、なんの怪現象も起きずに廊下を通ることができたという。

古くから光世の刀には、妖怪を退けた、邪気を清めた、狐憑きを追い出したなどの神秘的な逸話が伝わっている。原典には何の説明もなされていないが、伏見城の廊下で前田利家の身になにも起こらなかったのは、大典太は邪気を払うという噂と関係があるのかもしれない。

このように前田家から絶対に出さないようにして大事に保管されてきた大典太ですけれど、さすがに刀剣のプロではない、ご当主様のお手入れだけでは美しさを保つのにも限界があるようですね。そんなわけで大典太は、江戸時代に何度か研ぎに出されたことがあるそうです。
万が一にも家宝の守り刀に傷が付いたらいけないですから、前田家では本阿弥家というところにお手入れを任せたようです。江戸にある前田家のお屋敷に本阿弥さんが出張して、大典太をお手入れしたという記録がふたつ残っていますけど、大名家の命運を握るよな刀をお手入れするってどんな気分でしょう?　刀剣研究家の福永酔剣さんは、「手が震えていたことだろう」なんて推測してますよ。

Illustrated by れんた

仏法を護持する守りの刀——

数珠丸恒次【じゅずまるつねつぐ】

正式名称／太刀　銘　恒次【たち　めい　つねつぐ】

《重要文化財》
全長／ー
刃長／81.08cm
反り／腰反り　3cm
元幅／3.96cm
先幅／1.98cm
造込み／鎬造り
樋／なし
本興寺　蔵

仏教界の革命児「日蓮上人」最後の愛刀 危機を乗り越え現代によみがえる

日本刀といえば武士の持ち物というイメージがあるが、実際には日本刀を持っていたのは武士だけではない。農民でも短い日本刀「脇指《わきざし》」を持つのは普通のことで、僧侶が自衛のために刀を持つこともあった。この数珠丸恒次は、仏教の宗派のひとつ「日蓮宗《にちれんしゅう》」の開祖、日蓮上人《しょうにん》の愛刀である。日蓮上人は、この刀の柄の部分に数珠を巻き付けて携帯し、護身用の武器として使うだけでなく、この刀を杖代わりにして険しい山を登り、布教活動に励んだと言われている。

刃長は八一・〇八センチと長めで、元幅（刀の手元部分の幅）よりも先幅（刀の先端付近の幅）が二センチも細い、極端に先細りの外見が特徴である。この優雅な姿は、刀剣研究家から「上品な形」だと賞賛を浴びている。

この刀の茎《なかご》（刀身の、鞘の中に入る部分）には「恒次《つねつぐ》」という銘が切られている。一般的に刀剣界で「恒次」といえば、備中国《びっちゅうのくに》（現在の岡山県西部）青江《あおえ》派の名工「青江恒次」（➡六六ページ）が有名で、江戸時代の刀剣解説書でも、青江恒次がこの刀の作者だと書かれていた。だが現代の鑑定では、この刀の作風が青江恒次の作風とはかなり違うことから、備前国《びぜんのくに》（現在の岡山県東部）で十三世紀ごろに活躍した、青江恒次とは別の「恒次」だと考えられている。

日蓮上人がこの刀を手に入れたのは、日蓮上人の晩年、上人が甲斐国《かいのくに》（現在の山梨県）南部の身延山《みのぶさん》に寺を造ろうとしたときだった。山のふもとに住む信者から、旅人狙いの山賊から身を守るためにと寄進されたのである。上人は数珠丸を杖代わりに身延山に登り、のちに日蓮宗の総本山となる久遠寺《くおんじ》を七年かけて完成させ、そのまま亡くなった。数珠丸はその後も久遠寺で保管されていたが、江戸時代から明治時代にかけて、この刀の行方がわからなくなってしまった。

時は流れて大正九年（一九二〇年）、宮内庁に勤める刀剣鑑定家「杉原祥造《すぎはらしょうぞう》」が、行方不明だった数珠丸を入手。杉原はこの刀を久遠寺に返そうと考えたが実現せず、杉原の地元である尼崎の本興寺《ほんこうじ》に寄進された。本興寺では、この刀をご本尊同然に扱い、門外不出としている。最後に寺を出たのは、おそらく第二次世界大戦終戦直後の昭和二八年、東京国立博物館での展覧会だと思われる。そのため数珠丸の姿を知る人はきわめて少なかったが、近年になって数珠丸恒次の刀身（右写真）が撮影され、その姿を見ることができるようになっている。

明治時代、お寺の特権を奪う「廃仏毀釈運動」というのが起きたそうです。数珠丸が一時期行方不明だったのは、廃仏毀釈で数珠丸が奪われないように、日蓮宗を信仰している紀州徳川家に預けてたからだって説がありますよ。

Illustrated by 蟹丹

雨天対応、常在戦場の実戦刀——

鬼丸国綱

【おにまるくにつな】

正式名称／太刀　銘　国綱附　革包太刀拵
【たち　めい　くにつなつけたり　かわづつみたちこしらえ】

仏教界の革命児「日蓮上人」最後の愛刀
危機を乗り越え現代によみがえる

武士一族「源氏」の頭領である源頼朝《みなもとのよりとも》は、日本で初めて武家による政権である「鎌倉幕府」を築いた。しかし頼朝の死後、彼の正妻「北条政子《ほうじょうまさこ》」の一族、北条氏による執権政治《しっけんせいじ》によって、幕府の実質的な統治者は北条氏となった。

天下五剣のひとつ、鬼丸国綱はこの北条氏に伝わる一振りだ。この刀を制作したのは、京都の刀匠一族「粟田口《あわたぐち》」（➡一二六ページ）一門の名匠「藤六左近国綱《とうろくさこんくにつな》」、通称を粟田口国綱という。国綱は、鎌倉幕府の五代目執権である北条時頼《ときより》の命令で鎌倉に呼び出され、そこでこの刀を作り、時頼に献上したのだと伝えられる。

鬼丸国綱には、刀身が大きく反りかえっているという特徴がある。また、刀の手元に近い部分で刃文が大きく乱れており、これらの外見が刀剣研究家に「美しい刀」だと評価される理由になっている。

さらに鬼丸国綱は、古刀では珍しく鞘《さや》や鐔《つば》などの外装部品「拵え《こしら》」がそのまま残っている。この拵えは鞘全体を革で包んであるほか、鐔の部分にも革袋がかぶせられている。こうすることで、刀の鞘と鐔のすきまなどから雨水が中に入ることを防ぎ、雨のなかで刀を携帯していても錆びる心配がない。この防水性が高く実践的な拵えは、もともとは「楠拵え《くすのきこしら》」などの名前で呼ばれていたが、鬼丸国綱の拵えがあまりにも有名になったため、現代ではこの形式の拵えを「鬼丸拵《おにまるこしらえ》」と呼ぶ。ちなみに、これらの拵えは、戦国時代に、豊臣秀吉が細川藤孝《ほそかわふじたか》という武将に命じて修復させたものであるという。

鬼丸国綱は代々北条家に伝わっていたが、その後は室町幕府を築いた足利家、豊臣秀吉、刀剣鑑定家の本阿弥《ほんあみ》家、徳川幕府と、持ち主を転々とする。江戸幕府の一五代将軍「徳川慶喜《よしのぶ》」が大政奉還を行ったあとは、鬼丸国綱は天皇家の「御物《ぎょぶつ》」となり、現在は宮内庁が所蔵している。

この刀はなぜ「鬼丸国綱」と呼ばれるようになったのか？　その理由は鎌倉時代末期から始まり、鎌倉幕府崩壊の原因ともなった「南北朝《なんぼくちょう》の動乱」を題材にした物語『太平記《たいへいき》』という物語に紹介されている。

物語では、鎌倉幕府の初代執権だった「北条時政《ときまさ》」という人物が、体長三〇センチほどの小鬼があらわれる夢に悩まされ、心神を衰弱させて寝込んでいた。あるとき、夢の中に「国綱の刀の精である」と名乗る老人があらわれ、時政の悩みの種である小鬼を退治したいが、刀が錆びていて鞘から抜け出すことができないと訴える。夢から覚めた時政は、これは大変とただちに刀の錆《さび》を落とさせ、鞘から抜いたまま部屋の柱に立てかけておいた。するとこの刀は、触りもしないのに勝手に倒れて近くにあった銀の小鉢に当たった。小鉢には小鬼の形の装飾があって、刀はその首の部分を両断していたのだ。それ以降、夢の中に小鬼が出なくなり、喜んだ時政はこの刀に「鬼丸」の名をつけたのだという。

だが『太平記』の物語には大きな矛盾点がある。物語の主役である北条時政は、源頼朝にも直接仕えた鎌倉幕府の「初代」執権であり、鬼丸国綱を作らせた北条時頼の先祖になるのである。そのためこの逸話は鬼丸国綱の名前の由来としては疑わしく、命名の決定的な由来は現在もよくわかっていない。

さすがにおかしいと思ったのか、江戸時代以降の刀剣解説書では、『太平記』の記述の矛盾にツッコミが入っておるな。小鬼の夢に悩まされたのは、鬼丸国綱を作らせた五代目執権の北条時頼ということになっておる。

《御物》
全長／ー
刃長／約 85.2cm
反り／中反り 3.3cm
元幅／ 2.9cm
先幅／ 2.0cm
造込み／鎬造り
樋／なし
宮内庁　蔵

Illustrated by ヨシノリョウ

日本刀の形〃造り込み

日本刀の立体的な構造のことを「造り込み」と読んでおる。ここでは大きな刀と小さな刀に使われている、代表的な造り込みを一〇種類紹介しよう。なお、刀身イラストに描かれた黒塗り部分は、その部分の断面形状をあらわしておる。

太刀、打刀によく見られる造り込み

名前 / 外見と断面 / 解説

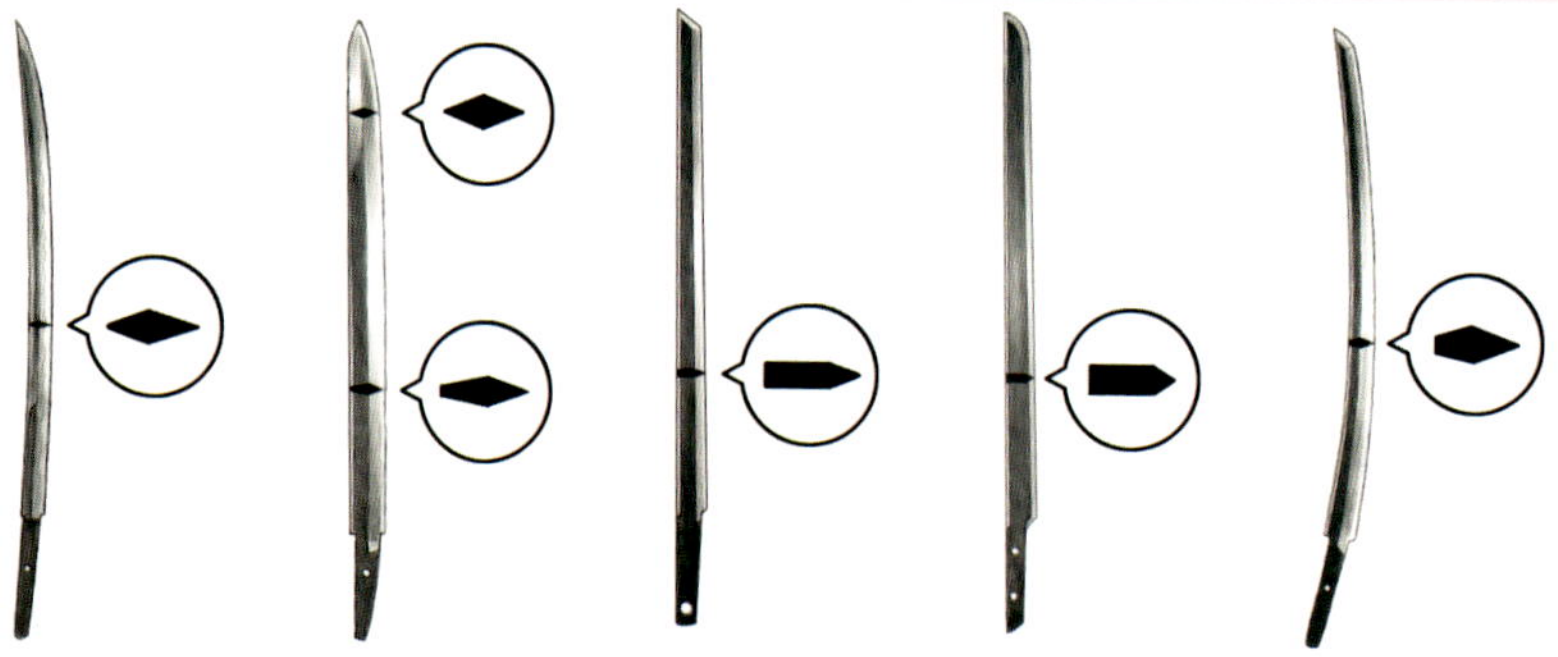

鎬造り《しのぎづくり》

刀身に反りがあり、刀身側面にほかの部分より山のように出っ張った場所「鎬」がある造り込み。日本刀の大部分がこの造り込みで作られているため「本造り」と呼ぶこともあります。

平造り《ひらづくり》

刃とそれ以外の部分に明確な境目がなく、曲線的な側面になっている造り込み。奈良時代の直刀はこの造り込みでした。その後も短刀向きの造り込みとして使われています。

切刃造《きりはづくり》

平造りの発展形で、刃と鎬地のあいだに明確な境界線（鎬）がある造り込み。鎬造りや平造りより刃の角度が鈍いのが特徴。表裏の片面だけに刃がついたものは「片切刃造《かたきりばづくり》」となります。

鋒両刃造《きっさきもろはづくり》

刀の先端だけが両刃で、それ以外の場所は片刃になっている造り込み。刀身に反りがある場合は、代表格である小烏丸《こがらすまる》（⬇三四ページ）の名前を借りて「小烏丸造」と呼ぶことも。

薙刀直造《なぎなたなおしづくり》

刃と鋒《きっさき》の境界線である「横手筋《よこてすじ》」がないのが特徴の造り込み。長い棒の先端に刃をつけた武器「なぎなた」の刀身を短くして刀にすると、この形状になることから名づけられました。

脇差、短刀の独特の造り込み

名前 / 外見と断面 / 解説

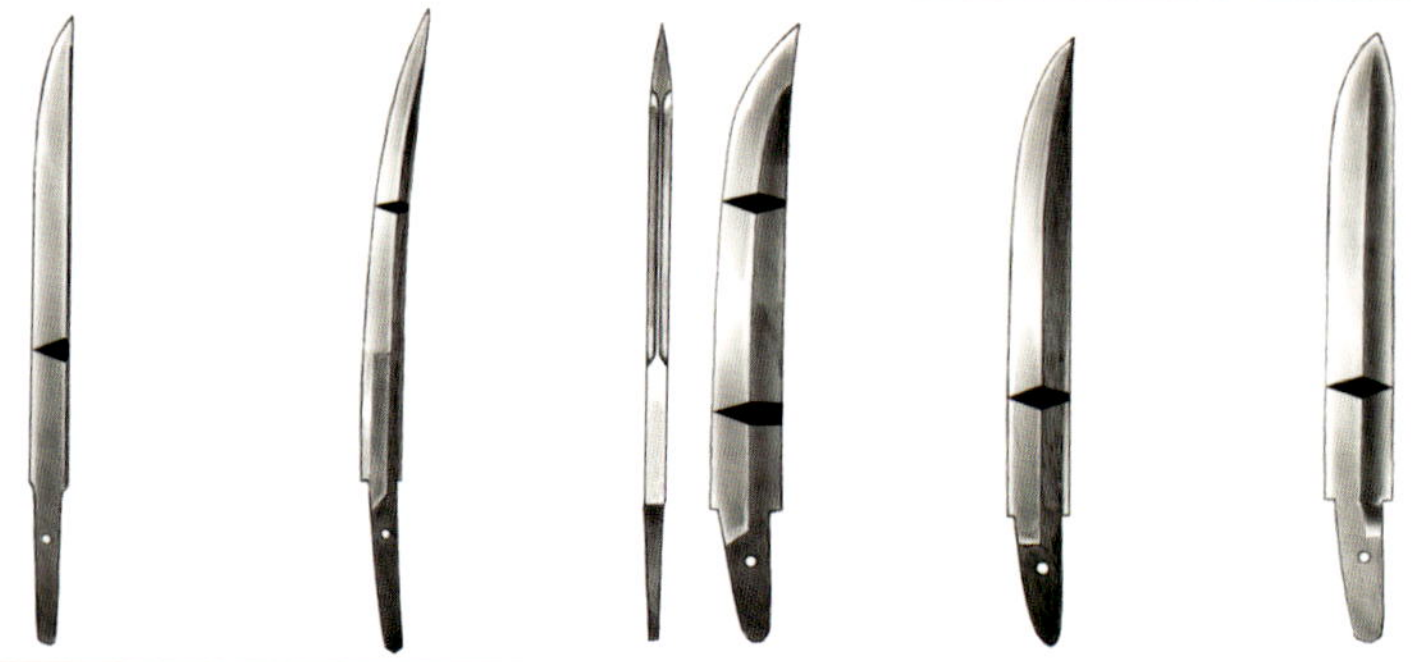

両刃造《もろはづくり》

刀身の前後両方に刃が付いている造り込みです。反りがあるものとないものがあります。室町時代後期に備前国《びぜんのくに》（現在の岡山県南東部）で盛んに生産された形式でした。

菖蒲造《しょうぶづくり》

菖蒲という草の葉に形が似ていることからついた名前。薙刀直造と似ていますが、刀身横の出っ張り「鎬筋」が、棟《むね》（刀の背中）に抜けず、鋒の先端まで伸びているのが特徴です。

鵜首造《うのくびづくり》

鎬造りに似ていますが、鎬地の側面を薄く削り込んであります。鎬地を残さず、鋒付近まで全部削ってしまう造り込みは「冠落《かんむりお》とし造」と呼ばれます。

おそらく造

刃と鋒を分ける「横手筋」が、刀身の先端ではなく根本付近にある……つまり、刀身のほとんどが鋒《きっさき》であるという特殊な造りです。切り裂く威力が増す効果があります。

鎧通造《よろいどおしづくり》

鎧の隙間を貫く、突き刺し専用刀「鎧通し」用の造り込み。断面が三角形のため斬る攻撃にはほとんど使えませんが、強度に優れ、力いっぱい刺しても折れにくいといいます。

由緒《ゆいしょ》ある名刀

日本の時代を動かしてきた武士たちの愛刀として、長い時間を生きてきた日本刀には、その刀の由緒や、活躍ぶりを語る逸話がつきものです。

この章では、現在日本国内に実在する刀のなかから、有名な逸話を持つ日本刀を30振りピックアップ。日本刀の特徴と逸話を、そのうち26振りについては実際の刀身写真を交えて紹介します。

千年の時を越えた白銀色の宝刀――

俵藤太の毛抜形太刀【たわらのとうたのけぬきがたたち】

正式名称／毛抜形太刀　赤地錦包鞘【けぬきがたのたち　あかじにしきつつみさや】

《重要文化財》
全長／96.3cm
刃長／70.9cm
反り／腰反り 2.0cm
元幅／2.7cm
先幅／1.9cm
造込み／鎬造り
樋／なし
神宮徴古館　蔵

将門討伐の大英雄〝俵藤太〟　その奉納品は日本刀のご先祖様

「毛抜形太刀《けぬきがたたち》」とは、平安時代から鎌倉時代初期まで作られた、日本刀の形式のひとつである。この刀は普通の日本刀と違い、刀の握る部分である「柄《つか》」がすべて金属製になっている。また柄の中央には動物の骨に似た形の穴が空いている。この穴の形が、平安時代に使われていたピンセットのような「毛抜き」がふたつつながった形に見えるため「毛抜形太刀」という名前がついている。

右の写真は、平安時代の武将「藤原秀郷《ふじわらのひでさと》」、通称「俵藤太《たわらのとうた》」の愛用品として伝えられている毛抜形太刀だ。現在国内に残っている毛抜形太刀のなかでもきわめて精巧に作られた名品であり、さらに柄の部分には、蝶と唐草模様をあしらった美しい銀板飾りが貼り付けられている。

一般的な日本刀と毛抜形太刀の最大の違いは、手で持つ柄の部分が木製である日本刀に対し、毛抜形太刀の柄は見た目のとおりすべて金属製になっていることだ。この形式は見た目は豪華だが、実戦で使うと刀で敵を切ったときの衝撃が直接手に響いてしまうという弱点がある。また、金属製なので滑りやすいのも問題だった。

このため鎌倉時代中期ごろになると、毛抜形太刀は神社に奉納したり行事で使う装飾品の扱いとなり、実戦では使われなくなってしまった。

日本刀は、この「毛抜形太刀」の発展形だと考えられている。衝撃と滑りという弱点を補うために、日本刀は刀身とつながっている柄の部分を木材で覆い、その上からでこぼこの鮫皮《さめかわ》（エイの皮のこと）で包み、さらに組紐《くみひも》を巻き付けることで、衝撃吸収力と滑り止め能力を強化したのだ。

なお、この刀の持ち主である藤原秀郷（俵藤太）は、下野国《しもつけのくに》（現在の栃木県）に本拠地を持つ武士であり、関東地方で朝廷に反旗をひるがえした「新皇《しんのう》」平将門《たいらのまさかど》を討ち取った日本史上の英雄で、国内には彼の奉納品だと伝えられている毛抜形太刀が複数現存している。藤原秀郷が生きた十世紀の日本において、毛抜形太刀が価値ある品だったことは間違いないだろう。

毛抜形太刀の「毛抜形」って、なんでついているのか聞いてみたのですが、「敵を斬ったときの衝撃を吸収する」のが目的なんだそうです。でも、そのあとさらに改良されたということは、まだまだ性能不足だったんでしょうか。

Illustrated by salada

化けた狐の作った銘刀

小狐丸【こぎつねまる】

正式名称／太刀《たち》　銘義憲作《めいよしのりさく》（号《ごう》　小狐丸《こぎつねまる》）

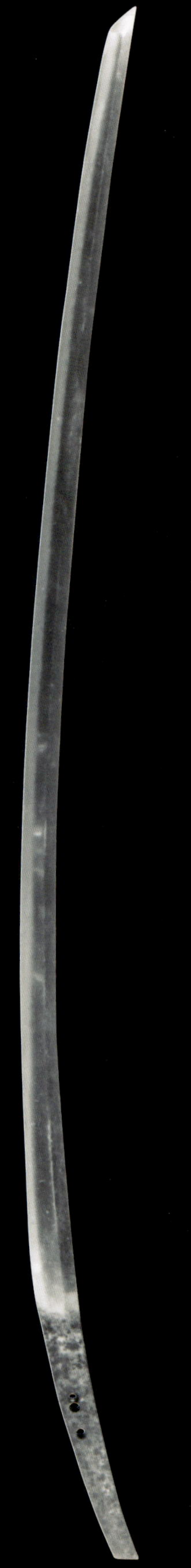

《奈良県指定文化財》
全長／ー
刃長／ 79.1cm
反り／中反り 2.5cm
元幅／ー
先幅／ー
造込み／鎬造り
樋／なし
石上神宮　蔵

古来より日本で霊力を持つ動物とされてきた「狐」。狐にまつわる伝承や民話は多数あるが、なかには「狐が人間のために刀を制作した」というものがある。奈良県の石上神宮《いそのかみじんぐう》に伝わる「小狐丸《こぎつねまる》」は、その伝承で実際に鍛えられたとする刀だ。

奈良県の民話『宝剣小狐丸《ほうけんこぎつねまる》』によれば、その昔、奈良県の大和郡山市《やまとこおりやまし》にある「菅《すが》田《た》神社」の近くの池に大蛇が住み付き、近隣の人々を苦しめるようになったという。そんなとき、近所の森を通っていた女性が、子狐を抱えて「乳が出ない」となげいている母狐を見つけた。あわれに思った女性が毎晩森に通って自分の乳を飲ませてやると、母狐はその恩を返すため、刀鍛冶の弟子に化けて刀を作り、それを女性に贈った。女性は狐が製作した刀を使って、みごと大蛇退治を退治したという。刀は布留明神《ふるのみょうじん》（現在の石上神宮《いそのかみじんぐう》）に奉納され、その作られた経緯から小狐丸と名づけられた。狐が作ったと伝えられているためか、小狐丸には、刀を鞘《さや》から抜き放つと、刀身に小狐が走る姿が見えるという言い伝えも残されている。

小狐丸は刀身が細長く、表面には板目肌という木の板のような模様が浮かんでいる。刃文は細かく波打つ「小丁字乱れ《こちょうじみだれ》」である。茎《なかご》には「義憲作《よしのりさく》」の銘があるが、義憲とは備前国《びぜんのくに》（現在の岡山県南東部）の刀匠であり、小狐丸の伝承とはかみあわない部分も多い。しかしこの刀が、伝説のような「魔除けの霊刀」として知られていたことは確かである。

一八四七年、江戸時代の終わりごろですね。天皇家のお墓を盗掘した泥棒が、さらに小狐丸を盗み出した直後に、罪がバレて処刑される事件が起きてます。さっすが狐の打たせた妖怪退治の刀です、盗んだら天罰てきめんですね！

小狐丸は複数ある？ 平安時代の名匠「三条宗近」の小狐丸

実は石上神宮に伝わるもの以外にも「小狐丸」と呼ばれる刀は複数ある。そのなかでもっとも有名なのは、三日月宗近（➡一四ページ）の製作者であり、平安時代屈指の名工「三条宗近《さんじょうむねちか》」が打った「小狐丸」だろう。

この刀の物語は、『小鍛冶《こかじ》』という演目で日本の舞台演劇「能」にもなっている。三条宗近はときの天皇から刀を打つことを命じられるが、宗近の指示で大きな槌を振り下ろす「相槌《あいづち》」を任せられる鍛冶がおらず困っていた。宗近は自分が信仰する、狐の使いを遣わす神社「稲荷明神《いなりみょうじん》」に参拝したところ、神の使いがあらわれ相槌をつとめてくれた。宗近はできた刀に「小狐丸」と名づけ、天皇に献上したという。

残念なことに、宗近の小狐丸は鎌倉時代後期から行方不明になっている。現在では小狐丸の「影打ち」、つまり同時に作ったとされる兄弟刀が、福井県の春日《かすが》神社に伝わっているのみである。

Illustrated by 葉山えいし

皇室保有の珍しい両刃刀――

小烏丸【こがらすまる】

正式名称／太刀《たち》 無銘《むめい》 伝天国《でんあまくに》

《御物》
全長／ー
刃長／ 62.7cm
反り／ 1.3cm
元幅／ー
先幅／ー
造込み／鋒両刃造
樋／棒樋
宮内庁 蔵

※上のデータは実物の小烏丸のデータです。
左の写真は小烏丸を模して作られた刀であり、下がそのデータです。

太刀 銘 天田収貞作
昭和六十一年二月日
全長／ー
刃長／ 62.4cm
反り／ 1.1cm
元幅／ー
先幅／ー
造込み／鋒両刃造
樋／棒樋に薙刀樋
刀剣伝承館 天田昭次記念館 蔵

カラスが運んだ帝の剣には背中の側にも「刃」がある

天皇家の宝「御物《ぎょぶつ》」として宮内庁が管理している宝刀「小烏丸」は、一般的な日本刀とは明らかに違う形をしている。この刀は、刀身の背中側の「棟《むね》」の部分にも、鋒《きっさき》（切っ先）から三〇センチにわたって刃がつけられているのだ。

刀身の途中までが片刃で、先端付近だけが両刃になる形式は「鋒両刃造《きっさきもろはづくり》」という。そのなかでも、小烏丸のように刀身が反りかえっているものは、特に「小烏丸造《こがらすまるづくり》」と呼ぶ（なお、鋒両刃造の刀のなかには、刀身が反らない直刀もある）。

小烏丸は独特の形状が有名であるため、多くの刀匠が、技術研究のために小烏丸の複製品「写し」を製作している。右の写真は新潟の刀匠「天田収貞《あまたかねさだ》」の作品であり、小烏丸の外見がよく写された一品である。この小烏丸写しは新潟県新発田《しばた》市の「刀剣伝承館　天田昭次《あまだあきつぐ》記念館」でいつでも鑑賞できる。

皇室御物の小烏丸は、いくつもの伝説に彩られた刀である。ある伝説によれば、日本の首都を奈良から京都に移し、平安時代最初の天皇となった「桓武天皇《かんむてんのう》」が朝の礼拝を行っていたとき、神道の元締めである神社「伊勢神宮《いせじんぐう》」の使いだと名乗る一羽のカラスが、翼の下から太刀を落として桓武天皇に与えたという。別の伝説では、三〇ページでも紹介した平将門《たいらのまさかど》の反乱で、謎の兵法で八人に分身した平将門に立ち向かった武士が、この刀で「兜に小さなカラスの像をつけた武者」を斬ったところ、本物の将門も倒れたため「小烏丸」と名づけたとされている。カラスから授かった、将門を斬ったというのは伝説にすぎないが、平家の武将に皇室から小烏丸が与えられ、将門と戦ったことは事実と思われる。

その後小烏丸はライバル関係だった武士集団「源氏《げんじ》」との決戦「壇《だん》ノ浦《うら》の戦い」で海に沈んだと思われていた。だがその後、日本各地に「平家伝来の刀、小烏丸」を名乗る刀が登場。現在御物となっている小烏丸もその一振りである。

ちなみに右の写真の小烏丸写しを作った刀匠「天田収貞」は、人間国宝の刀匠「天田昭次」の実弟にして弟子である。天田兄弟は日本刀の材料である「鉄」について著書『鉄と日本刀』をまとめるなど深い研究を進めた、鉄の歴史的研究の先駆者でもある。この小烏丸写しは、砂鉄を材料にした一般的な日本刀の原料鋼「玉鋼《たまはがね》」ではなく、あえて鉄鉱石の固まりである「餅鉄《もちがね》」を精錬した材料で作られた。刀身全体に「沸《にえ》」という細かい砂のような組織が混じり、美しい姿に仕上がっている。

小烏丸の作者は天国《あまくに》という。江戸時代の記録によれば、この刀には「大宝二年八月廿五日」という銘があったという。これが本当なら大宝二年、つまり西暦七〇二年には日本刀があったことになるが……本当かのう？

小烏丸
Illustrated by オギノ

獅子王【ししおう】

源三位の武威を伝えるいわくつきの太刀——

正式名称／太刀 無銘（号 獅子王）附 黒漆太刀拵【たち むめい ごうししおう つけたりくろうるしたちこしらえ】

《重要文化財》
全長／94.3cm
刃長／77.5cm
反り／腰反り 2.7cm
元幅／2.8cm
先幅／1.8cm
造込み／鎬造り
樋／なし
東京国立博物館　蔵

Image: TNM Image Archives

天皇の寝所を守る〝源三位〟の武士、頼政が鵺退治の褒美に下賜された大太刀

平安時代の末期は、日本を代表する武家のひとつ「平氏《へいし》」が権力を握る時代だった。平氏のライバルである源氏《げんじ》は不遇の時代を送っていたが、そのような境遇にもかかわらず、源氏歴代最高の「三位《さんみ》」という高い官位を与えられた男がいた。その武士の名は「源頼政《みなもとのよりまさ》」。無双の武勇と歌人としての才をあわせ持つ人物である。彼が天皇から授かった刀が、この「獅子王」の太刀である。

獅子王は平安時代によく見られる細身の刀身で、刀身に平行な「直刃《すぐは》」の刃文が焼かれた名刀である。銘がないため作者は明らかでないが、古い資料では豊後国《ぶんごのくに》（現在の大分県）の定秀《さだひで》、あるいは備前国《びぜんのくに》（現在の岡山県南東部）の実成《さねなり》という刀匠だと書くものがある。また、刀身に加えて黒漆で塗られた太刀拵《たちこしら》えも現存している。

『平家物語』によれば、獅子王の太刀は源頼政が妖怪退治をした褒美として与えられた刀だとされている。物語によると、天皇や頼政が暮らす京都において、毎晩午前二時ごろに天皇の住居「御所《ごしょ》」を黒い雲が覆うようになり、幼い天皇はそれにおびえて夜も眠れなくなってしまった。僧侶や神官による祈祷《きとう》にも効果がないため、朝廷は武勇名高い源頼政に、この怪異を解決するよう命じたのだ。

頼政が御所にひそんで怪異を待ちかまえると、情報どおり東の森から黒い雲があらわれて御所を覆ってゆく。頼政は念仏を唱えながら、雲の中に見つけた怪しい影を自慢の弓矢で打ち落とす。それは複数の獣の部品をかきあつめたような怪物、鵺《ぬえ》であった。頼政が部下と協力してこの鵺を討ち取ると、怪奇現象はぴたりとやみ、頼政はその褒美として獅子王の太刀を授かったという。

武士に怪現象を解決させるのは畑違いに思えるが、当時の常識では、弓の弦を鳴らす行為には魔を払う力があると信じられており、実際に源氏の武士「源義家《みなもとのよしいえ》」が弓の弦をはじく音で、天皇にとりつく病魔を払ったという実績がある。また頼政は平安時代の妖怪ハンターとして有名な「源頼光《みなもとのらいこう》」（⬇一八ページ）のひ孫であり、怪奇現象対策に呼ばれるのは特におかしなことではない。

獅子王についておる黒漆の拵えは、実戦向けのものだ。本来朝廷からの下賜品は「飾り太刀」という装飾された拵えになるはずでな……獅子王の太刀が本当に朝廷から下賜された刀なのか、疑問点が残るな。

Illustrated by 田島幸枝

妖怪変化も斬り捨てる

鬼切国綱

【おにきりくにつな】

正式名称／太刀《たち》 銘《めい》 国綱《くにつな》

《重要文化財》
全長／ー cm
刃長／ 84.6cm
反り／腰反り 3.5cm
元幅／ 3.2cm
先幅／ 2.0cm
造込み／鎬造り
樋／棒樋
北野天満宮　蔵

写真提供　京都国立博物館

作者知れずの名刀は 号を四回も変えた伝説を持つ

日本刀の通称である「号」は、持ち主の名前、刀の活躍などが原因で、長い歴史のなかで何度も変わることがある。なかでも特に号の変わった回数が多い刀として、この「鬼切」があげられる。この刀は今では鬼切と呼ばれているが、髭切《ひげきり》→鬼切《おにきり》→獅子の子→友切→髭切→鬼切と、五回も号が変わった刀なのである。

現在は京都の神社「北野天満宮《きたのてんまんぐう》」が所有しているこの鬼切は、武士たちが台頭した平安時代後期に作られた太刀である。刀身の持ち手部分である「茎《なかご》」には「國綱」という銘が切られているが、この刀を作ったのが誰なのかは正確には判明していない。有力な候補は左のふたりである。

一、安綱《やすつな》……伯耆国《ほうきのくに》（現在の鳥取県中西部）の刀匠
二、國綱《くにつな》……備前国（現在の岡山県南東部）の刀匠

一の説は、所有者である北野天満宮に伝わるもので、本来この刀の銘は安綱と切られており「童子切安綱《どうじぎりやすつな》」（➡一八ページ）の作者として有名な名匠、伯耆安綱《ほうきやすつな》の作品だったが、のちに安の字のまわりに口《くにがまえ》を書き足して改ざんしたというものだ。

二の説は、近年有力になってきているもので、國綱という銘が本物だという考え方だ。國綱といえば京都粟田口の名匠、粟田口《あわたぐち》國綱（➡一二六ページ）が有名だが、これは粟田口の刀ではなく、その作風から備前国の國綱だと考えられている。

この刀が当初「髭切」と呼ばれていたことはすでに説明したとおり。この名前は、罪人を使った試し切りで、口ひげもろとも首を落としたことからついた名前である。その後、平安時代の妖怪ハンターとして名高い源頼光《みなもとのらいこう》の部下「渡辺綱《わたなべのつな》」が、この刀を使って女性の鬼の腕を切り落としたため「鬼切」と名前を変えた。

『平家物語』の異本である『平家物語　剣巻《けんのまき》』の逸話によると、夜になると獅子の鳴く声が聞こえることから「獅子の子」と呼ばれたり、刀がひとりでに倒れて別の刀の茎を切ったため「友切」と呼ばれたりと、号の変遷を繰り返した。この刀が鎌倉幕府の創始者である源頼朝《みなもとのよりとも》の手に渡ると、友切という名前は縁起が悪いと「髭切」に戻され、鎌倉時代末期にはいつのまにか「鬼切」に戻されていたという。

その後鬼切は、源氏の分家で室町幕府を築いた足利家の宝となり、さらにその分家である東北の大名「最上氏《もがみ》」の宝となった。その後最上氏を出た鬼切は、紆余曲折の末に北野天満宮に奉納され、現在に伝わっている。

ちなみに鬼切には、同時に作られた「膝丸《ひざまる》」っていう兄弟刀があったそうです。こちらも膝丸→蜘蛛切《くもきり》→吼丸《ほえまる》→薄緑《うすみどり》と三回改名した刀なんだそうですよ。この薄緑だって伝わっている刀、今は箱根神社にあるそうです。

Illustrated by チーコ

父の仇を木っ端微塵に打ち砕く——

微塵丸【みじんまる】

正式名称／太刀【たち】　微塵丸【みじんまる】

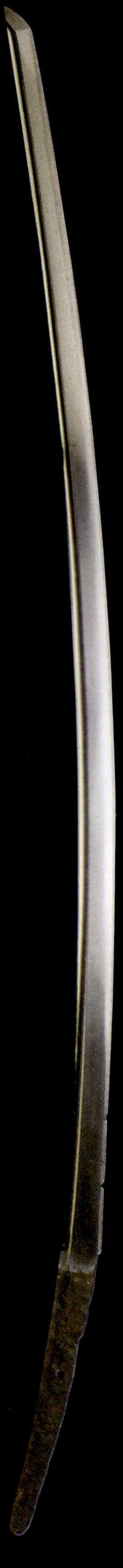

全長／ー
刃長／約 100cm
反り／ー
元幅／ー
先幅／ー
造込み／鎬造り
樋／棒樋
箱根神社　蔵

命をかけて親の敵を討たんとする兄弟は仇討ち成就をこの刀に賭けた

世間に知られる名刀が生まれるには、刀の出来もさることながら、その刀が有名な武将の愛刀になったり、伝説的事件の主役になることが重要になる。「木っ端微塵に切り裂く刀」という意味を持つ微塵丸《みじんまる》は、江戸時代に「三大仇討《あだう》ち話」のひとつとしてもてはやされた『曾我物語《そがものがたり》』に登場する刀である。

神奈川県の箱根神社に収蔵されている微塵丸は、刃長が一〇〇センチあり、通常八〇センチ程度のものが多い太刀のなかでも非常に長い。刀身には太い樋《ひ》がかかれている。刃文はほぼまっすぐで、刃の手元に近い部分には二個の大きな傷が付いている。これは「切り込み傷」といって、敵と刀を打ちあわせたときにできるもので、微塵丸が実戦に使われた刀であることを証明している。

箱根神社に伝わる由来によると、もともとこの刀は、平安時代末期の武将「木曾《きそ》義仲《よしなか》」の刀だった。彼が源氏の頭領である源頼朝《みなもとのよりとも》に、自分の息子を人質として送ったとき、息子の無事を祈って箱根神社に奉納した刀なのだという。

こうして奉納された微塵丸は、のちに『曾我物語』に登場することになる。この物語は鎌倉時代初期に発生した実際の事件を脚色した仇討ちの物語だ。平安時代末期の一一七六年、武士どうしの領地争いがこじれ、河津祐泰《かわづすけやす》という武士が、工藤祐経《くどうすけつね》という武士の手下に暗殺されてしまう。残されたのは妻とふたりの子供、兄の一《いち》萬丸《まんまる》と弟の箱王丸《はこおうまる》だった。

母親の再婚により、兄弟は曾我氏の一員となり、兄の一萬丸は曾我氏の跡取りとして、弟は箱根神社の前身である「箱根権現《はこねごんげん》」の神職になった。だが兄弟は父の敵である工藤祐経を決して忘れず、いつか復讐を果たすと誓いあっていたのだ。

時は流れて一一九三年、二二才になっていた兄は「曾我十郎祐成《そがじゅうろうすけなり》」、弟は「曾我《そが》五郎時政《ごろうときまさ》」と名乗っていた。この年、鎌倉幕府を開いたばかりの源頼朝が「巻狩《まきが》り」という大規模な狩猟イベントを開催することになった。仇討ちの絶好のチャンスと決意を固めた兄弟は、お世話になっていた箱根権現から微塵丸の刀を借り、巻狩りの会場に潜入。無防備に通りがかった工藤祐経を討ち取ったのである。

むろん、幕府の行事で狼藉《ろうぜき》を働いた者を許す鎌倉武士ではない。兄の祐成はすぐに討ち取られ、弟も捕らえられたが、斬首の前に弟が説明した仇討ちの動機が、のちに『曾我物語』となって広められたのである。

木曾義仲さんが奉納した微塵丸なんですが、「短刀だった」という記録が残ってましたよ。箱根神社さんの微塵丸は立派な太刀ですから、曾我兄弟が使った微塵丸は、義仲さんが奉納したものとは別の刀かもしれないですね。

Illustrated by 風花風花

鎌倉武士が魂を込めた名刀――

狐ヶ崎為次【きつねがさきためつぐ】

正式名称／太刀 銘為次（狐ヶ崎）附黒漆太刀拵
【たちめい ためつぐ きつねがさき つけたり くろうるしたちごしらえ】

全長／ー
刃長／78.8cm
反り・腰反り／3.4cm
元幅／3.2cm
先幅／2.1cm
造込み／鎬造り
樋／なし
吉川史料館 蔵

我が身を斬らせて恨敵を討つ 吉川武士の誇りを伝える名品

日本刀の名産地と言えば、真っ先にあがるのは現在の岡山県南東部にあたる備前《びぜんの》国《くに》だ。だがその西隣にあたる備中国《びっちゅうのくに》（現在の岡山県西部）も刀の名産地として知られ、多くの名刀を世に出している。この刀は備中国屈指の名匠である青江一族の刀匠「青江為次《あおえためつぐ》」の作品で、狐ヶ崎《きつねがさき》という号がつけられている。

狐ヶ崎は、刃の長さが七八・八センチ。刃文は小さく波打つ「小乱れ」と呼ばれる種類で、その美しさが高く評価されて、日本の国宝に指定されている。刀身のほかにも、全体を黒い漆で塗り、持ち手「柄《つか》」の部分には革を巻きつけた拵《こしら》えが、当時の姿そのままに現存しているのも特徴である。

この刀の「狐ヶ崎」という号は、小狐丸（➡三二ページ）のように狐と関係のある逸話が残されているから、ではなく、この刀が「狐ヶ崎」という場所で活躍したことからついたものである。その活躍は、今から約八〇〇年前、鎌倉時代初期にまでさかのぼる。鎌倉幕府の初代将軍である源頼朝《みなもとのよりとも》の腹心「梶原景時《かじわらかげとき》」は、鎌倉幕府の家臣である「御家人《ごけにん》」の行動を監視する役目についていたため、御家人たちから敵視されていた。そのため頼朝が亡くなると、梶原景時は御家人たちとの政治闘争に敗れて、幕府のある鎌倉を追放されることになってしまう。

梶原一族は京都に逃れようとしたが、彼と敵対していた御家人たちはそれを見逃すつもりはなかった。梶原一族が駿河国《するがのくに》（現在の静岡県東部）の「狐ヶ崎」と呼ばれていた場所を通りかかったとき、周辺の武士たちが戦いを挑んだのだ。

このとき梶原一族のなかでも武勇に優れる三男、梶原景茂《かじわらかげしげ》と戦ったのが、この太刀の持ち主、吉川友兼《きっかわともかね》だった。彼はみずからも重傷を負いながら梶原景茂を討ち取り、翌日に自身も命を落としたのである。

吉川友兼の勇敢さは武士たちのあいだで有名になり、子孫たちもその後の戦で武勲を重ね続けた。やがて吉川氏は、安芸国《あきのくに》（現在の広島県西部）に移住して領主となり、戦国時代には「三本の矢」の故事で有名な毛利元就《もうりもとなり》の一族となって活躍。その家系は現在まで続いている。

現在、山口県岩国市には吉川氏代々の宝物を展示する「吉川史料館《きっかわしりょうかん》」が設立されており、狐ヶ崎の太刀もこの資料館の名物として大切に保管されている。狐ヶ崎は、吉川家の武士としての誇りを代々伝えてきた証人なのである。

実戦用の太刀は、戦いに使われて細かな傷が付き、研ぎなどで補修されたり短く作り替えられていくのが普通でな。儀礼用や観賞用ではなく実戦用の刀が、このように製作当初の姿で残っているのは非常に貴重なことなのだ。

Illustrated by nove

刀匠皇族「後鳥羽上皇」作の逸品

菊御作【きくのぎょさく】

正式名称／太刀《たち》 銘《めい》（菊紋《きくもん》）菊御作【きくのぎょさく】

《重要文化財》
全長／ー
刃長／ 78.1cm
反り／ 2.2cm
元幅／ー
先幅／ー
造込み／鎬造り
樋／なし
京都国立博物館 蔵

菊の模様は天皇家の証 朝廷の主人「後鳥羽上皇」が打った刀

炎をあやつり、美しい武器を作り出す「刀匠」という仕事は、本職の鍛冶師以外からもあこがれの対象だった。刀剣のなかには「武家打ち」と呼ばれるものがあり、これは本職の刀匠ではなく、武士が趣味で製作した刀である。そして日本の最高権力者である皇族のなかにも、刀剣に魅せられた人物がいる。

それは平安時代末期から鎌倉時代初期にかけて在位したのち、天皇を退位して「上皇《じょうこう》」となり、朝廷の実権を握った「後鳥羽《ごとば》上皇」だ。この後鳥羽上皇が、天下の名匠を朝廷に呼び寄せて刀を作らせ、みずからも工程の一部を担当してできあがった太刀が、現在でも数振り現存している。右の写真はそのうちの一振りとして京都国立博物館に所蔵されているもので、茎《なかご》の部分に天皇家の紋章である菊紋が彫り込まれていることから「菊御作」または「菊作《きくさく》」という通称で呼ばれている。

長い年月のためにほとんど判別できなくなっているが、菊御作に切られた菊紋は花びら一六枚の「十六葉菊紋《じゅうろくようきくもん》」である。菊紋以外に作者を判別できる銘は切られていないが、作風から判断して、備前国《びぜんのくに》（現在の岡山県南東部）の刀匠流派「福岡一文字」（➡一二八ページ）の作品に近い作りである。そのためこの刀のおもな作者は、福岡一文字の名匠「則宗《のりむね》」または「助宗《すけむね》」だと考えられている。

菊御作の製作にあたって、後鳥羽上皇がどの工程を担当したかという見解は、資料ごとに大きく違う。後鳥羽上皇の業績をまとめた書物『承久記《じょうきゅうき》』によると、後鳥羽状況はまず「次家《つぐいえ》」「次延《つぐのぶ》」というふたりの刀匠に、金属の鍛錬と刀の整形を行わせ、上皇自身は灼熱させた刀身を水中で急冷して反りと刃文をつける「焼き入れ」の工程を担当したという。ほかの資料を見ると、上皇がすべての工程を自分で行ったとするもの、「上皇の御前で打たれた刀に、菊紋を切ることを許しただけ」だと書くものもある。どれが真実かは定かではないが、資料に書かれていることがすべてだとも限らない。特に菊御作と呼ばれる刀は、一振りだけでなくかなりの数が作られたようなので、なかには上皇自身がすべての工程を担当した刀もあったかもしれない。

“上皇みずから打った刀”が 朝廷派武士の士気を高める

後鳥羽上皇が刀匠という仕事に興味を持ち、趣味のひとつにしていたのは事実だが、上皇が行うこととなると、趣味にも政治的な価値が出てくる。

そもそも後鳥羽上皇は、朝廷から離れて武士の政権を作った鎌倉幕府に反発し、幕府を打倒しようと望んだ人物である。しかし東日本の武士は鎌倉幕府に忠誠を誓っているため、上皇は幕府に対抗するために固有の武力を手に入れる必要があった。そこで上皇は、皇族が住む「御所《ごしょ》」の警備役である「北面《ほくめん》の武士」と、新設された「西面《せいめん》の武士」を強化し、天皇家の武力を高めようと考えた。そして武士たちの忠誠を集めるために、自分が作った刀に菊紋を切り、北面の武士と西面の武士の有力者に与えたのである。なお、後鳥羽上皇の時代には、これらの刀はまだ「菊御作」とは呼ばれておらず、御所で作られたことから「御所焼き」と呼ばれていた。ただしこの名前は「御所が火事で焼ける」ように聞こえて縁起が悪いので、やがて「御所作《ごしょづくり》」と呼ばれるようになった。

のちに後鳥羽上皇は、鎌倉幕府の実権を握る北条氏を倒すため「承久の乱《じょうきゅう》」と呼ばれる戦争を起こすのだが、このときに菊御作が実戦で使われた記録が残されている。菊御作のひとつを授かった筑後六郎左右衛門《ちくごろくろうざえもん》という武士が、合戦に敗れて逃走中に、追っ手の武士が乗っている馬に菊御作で斬りつけた。すると刀は馬の手綱ごと、馬の首を両断してしまったという。人間の胴体よりも明らかに太い馬の首は切り落とすのも至難の業。もしこの逸話が単なる作り話ではなく実話だとしたら、菊御作の切れ味は名刀と呼ぶにふさわしいものだろう。

後鳥羽上皇が天皇として在位中の姿と伝わる肖像画。鎌倉時代の貴族、藤原信実の作品

承久の乱に敗れた後鳥羽上皇は島流し先でも刀をつくる

鎌倉幕府転覆を狙った承久の乱は失敗に終わった。乱の首謀者である後鳥羽上皇は、現代で言う島根県の隠岐島《おきのしま》へ島流しされることになった。だが後鳥羽上皇は、ここでも日本刀への情熱を捨てることはなかった。

上皇は地元の鍛冶師を集めさせ、日本刀を打たせたという（名匠を隠岐島に集めて鍛刀させたという伝承もあるが、事実とは考えにくい）。隠岐島には、現代でも「後鳥羽上皇に招聘された隠岐御番鍛冶の子孫だ」と称する家が残っている。また、刀剣製作に使用した水をくみ上げた井戸の遺跡も残っている。

後鳥羽上皇の「御番鍛冶《ごばんかじ》」

後鳥羽上皇は、日本を代表する刀工を自分の御所に呼び、刀を打たせたといわれている。後世の伝承によれば、これは一ヶ月単位の当番制で、一月は備前の則宗刀匠、四月は山城の国安刀匠というように、毎月違う刀匠を招いていたと伝えられている。このように月替わりで呼ばれた名匠を「御番鍛冶」と呼んでいる。

左にあげたのは、後世に伝わっている御番鍛冶の担当表である。承元《じょうげん》の十二人制番鍛冶表を見ると、一二人中、過半数である七人が備前国の「備前長船」や「一文字」の刀匠であることに気づくだろう。

ただしこれらの番鍛冶表には歴史的に見て不自然な点が多く、後世の人々が「御番鍛冶」の制度を知って、勝手な想像で作りあげた創作の表だという評価が根強い。

ともあれ鎌倉時代初期に備前国の刀匠が人気だったことは事実であり、御番鍛冶の表が作られたと思われる室町時代の刀剣界における、刀匠の評価をうかがい知ることができる貴重な情報源といえる。

◆十二人制番鍛冶

月	刀匠名
一月	備前一文字則宗
二月	備中青江貞次
三月	備前一文字延房
四月	山城粟田口国安
五月	備中青江恒次
六月	山城粟田口国友
七月	備前一文字宗吉
八月	備中青江次家
九月	備前一文字助宗
十月	備前一文字行国
十一月	備前一文字助成
十二月	備前一文字助延

◆二十四人制番鍛冶

月	刀匠名	
一月	備前包道	粟田口国友
二月	備前師実	備前長助
三月	大和重弘	備前行国
四月	備前近房	豊後行平
五月	備前包近	備前真房
六月	備前則次	備前吉房
七月	備前朝助	伯耆宗隆
八月	備前章実	備前実経
九月	備前包末	備前信房
十月	美作朝忠	美作実経
十一月	備前包助	備前則宗
十二月	備中則真	備前是助

みなさん「菊一文字」って聞いたことありますか？　これは、上皇様の御番鍛冶だった福岡一文字の刀匠さんたちが、菊の紋を許されたので「菊紋を許された一文字の刀だ」ってことでついたあだ名なんだそうですよ。

Illustrated by tecoyuke

磨り上げで変わる名刀の姿――

小竜景光【こりゅうかげみつ】

正式名称／太刀《たち》　銘《めい》　備前国長船住景光【びぜんこくおさふねじゅうかげみつ】

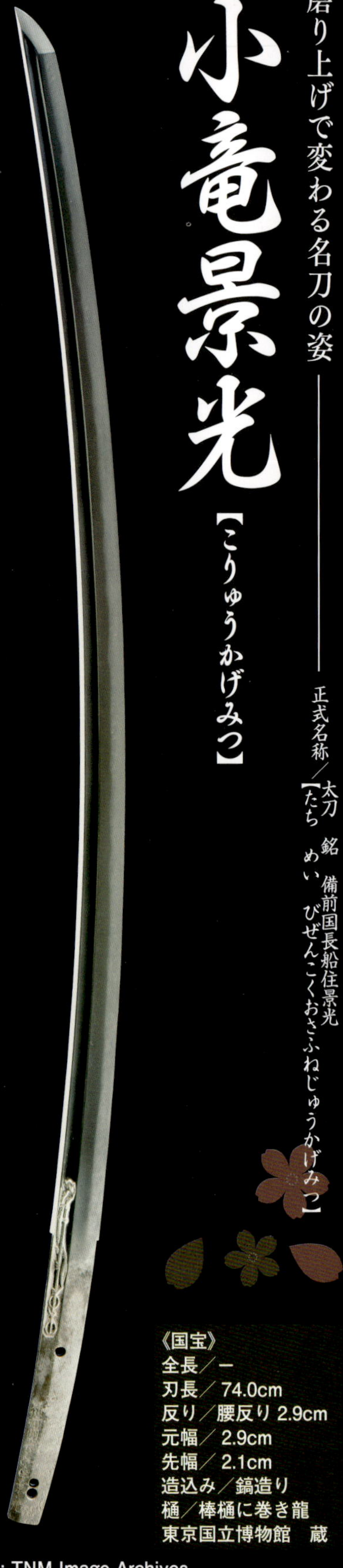

《国宝》
全長／ー
刃長／ 74.0cm
反り／腰反り 2.9cm
元幅／ 2.9cm
先幅／ 2.1cm
造込み／鎬造り
樋／棒樋に巻き龍
東京国立博物館　蔵

Image: TNM Image Archives

壮大な龍が柄の中に隠された名刀　所有者は楠木正成公か？

日本刀の刀身には、装飾性を増すために彫刻が彫られることがある。特に人気がある彫刻のモチーフは、仏教の経典に使われる「梵《ぼん》字《じ》」や、龍の模様である。この「小竜景光」という日本刀は、刀身に「棒樋《ぼうひ》に巻《ま》き龍《りゅう》」の彫刻があるが、大部分が柄の中に隠れており、外から見える部分が「龍の頭」だけしかないという珍しい刀だ。龍の頭だけが小さく見えているから「小竜」というわけだ。備前国《びぜんのくに》の刀匠一派「長船《おさふね》派」の名匠、備前長船景光《かげみつ》の作品で、日本の国宝に指定されている。

龍の彫刻が頭しか見えていないのは、この刀に「磨《す》り上げ」（➡一三七ページ）が行われたからだ。磨り上げとは、長すぎる刀を持ち手の体格にあわせて短くする工作を指す。現在の小竜景光は刃の長さが七四センチだが、本来この刀はもっと長いものだった。龍の彫り物は刀身の手元付近に彫られているため、本来の長さならば、すべての彫刻が柄《つか》に隠れず見えたはずなのだが、茎《なかご》を切って長さを縮めたため、彫刻が柄のなかに隠れるようになってしまったのだ。

この刀のもうひとつの名前は「楠公《なんこう》景光」という。楠公とは、鎌倉時代末期から室町時代初期にかけての「南北朝の動乱」で活躍し、「小竜景光」の持ち主だったとされている武将「楠《くすの》木《き》正成《まさしげ》」のことである。裏切りが横行し、昨日の味方が明日の敵になる時代に、楠木正成は一貫して幕府と敵対する「南朝《なんちょう》」方に所属。わずか一〇〇〇人で北朝軍数万（一〇〇万と書く資料もあるが誇張である）を撃退するなど多大な武勲をあげるものの、最後は不利な戦場で戦うことを強いられて敗死した。その悲劇的な人生と誠実さで、時代を問わず尊敬を集めている人物だ。

だが、小竜景光が楠木正成の愛刀だという話が流布したのは、正成の死から数百年後の江戸時代末期からである。大坂の刀剣商が農家で発見した景光を買い「楠木正成の刀」という触れ込みで鑑定に出したのだ。鑑定家は「信じがたい」として折《おり》紙《がみ》（証明書）を出さなかったが、この話を聞いた幕府の代官が買い上げ、以降この刀は「楠木正成の刀」として世に出たが、本当に楠木正成の刀かは非常に疑わしい。

ともあれ、小竜景光が独特の姿と高い完成度を持つ名刀であること自体は動かぬ事実である。多くの刀匠がこの刀の「写し（特定の刀を真似て作った刀）」の製作に挑戦したが、時代を代表する名匠が作った写しでも、本物の完成度には遠く及ばなかったという。

この刀は江戸幕府のお抱え処刑人「山田浅右衛門」家の所有となったあと、皇室に献上されておる。明治天皇がサーベルとして身につけたなどという噂もあるが、あくまで噂であって事実ではないので真に受けてはならんぞ。

Illustrated by 湯浅彬

通常の刀の二〇倍以上の重量――

祢々切丸【ねねきりまる】

正式名称／山金造波文蛭巻大太刀　刀身無銘（号祢々切丸）
【やまがねづくりはもんひるまきのおおだち　とうしんむめい　ごうねねきりまる】

《重要文化財》
全長／約 340cm
刃長／ 216.7cm
反り／中反り 6.4cm
元幅／ 5.6cm
先幅／ー
造込み／鵜首造り
樋／棒樋
二荒山神社　蔵

全長三・四メートル、国内屈指の大太刀は妖怪を滅ぼした破邪の刃

日本刀のなかには、刃の長さが一メートルを超える巨大なものがあり、大太刀と呼ばれている。その多くは、柄《つか》（持ち手）の部分までを加えた長さが人間の身長と同じくらいだが、なかには全長が二メートルを超え、とても武器として使えそうにないほど巨大なものもある。栃木県日光市の二荒山神社《ふたらさんじんじゃ》にある大太刀「山金造波文《やまがねづくりはもん》蛭巻大太刀《ひるまきのおおだち》」は、全長どころか刃の長さだけで二メートルを越え、拵《こしら》えも含めた全長は三四〇センチにもなる。人間の身長ふたり分の長さの超巨大な刀である。

号を祢々切丸《ねねきりまる》というこの刀の刀身には「棒樋《ぼうひ》」という大きな溝が彫り込まれ、さらに刀身の背中側「棟《むね》」のうち鋒《きっさき》に近い部分を薄く削る「鵜首造り《うのくびづくり》」の構造になっている。これだけ念入りに軽量化をしても、祢々切丸の刀身には二二・五キロものの重さがある。一般的な日本刀の刀身の重さは一キロ前後だから、重さは約二〇倍。これでは持ち上げるのも一苦労であろう。

このため全長二メートルを超えるような大太刀は、奉納用の非実用的な刀だと解釈されることが多い。実際に鎌倉時代末期ごろから、刃長一メートルを越える大太刀が神社への奉納用として盛んに作られたのは事実であるし、武家の信仰を集めた二荒山神社にこのような大太刀が奉納されたとしても不思議ではない。だが、福島の刀匠「藤安将平《ふじやすしょうへい》」は、これらの巨大な刀も十分に実戦に耐え、実際に戦場で使われたものも多いと指摘し、大太刀を飾り物と断じる風潮に異を唱えている。

二荒山神社には、この巨大な祢々切丸が縦横無尽に敵を斬りまくった伝説が残されている。それによると、この刀には「人間が手に持たなくても、自分で動いて敵を攻撃する」不思議な力が備わっているというのだ。その伝説によれば、二荒山神社の近くに、「祢々《ねね》」という妖怪があらわれたのだが、祢々切丸はひとりでに鞘から抜け出して祢々を追いかけ、二荒山神社の境内に追い詰めて斬り殺したという。

この刀は「妖怪祢々を切った刀」だから「祢々切丸」と呼ばれているのだが、この「祢々」がどのような妖怪なのかは、はっきりとわかっていない。わかっているのは祢々には「ネーネー」と鳴く習性があったということだけだ。祢々の正体については複数の説がある。まず、ネネとは栃木の方言で「河童」を意味する言葉だというもの。さらに、虫のような妖怪である、獅子王の太刀（➡三六ページ）の物語にも登場した「鵺《ぬえ》」という怪物の別名だ、という説が有名だ。

祢々切丸が奉納されている二荒山神社は、日本の神道の総本社「伊勢神宮」に次いで、日本で二番目に敷地が広い神社なんだそうです。関東地方の武士のみなさんが信仰したので、二荒山神社には名刀がたくさんあるんですね。

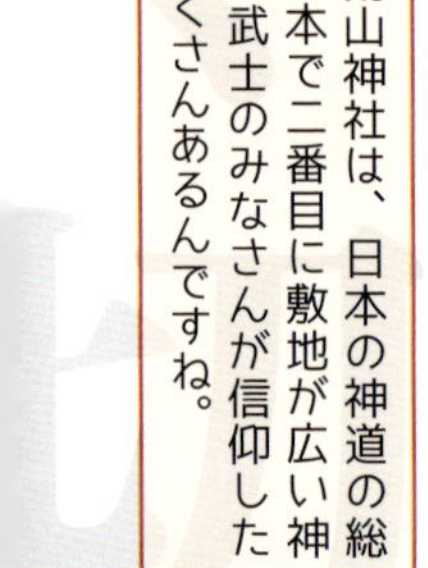

Illustrated by 鉄豚

昇り龍が彫られた——

瀬昇太刀【せのぼりのたち】

正式名称／大太刀　無銘　附　金銅蛭巻兵庫鎖太刀拵
【おおだち　むめい　きんどうひるまきひょうごくさりのたちこしらえ】

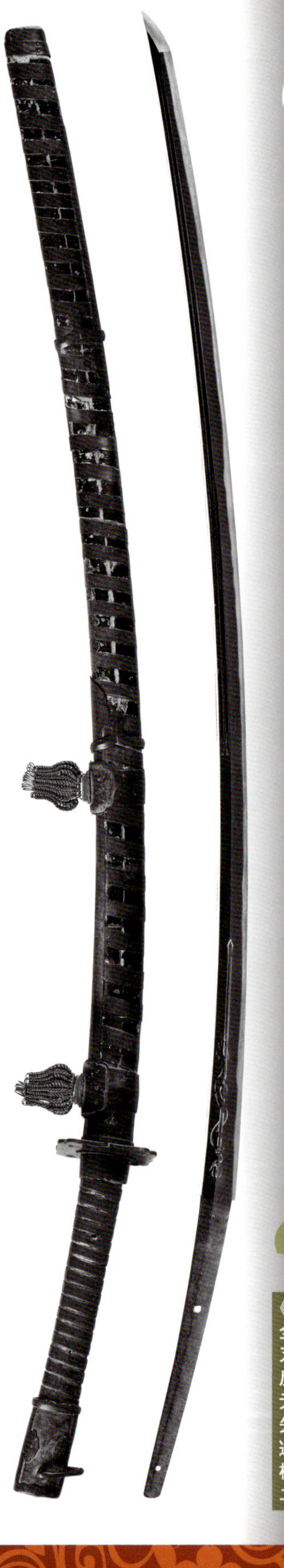

《重要文化財》
全長／-
刃長／ 126cm
反り／中反り 5.0cm
元幅／ 4.2cm
先幅／-
造込み／鎬造り
樋／彫物の上に二筋樋
二荒山神社　蔵

武家の霊山、二荒山の宝刀には 瀬を昇る雷龍があらわれる

栃木県の二荒山神社《ふたらさんじんじゃ》には、祢々切丸（➡五〇ページ）のほかにも、立派な大太刀が複数奉納されている。そのひとつである瀬昇太刀は、祢々切丸とともに二荒山神社の神事に使われる三振りの御神刀のひとつだ。なお、この太刀を「瀬〝登〟太刀」とする資料も多いが、二荒山神社の太刀の正しい表記は「瀬昇太刀」である。

瀬昇太刀は刃長一二六センチと、祢々切丸に比べるとやや短いがそれでも相当長大な刀である。刀身には口から稲妻を吐き出す龍の姿が彫られ、そこから鋒《きっさき》にかけて二筋の樋《ひ》が刻まれている。この龍と二筋樋の組みあわせを、日光を流れる大谷《だいや》川《がわ》をさかのぼる龍に見立てたことから「瀬昇太刀」と呼ばれるようになったという。

「刀が川をさかのぼった」伝説をもつ 他伝承の〝瀬登太刀〟

「瀬昇太刀」（瀬登太刀）と呼ばれる日本刀は、二荒山神社に奉納されたもの以外にも存在する。高知県にある〝龍乗院《りゅうじょういん》〟に伝わる「瀬登太刀」という刀だ。

龍乗院に伝わる瀬登太刀は、四〇ページで紹介した「曾我兄弟の仇討ち」に関係のある刀である。この刀は、決死の仇討ちにのぞむ曾我兄弟の弟〝曾我五郎時政《そがごろうときまさ》〟が、自分を育ててくれた行実《ゆきざね》という人物に、自分の形見として手渡したものだった。兄弟の仇討ちで秩序を乱された鎌倉幕府の追求から逃れるため、行実は住んでいた箱根（現在の神奈川県西部）から遠く離れた土佐国《とさのくに》（現在の高知県）まで逃げたが、長旅の疲れで倒れてしまい、現地の民家で息を引き取った。

行実が亡くなった民家の主人は、彼が形見として持っていた刀を売ろうと町に出てしまう。しかし、仁淀川《によどがわ》という川の近くを通りかかると刀が鞘《さや》から勝手に抜けて川に飛び込み、なんと大蛇に変身して上流へと「瀬を登って」いったのだ。

これ以降、仁淀川では大蛇の妖怪が出没して旅人たちを悩ませたので、祠を立てて残された鞘を祀ったという。すると、いつのまにか刀が鞘におさまっており、大蛇も姿を消した。これ以降、刀は「瀬登太刀」と呼ばれるようになったという。

「独眼竜」伊達政宗の愛刀にも瀬登の刀がある。政宗のものになる前に、持ち主が不注意で川に落とした短刀が、三〇〇メートルほど上流で見つかったので「流れに逆らって川を上った刀」として瀬登丸と名づけられたそうだ。

Illustrated by 平井ゆづき

大振りな刀身に描かれた華やかな刃文――

大般若長光【だいはんにゃながみつ】

正式名称／太刀 銘 長光（大般若長光）【たち めい ながみつ だいはんにゃながみつ】

《国宝》
全長／－
刃長／ 73.6cm
反り／腰反り 2.9cm
元幅／ 3.2cm
先幅／ 2.1cm
造込み／鎬造り
樋／棒樋
東京国立博物館　蔵

Image: TNM Image Archives

刀号「大般若」は妖怪にあらず 価値の高さをあらわす隠喩なり

大般若長光は、鎌倉時代初期に備前国《びぜんのくに》（現在の岡山県南東部）で活躍した刀匠「備前長船長光《びぜんおさふねながみつ》」（➡一三〇ページ）の代表作である。長光の刀は六本が国宝、三〇本近くが重要文化財に指定されるなど、多作でありながら評価が高い、鎌倉時代を代表する名匠のひとりだ。

この刀は幅の広さと太い樋《ひ》が特徴で、この広い刀身をキャンバスがわりに、大丁字《ちょうじ》乱れ、小丁字乱れ、互の目《ぐ》など（➡九〇ページ）複数の模様が複雑に組みあわさった雄大な刃文が焼かれている。黒く塗った鮫皮（エイの皮のこと）で巻かれた拵《こしら》えも現存しており、両方をあわせて国宝に指定されている。

この刀には「大般若《だいはんにゃ》」という、いわくありげな号がつけられている。酒呑童子を斬った「童子切安綱」（➡一八ページ）のように、般若を斬った刀なのかと思えるが、実はこの名前の由来は、妖怪退治などの勇ましい話とはまったく関係がない。

室町時代の刀剣解説書では、どのくらい格の高い刀なのかを表現するために、刀の価値を値段であらわすことがあった。大般若長光につけられた値段は、「六〇〇貫」という破格のものだった。貫は現代ではなじみのない単位だが、当時の侍の年収が平均一五貫だということを踏まえればイメージしやすい。つまり大般若長光は侍四〇人の年間収入と同じ価値の刀であり、現代の価値に直せば一億円はくだらない評価額をつけられていた名刀中の名刀なのだ。

「大般若」という号は、実はこの値段からつけられたものである。この時代に六〇〇といえば、仏教の経典「大般若波羅密多経《だいはんにゃはらみたきょう》（通称：大般若経）」が全六〇〇巻という長さで有名だった。そこで、価値六〇〇貫（かん）→大般若経六〇〇巻（かん）という連想ゲームで、この刀は大般若長光と呼ばれることになったわけだ。

大般若長光は室町幕府の足利将軍家に伝わっていたが、一三代将軍足利義輝《あしかがよしてる》が暗殺されたとき、あるいはそれ以前に外部に流出している。やがて織田信長のものとなり、同盟者の徳川家康に贈られ、三段鉄砲の逸話で有名な「長篠《ながしの》の戦い」で活躍した「奥平信昌《おくだいらのぶまさ》」に与えられた。のちに信昌の四男忠明《ただあき》が家康の養子になったときに、奥平信昌は忠明に大般若長光を与え、以降、信昌の子孫である奥平松平家に代々伝わった。その後は大正時代に売りに出されたり、関東大震災で刀身が曲がるなどの苦難を乗り越えて、現在は国の所有物として東京国立博物館に所蔵されている。

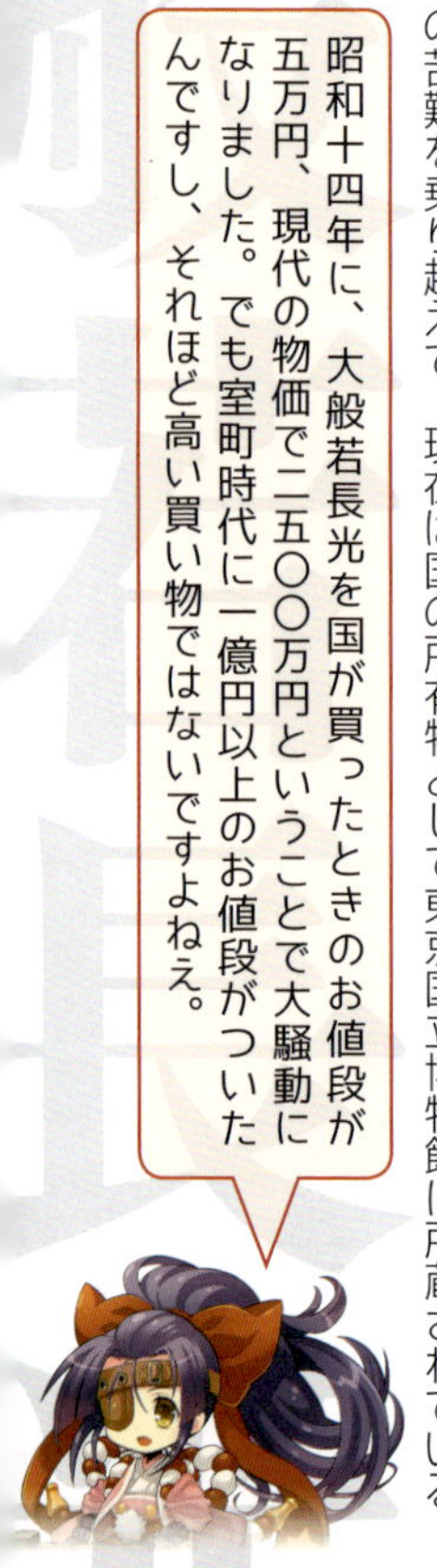
昭和十四年に、大般若長光を国が買ったときのお値段が五万円、現代の物価で二五〇〇万円ということで大騒動になりました。でも室町時代に一億円以上のお値段がついたんですし、それほど高い買い物ではないですよねえ。

Illustrated by U35

主人を守った忠義の刀——

千代金丸【ちよがねまる】

正式名称／金装宝剣拵　刀身無銘（号　千代金丸）
【きんそうほうけんこしらえ　とうしんむめい　ごう　ちよがねまる】

《国宝》
全長／—
刃長／71.3cm
反り／3.1cm
元幅／—
先幅／—
造込み／平造り
樋／表裏に五本の細樋
那覇市歴史博物館　蔵

琉球王家〝尚家〟の重宝は 日本と琉球の技術と文化が出会って生まれた

現在の沖縄県は、かつて琉球《りゅうきゅう》王国と呼ばれる独立国だった。そして琉球王国や中国には、日本で作られた日本刀が輸出品として運ばれ、優れた武器として珍重されていたのである。琉球王国の王家である「尚家《しょう》」に伝わる刀「千代金丸」もそのひとつで、日本製の刀身に、琉球風の拵《こしら》えをつけた構造になっている。

千代金丸と一般的な日本刀の最大の違いは、柄《つか》が非常に短いことだ。千代金丸と同じくらいの長さの日本刀は、たいてい両手で持つことを意識して柄が長くなっているが、千代金丸の柄は非常に短く切り詰められ、片手で持つ構造になっている。ほかにも、刀身の幅が細身であったり、刀身の側面の出っ張った部分「鎬《しのぎ》」がない「平造り」の形式になっているのも、輸出用の日本刀ならではの特徴である。

この刀の最大の見どころは、金色に輝く拵《こしらえ》えである。琉球国王の愛刀だとされるこの刀は、王者の刀にふさわしい豪華さになっている。日本本土ではめったに見られない琉球風の黄金の拵えと、日本産の刀身を琉球風に調整した刀身の組みあわせでできている千代金丸は、いわば日本と琉球の技術と文化が融合して生まれた、両国の文化の集大成といっても過言ではない。

千代金丸の所有者は、日本の室町時代にあたる一五世紀初頭に、琉球の北部「北山」を支配していた「攀安知《はんあんち》」だと考えられている。彼は琉球の歴史書『中山世《ちゅうざんせい》鑑《かん》』や『中山世譜《ちゅうざんせいふ》』に「武芸絶倫にして淫虐無道」と記される人物で、戦に強く、暴虐な性格の王だった。だが北山の隣国である中山の王「尚巴志《しょうはし》」に攻められると、家来が敵に寝返って攀安知の城を焼き捨ててしまった。攀安知は城に戻って裏切り者を始末したが、彼の妻子はすでに枕を並べて自害していた。

敗北を悟った攀安知は、城の守護石を千代金丸で十文字に切り裂くと、そのまま自分の腹を切ろうとした。ところが、石を切り裂くほど鋭かった千代金丸は、急に「なまくら」になってしまい、腹に刺さらず自殺することができない。攀安知はしかたなく、別の刀で自害した。琉球の歴史書『琉球国由来記』は、この逸話を「千代金丸は主君を傷つけるのを嫌がったのだ」と説明している。

ちなみにこのとき千代金丸は川に投げ捨てられ、海に流れ着いたところで地元民に見つけられ、中山王《ちゅうざんおう》に献上されておる。この中山王というのが琉球を統一した王であり、ゆえに千代金丸は琉球王家の宝となったのだ。

Illustrated by 活断層

姫の霊が宿った刀——

姫鶴一文字【ひめつるいちもんじ】

正式名称／太刀《たち》 銘《めい》 一《いち》（号《ごう》 姫鶴一文字《ひめつるいちもんじ》）

《重要文化財》
全長／ー
刃長／71.5cm
反り／中反り 2.0cm
元幅／ー
先幅／ー
造込み／鎬造り
樋／なし
米沢市上杉博物館 蔵

刀身の改造「磨《す》り上げ」を拒んだ 意志を持ち使い手の心に訴える刀

米沢市上杉博物館が所蔵する日本刀「姫鶴一文字」の拵えには鐔《つば》がない。これは「合口打刀拵《あいくちうちがたなごしらえ》」といって、〝越後《えちご》の虎〟の異名で知られる戦国大名「上杉謙信《うえすぎけんしん》」の愛刀によく見られる形式だ。また、この刀も上杉謙信の愛刀のひとつである。

鐔という部品は、使用者の手を敵の刀から守ってくれる反面、とっくみあいの格闘戦になると帯などに引っかかって、刀が抜きにくくなる弱点がある。接近戦用の短刀に鐔のない「合口拵《あいくちこしらえ》」形式のものが多いのはそのためだが、上杉謙信はこれを長い刀にも採用していたのだ。

この刀は、備前国《びぜんのくに》（現在の岡山県南東部）の刀匠一派「福岡一文字」（➡一二八ページ）による鎌倉時代の作品であり、その証明として茎《なかご》（刀身の持ち手部分）に「一」の銘がある。刀身には激しく波打つ「大丁字《おおちょうじ》乱《みだ》れ」の刃文《はもん》が焼かれており、この刃文と全体的な道形が、刀剣専門家に「美しい」と評価されている。

この刀に「姫鶴一文字」という号がついた理由は正確にはわかっていない。だが名前の由来のひとつとして、おもしろい逸話が残されている。それによると姫鶴とは、この刀に宿る女性の霊の名前で、黒髪の美しい姫だというのだ。

逸話によると、この刀を手に入れた上杉謙信は、刀の長さを自分の体格にあわせるため、刀身を短くする「磨《す》り上げ」をしようと考えた。そこで職人に磨り上げを命じて刀を預けたのだが、その夜、職人の夢に「鶴」と名乗る美しい姫君があらわれ「刀を削らないでほしい」と懇願してきたのだ。同じことが何度も続いたので、職人がこのことを上司を通して謙信に報告すると、謙信は刀を短くすることをあきらめ、職人の夢にあらわれた姫の名前を取って「姫鶴一文字」と名づけたという。

これが本当に「姫鶴一文字」の由来か、号からの連想で後付けした物語なのかはわからない。事実のみを追うなら、少なくとも天正一五年（一五八七年）の刀剣解説書に「姫つる一文し」の記述があり、上杉家の資料にも同様のものが見られるため、この時代に「姫鶴一文字」の名前が定着していたことは間違いない。

……この刀ですが、江戸時代初期の押し形とくらべると、今のほうが若干短くなっていました。ああ、鶴姫様が泣いて頼んだのに、けっきょく磨り上げられてしまったのですね……残念です。

Illustrated by よつば

その斬撃は稲妻をも斬り裂く！

雷切丸【らいきりまる】

正式名称／脇指　無銘（雷切丸）【わきざし　むめい　らいきりまる】

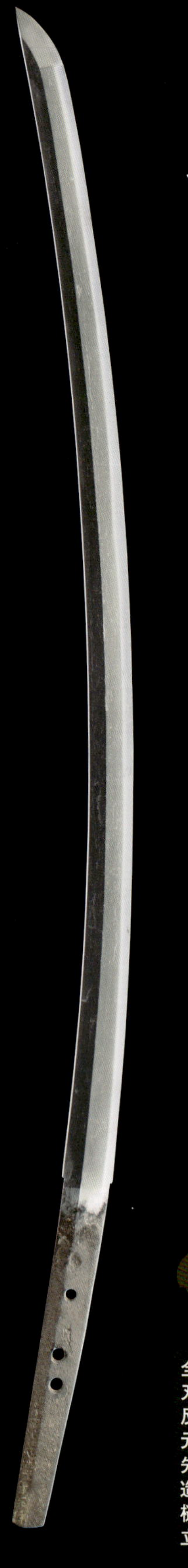

全長／-
刃長／58.5cm
反り／2.4cm
元幅／-
先幅／-
造込み／鎬造り
樋／なし
立花家史料館　蔵

〝雷を断ち切った〟伝説を持つ名将「立花道雪」の脇指

日本全国で有力士族たちが争った戦国時代。九州の東部、豊後国《ぶんごのくに》（現在の大分県）に、後世「立花道雪《たちばなどうせつ》」の名前で広く知られるようになる名将「戸次道雪《べっつどうせつ》」がいた。彼は若いころ「持っていた刀で落雷を切り裂いた」という逸話がある人物だ。

この〝雷を斬り裂いた〟ときに使われた刀こそ、雷切丸である。刃長は五八・五センチと短く「脇指《わきざし》」に分類される。鋒《きっさき》の近くには白っぽく変色した部分があるが、その理由はくわしくはわかっていない。道雪の主君である大友《おおとも》家の歴史について書かれた資料『大友興廃記《おおともこうはいき》』によると、雷切丸には「〝奇紋（雷に触れた痕）〟が残っていた」と書かれており、刀の変色は雷を斬ったためにできた可能性がある。

道雪が雷を斬り裂いたという逸話は、『大友興廃記《おおともこうはいき》』に書かれている。ある夏の暑い日、道雪が大樹の木陰に昼寝台を置き、うたた寝をしていた。すると突然の雨で、道雪が昼寝をしている大樹に雷が直撃したのだ。道雪はとっさに愛刀を抜き放つと雷を斬ってその場から飛びのいたが、落雷の影響で半身不随になったという。

なお、この刀は相州伝《そうしゅうでん》（➡一一〇ページ）の無銘品で「千鳥」という名前だったが、この出来事から「雷切丸」と改名され、道雪の愛刀であり続けた。

半身不随となってしまった道雪だったが、その後も御輿《みこし》に乗って指揮官として戦い続け、勇名を轟かせている。

戦国時代を代表する名将のひとりである戸次道雪は、九州屈指の大名「大友家」の配下として活躍した。戦では生涯で戦いを指揮すること三七回、一度も負けることがなかったといい、少なくとも指揮官として驚異的な能力を持っていたのは間違いない。そのあまりの強さに「鬼道雪」などという異名が伝わっているほどである。

なお、現在では戸《べっ》次《つ》道雪（道雪は仏門に入ってからの名前であり、それまでは戸次鑑連《あきつら》と名乗っていた）よりも「立花道雪」という名前のほうが圧倒的に有名だが、彼は存命中、「立花」の姓を名乗ることはなかったとされる。

そもそも「立花」とは、大友家に反乱を起こした名家「立花家」のことだ。立花家は道雪に滅ぼされ、主君の大友宗麟《おおともそうりん》が道雪に立花家を相続するように告げる。しかし一方で、宗麟は自分を裏切った立花の姓を嫌い、道雪に立花姓を名乗ることを許さなかったという。そのため道雪自身が生涯「立花」を名乗ることはなく、立花を名乗ったのは道雪の娘婿「立花宗茂《たちばなむねしげ》」の代からだといわれている。

あれ？　別の本には、道雪さんの足が不自由になったのは、刀で自分の足を斬ってしまったからだって書いてありますね。よく「落雷のせいで半身不随になった」と聞きますけど、どのお話が本当なんでしょうか？

Illustrated by 天川さっこ

第六天魔王織田信長、武勲の戦利品——

義元左文字【よしもとさもじ】

正式名称／刀　無銘中心ニ「永禄三年五月十九日義元討捕刻彼所持刀織田尾張守信長」ト金象眼アリ【かたな　むめいなかごに　えいろくさんねんごがつじゅうくにち　よしもとうちとりのときかれのしょじとう　おだおわりのかみのぶなが　ときんぞうがんあり】

《重要文化財》
全長／ー
刃長／ 67.0cm
反り／ 1.6cm
元幅／ 5.1cm
先幅／ 2.3cm
造込み／鎬造り
樋／棒樋
建勲神社　蔵

「覇王」織田信長の奇跡の戦い「桶狭間の戦い」その勝利を示す刀

戦国大名の織田信長は、もともと尾張国《おわりのくに》（現在の愛知県西部）の一部を領有する小領主にすぎなかった。その名前が全国に知れ渡ったきっかけは、東国の有力大名「今川義元《いまがわよしもと》」を討ち取った「桶狭間《おけはざま》の戦い」である。この戦いで信長が今川義元から奪った、刀匠「左文字《さもじ》」の刀が、「義元左文字」の名前で現代に伝わっている。

かつて三好政長入道宗三《みよしまさながにゅうどうそうざ》という武将の愛刀だったことから「三好左文字」「宗三《そうざ》左文字」と呼ばれていたこの刀を信長が奪い取ったとき、刃の長さは七九センチあり、樋はなく、互《ぐ》の目乱れという波打つ刃文（➡九〇ページ）が焼かれた刀だった。信長は何度も試し切りさせてこの刀の切れ味がいいのを確かめると、刀の大改造を行ったという。まず刃長を七九センチから六七センチまで短縮する「大磨《おおす》り上げ」を行い、刀身に新しく棒樋を彫った。そして樋の中に刀を奪った日付「永禄《えいろく》三年五月十九日」の字を、茎《なかご》（刀身の持ち手部分）には信長の名前や「義元を討ち取ったときに持っていた刀だ」という意味の文章を、いずれも金象嵌《きんぞうがん》による金色の文字で彫り込んでいる。こうして改造した刀を、信長は普段使いの刀としていつも身につけていたという。

天下の名刀にこのような大改造を行ったり、刀に「この敵からぶんどった刀だ」と銘を切らせたのは織田信長が初めてだという意見もあるほどで、信長の権威だけにとらわれない性格をよくあらわす逸話といえる。

その後、織田信長が家臣の明智光秀《あけちみつひで》に暗殺された「本能寺《ほんのうじ》の変」（➡九八ページ）のとき、信長はいつもどおりこの義元左文字を持っていたが、信長とともに寝ていた京都の「松尾《まつお》神社」の神官の娘が、この刀を持って本能寺を脱出し、父のもとに隠していたために無事だった。のちに神官から豊臣秀吉に献上され、秀吉の跡を継いだ豊臣秀頼から徳川家康に贈られた。

三人の天下人の腰にあったこの刀は、徳川将軍家代々の宝とされてきたが、明治時代に織田信長を祭神とする建勲神社《けんくんじんじゃ》が創建されると、徳川家一六代目当主の徳川家達《いえさと》は、信長由来のこの刀を国に寄付している。国はこれを建勲神社で祭らせ、大正一二年には国宝に指定している。第二次世界大戦後、文化財についての法律が変わったことでこの刀はあらためて重要文化財に指定され、今でも建勲神社の宝として同社で大切に保管されている。

信長、秀吉、家康と、天下人のもとには名刀が集まるものだが、この左文字は三人とも「好んで腰に差した」ことは特筆すべきであろうな。蔵に入れて満足するのではなく、身につける「愛刀」だったのだ。

Illustrated by 魚ウサ王

無類の切れ味を誇る長谷部国重の最高傑作――

へし切長谷部【へしきりはせべ】

正式名称／刀《かたな》　金象嵌銘長谷部国重本阿花押《きんぞうがんめいはせべくにしげほんあかおう》（名物へし切《めいぶつへしきり》）／黒田筑前守《くろだちくぜんのかみ》

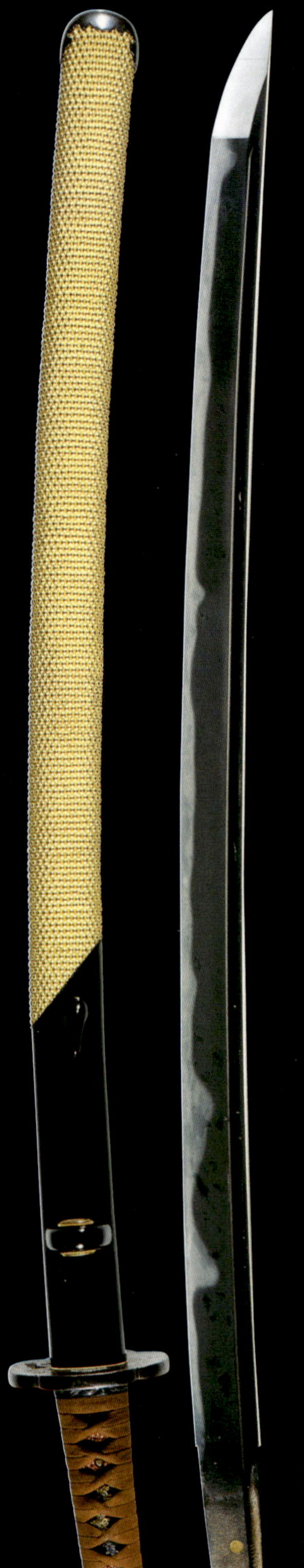

《国宝》
全長／ 106cm
刃長／約 64.84cm
反り／ 0.9cm
元幅／ 3.03cm
先幅／ 2.48cm
造込み／鎬造り
樋／棒樋
福岡市博物館 蔵

要史康氏撮影

日本刀のセオリーをくつがえす「押すだけで切れる」織田信長の愛刀

日本刀で物体を切るには、刃を手元のほうに引くなど、刀を前後に動かす必要がある。ただ刃を押しつけるだけでは切ることができない、これが日本刀の常識だ。ところが名刀「へし切長谷部」にはこの常識はあてはまらない。この刀は人間の胴体に〝押しつけるだけ〟で一刀両断したという伝承を持つ刀なのだ。

へし切長谷部は、鎌倉時代末期から活躍した刀匠「長谷部国重《はせべくにしげ》」の最高傑作で、現在は国宝に指定されている。現代における刀剣研究の権威、佐藤寒山《さとうかんざん》が「現在、長谷部が一段と名高いのはこの刀があるため」と賞賛する名刀である。

刀の名前の「へし切」とは「圧し切」とも書き、この刀が押しつけるだけで人間の胴体を両断したという、有名な逸話からつけられたものだ。伝承によれば、へし切長谷部の持ち主である戦国大名「織田信長」が、無礼な働きをした使用人を斬ろうとしたことがあった。このとき使用人は刀で切られないよう「膳棚《ぜんだな》」という棚の下に隠れた。刀を振り下ろす空間がないため、棚の下の人間を斬ることはまず不可能である。だが信長は棚の中に刀を差し込み、刀にぐっと力をこめるだけで使用人の胴体を真っぷたつに「へし切って」しまったという。

のちにこの刀は、戦国時代屈指の名軍師で「黒田官兵衛《くろだかんべえ》」の通称で知られる黒田孝高《よしたか》（黒田如水）に褒美として与えられた、あるいは信長からのちに天下人になる豊臣秀吉に与えられたあと、秀吉から孝高の息子の長政《ながまさ》が拝領したとも伝えられている。なおへし切長谷部の茎《なかご》には、金色の文字で銘や花押（サインのような模様）が切られているが、これは江戸時代前期の刀剣鑑定家「本阿弥光悦《ほんあみこうえつ》」が切ったものだ。江戸時代の本阿弥家は、無銘の名刀を鑑定して作者を定め、それを銘切りして代金を得る事業を展開しており、この銘もそうして切られたものである。

黒田家は信長の死後、豊臣秀吉、徳川家康と主君を変え、筑前国《ちくぜんのくに》（現在の福岡県）の大名としてへし切長谷部を伝承し続けた。現在ではこの刀は国宝に指定され、黒田家の領地だった福岡県の福岡市博物館で管理されている。

日本刀の拵えは刀身以上に痛みやすくてな、童子切安綱の拵えを見ればわかるとおり、色落ちと紐の劣化は当たり前なのだが……へし切の拵えは、驚くべきことに完全に美しい姿で残っておる。黒田家はすばらしく物持ちがよいのう。

Illustrated by はんぺん

にっかり笑われバッサリ退治――

ニッカリ青江【にっかりあおえ】

正式名称／ニッカリ青江脇指【にっかりあおえわきざし】

《重要美術品》
銘／金象嵌銘　羽柴五郎左衛門尉長
全長／ 86.6cm
刃長／ 60.3cm
反り／ 1.2cm
元幅／ -
先幅／ -
造込み／鎬造り
樋／表裏に棒樋
丸亀市立資料館　蔵

斬ったのは石の地蔵か石塔か？ 謎の多いニッカリ青江の妖怪退治

四国の北西部に位置する香川県の丸亀市《まるがめし》には「ニッカリ青江」という変わった名前の名刀がある。「ニッカリ」とは「にっこり」とほぼ同じ意味であり、この刀が「笑顔で近づいてくる妖怪を斬った」という伝説から命名された。

この刀は、もともと刃長二尺五寸（七五・八センチ）の太刀だったが、磨り上げによって刃長が一尺九寸九分（六〇・三センチ）まで短くなっている。刀身が薄く鋒《きっさき》が大きい形が特徴で、この形状が刀剣研究家のあいだでは「いかにも切れそうな刀だ」と高く評価されている。

江戸時代の名刀カタログである『享保名物帳《きょうほうめいぶつちょう》』では、この刀に「無代」の値段がつけられた。これはもちろん「無料」という意味ではなく、〝おいそれと値段をつけられないほどすばらしい刀〟という意味だ。

この刀の作者は、作風から備中国《びっちゅうのくに》（現在の岡山県西部）青江派の刀工で、鎌倉時代中期にあたる十三世紀に活躍した「青江貞次《さだつぐ》」だと考えられている。青江派は平安時代末期から多くの名刀を作りあげた一派で、貞次はその代表的刀匠である。刀とともに現存している拵え《こしら》「金梨地糸巻太刀拵《きんなしじいとまきたちこしらえ》」は江戸時代の作で、刀身よりは新しいものだ。

ニッカリ青江の妖怪切りの逸話は、江戸時代以降この刀を継承していた丸亀藩主の京極氏に伝わるもので、「ニッカリ笑いかけてきた若い女の首を斬ったら、その正体は地蔵だった」という内容だという。

このニッカリ青江にまつわる物語は、ほかにも複数残されている。『享保名物帳』の解説によると、化け物退治に出かけた侍が夜道で母子に出会う。母親が「殿様に抱かれなさい」と言って子供を差し向けたので、侍は子供と母親を切り捨てた。翌日現場に行ってみると、石の塔がふたつ斬り落とされていたという。

日本各地の逸話をまとめた江戸時代中期の本『常山紀談《じょうざんきだん》』に収録された物語では、侍に笑いかけたのは若い女ひとりであり、その正体は石塔ではなく石地蔵になっているというもので、京極氏の伝承に近い内容になっている。

なにやらこの刀を妖刀と呼ぶ風潮があるが、おかしな話だ。香川県の丸亀藩などは、藩主がニッカリ青江を持つ京極家に変わると、藩を何度も襲っていた凶事がぴたりと止んだと聞くぞ。妖刀どころか守り刀ではないか。

Illustrated by 坂本みねぢ

骨まで食い込む驚きの切れ味 —— 正式名称／薙刀直シ刀　無銘　伝粟田口吉光（名物骨喰藤四郎）
【なぎなたなおしかたな　むめい　でんあわたぐちよしみつ　めいぶつほねばみとうしろう】

骨喰藤四郎【ほねばみとうしろう】

《重要文化財》
全長／ -
刃長／ 58.8cm
反り／ 1.4cm
元幅／ 3.4cm
先幅／ 2.8cm
造込み／鵜首造
豊国神社　蔵

薙刀から脇指へ華麗に転身 大火事すらも乗り越えた不屈の名刀

刃長五八・八センチ。長めの脇指《わきざし》に相当する長さの「骨喰藤四郎」は、刀身と鋒《きっさき》の境目である「横手筋《よこてすじ》」がなく、全体がすらりと伸びた流線型の刀身で、一般的な日本刀とは雰囲気を異にする刀だ。刀身の側面にある「鎬地《しのぎぢ》」の部分を薄く削り込んである形状は鵜首造《うのくびづくり》（➡二八ページ）といって、これを脇指のような短い刀に採用すると、一般的な鎬造《しのぎづく》りよりよく切れる刀になるという。この独特の形状は、骨喰藤四郎がもともと刀ではなく「薙刀」として作られたためである。

また、刀身の根元付近の、表裏ともに「櫃《しつ》」と呼ばれる額縁《がくぶち》のようになった部分に、表の面には剣に龍が巻き付いた模様が（右写真）、裏面には不動明王《ふどうみょうおう》という仏教の仏が彫り込まれている。

この刀が「骨喰藤四郎」と呼ばれるのは、作った刀匠が「粟田口藤四郎《あわたぐちとうしろう》吉光」（➡一二六ページ）という名前であり、「骨喰《ほねばみ》」の異名がつくほどの鋭い切れ味を有する刀だったからである。骨喰というのは刀の切れ味を評した呼び名で、「斬る真似をするだけで相手の骨が砕ける」「斬られた相手は骨に染みるように感じる」「折れた骨を針で縫い直すような痛みを与える」などの意味があるという。日本の刀剣界には〝骨喰〟の異名を持つ刀が少なくとも五振り以上あり、骨喰藤四郎はそのなかでも特に有名な一振りなのだ。

骨喰藤四郎は、のちに室町幕府を築く足利尊氏《たかうじ》が九州に落ち延びたとき、豊後国《ぶんごのくに》（現在の大分県）の有力武士「大友氏《おおともし》」から献上された品だという。一三代将軍足利義輝《よしてる》が暗殺されたときに足利将軍家から奪い取られ、外交交渉によって大友氏に返還された。薙刀だった骨喰が脇指に直されたのはこのときである。

その後、骨喰は天下を統一した豊臣秀吉に献上され、有力武将のもとを転々としたのち、江戸幕府の徳川将軍家の宝となっていた。ところが江戸時代が始まってから五〇年ほどたった一六五七年、明暦《めいれき》の大火という大火事で江戸城が炎上し、骨喰藤四郎は刀身が焼け、美しい刃文が損なわれてしまった。幕府はお抱え刀匠の越前《えちぜん》康継《やすつぐ》に「焼き直し」で修復を命じたが、本来の刃文には戻らなかったという。

明治時代になると、天皇の命令で、豊臣秀吉を祀る「豊国神社《とよくにじんじゃ》」が数百年ぶりに再建されることになった。徳川家一六代目の徳川家達《いえさと》は、再建資金とともに豊臣家由来の骨喰を寄付。現代でも豊国神社の宝として大切に保管されている。

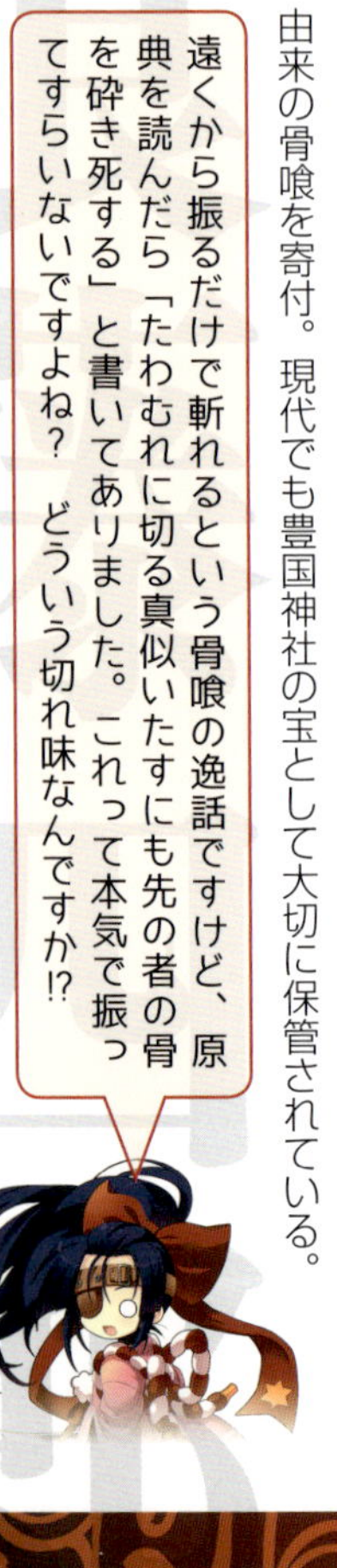
遠くから振るだけで斬れるという骨喰の逸話ですけど、原典を読んだら「たわむれに切る真似いたすにも先の者の骨を砕き死する」と書いてありました。これって本気で振ってすらいないですよね？　どういう切れ味なんですか⁉

Illustrated by わし元

刀が伝える敵味方を越えた絆——

石田正宗

【いしだまさむね】

正式名称／刀 無銘正（宗名物石田正宗）

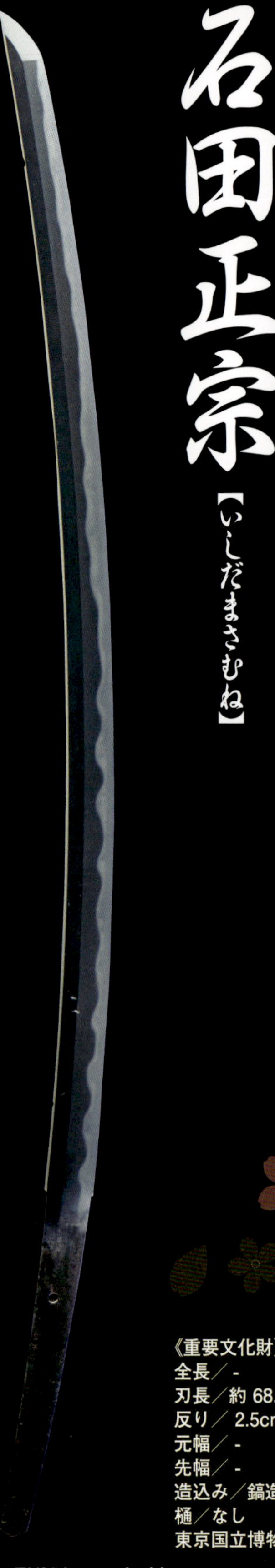

《重要文化財》
全長／-
刃長／約 68.78cm
反り／ 2.5cm
元幅／-
先幅／-
造込み／鎬造り
樋／なし
東京国立博物館　蔵

Image: TNM Image Archives

三成の愛刀だった正宗は のちに敵となった武将へと贈られた

稀代の刀匠である五郎入道正宗《ごろうにゅうどうまさむね》（⬇一一八ページ）。彼の鍛えた刀は、著名な武士が所有することが多く、石田正宗もまた、ある有名な武将が所有していた。その武将とは天下人である豊臣秀吉の腹心として、おもに政治方面で手腕を発揮した「石田三成《いしだみつなり》」。通称の〝石田正宗〟も彼の名前からついたものである。

石田正宗は刃長が六八・七八センチと、鎌倉時代に鍛造された太刀としては短めだが、これは茎《なかご》に刻まれた銘がなくなるほど刀を磨《す》り上げる〝大磨り上げ〟（⬇一三七ページ）が行われたためで、作刀された当初はもっと刃長が長かったと考えられる。この刀の最大の特徴は、棟《むね》の二ヶ所に刀を受けたときについた「切り込み」の跡が残っていることだ。そのためこの刀は「石田切り込み正宗」とも呼ばれる。

石田正宗は最初から三成が所有していたわけでなく、もともとは毛利若狭守《もうりわかさのかみ》という人物が所有していたという。毛利といえば戦国時代の中国地方を支配した強大な大名だが、毛利若狭守なる人物が何者かはわかっていない。この刀を秀吉の寵愛を受けた武将、宇喜多秀家《うきたひでいえ》が買い上げ、さらに彼から三成に贈られたのだという。

現在、石田正宗は東京国立博物館に所蔵されているが、それ以前は、津山藩《つやまはん》の〝松平家《まつだいら》〟に代々受け継がれていた。この松平家は江戸幕府を開いた徳川家康の家系である。なぜ、天下分け目の関ヶ原で家康と戦った石田三成の愛刀が、家康の血筋の家に受け継がれているのか？　実はこれは、家康の次男「結城秀康《ゆうきひでやす》」に感謝の印として三成が渡したからなのである。

豊臣秀吉の天下統一後、三成は五奉行《ごぶぎょう》と呼ばれる役職の筆頭となり、おもに内政などの政権の実務を行った。しかし政治的手腕でのし上がってきた三成は、加藤清正《かとうきよまさ》や福島正則《ふくしままさのり》といった、武勲で出世した〝武断派〟の同僚たちに嫌われ、仲はよくなかった。そして豊臣秀吉の死後、武断派が三成の屋敷を襲う事件が発生したのである。なんとか逃げのびた三成は、家康を頼ってかくまってもらった。この後、隠居することになった三成を、結城秀康が護衛し、三成の城「佐和山城《さわやま》」まで送り届けた。このときのお礼として、三成は愛刀の正宗を結城秀康に贈ったのだ。秀康は刀に石田正宗の名前をつけ、関ヶ原の合戦以降も、三成との縁である正宗を大切にし続けた。そして秀康の死後も、子孫である津山藩松平家に受け継がれていったのである。

隠居した石田三成だが、豊臣政権維持のためには家康を排除せねばならんことはすでに明白になっておった。三成は家康が東北の大名を征伐するために出陣した好機に挙兵し、これが「関ヶ原の戦い」の発端になったのだ。

Illustrated by らすけ

芸は身をたすく、文化は命を助く

古今伝授行平【こきんでんじゅゆきひら】

正式名称／太刀《たち》　銘《めい》　豊後国行平作《ぶんごのくにゆきひらさく》

《国宝》
全長／ -
刃長／ 79.9cm
反り／ 2.9cm
元幅／ 2.6cm
先幅／ 1.6cm
造込み／鎬造り
樋／棒樋に梵字と倶利伽羅龍
永青文庫　蔵

日本文化断絶の危機を救った勇敢な使者に与えられた名刀

足利将軍家と織田信長に仕えた戦国武将、細川幽斎《ゆうさい》（細川藤孝《ふじたか》）が所有していた名刀「古今伝授行平」は、豊後国《ぶんごのくに》（現在の大分県）の行平《ゆきひら》という刀匠の作品である。刀身の手元の部分に彫刻があり、表には、霊的な力を持つとされる梵字《ぼんじ》と倶利伽羅《くりから》龍《りゅう》という模様が、裏には梵字と仏像が彫られている。行平の倶利伽羅龍は、草体《そうたい》という極端に簡易化されたもので、しばしば草の倶利伽羅と言われる。

この刀につけられた古今伝授《こきんでんじゅ》の通称は、戦国時代、細川幽斎の命運を決したある故事によるものだ。古今伝授とは、一子相伝《いっしそうでん》の歌道《かどう》の奥義を伝えることであり、本来は貴族の三条西家《さんじょうにしけ》が伝授し続けるものだが、後継者が幼かったため、一番弟子である細川幽斎が一時的に奥義を伝授され預かっていた。ところが、本来の後継者に伝授が行われる直前、〝天下分け目の〟関ヶ原の戦いが起こってしまう。

細川幽斎の息子である細川家当主「忠興《ただおき》」は、早くから徳川方の東軍についており、父幽斎も東軍についたため、幽斎の守る田辺城《たなべじょう》は一万五千人の西軍に包囲された。田辺城には幽斎の兵が五百人しかいなかったため、わずか一〇日足らずで落城寸前となる。細川幽斎は陥落寸前の田辺城を二ヶ月間にわたって守り続けながら、討ち死にを覚悟していたが、古今伝授の奥義が途絶えることを恐れた朝廷から再三にわたって使者が送られ、細川幽斎と西軍の講和を命じたのである。

講和が成立すると、幽斎は田辺城を西軍に明け渡し、ただちに本来の後継者に古今伝授を行い、これで奥義の断絶という最悪の事態は免れた。さらに幽才は、感謝の意を示すため、講和の使者のひとりである文化人「烏丸光広《からすまるみつひろ》」にも古今伝授を行い、その証として行平の太刀を贈ったのである。以来、この太刀は古今伝授の太刀と呼ばれるようになったのだ。

古今伝授の太刀を譲り受けた烏丸光広は、細川幽斎のひ孫で、江戸幕府成立後も朝廷と幕府のパイプ役として活躍した人物である。和歌、書道、茶道を得意とし、細川幽斎から奥義の伝授を受けた歌道については世の第一人者として、三代将軍徳川家光《いえみつ》の歌道指南役を務めるほどであった。

古今伝授行平はその後、烏丸家から流出するが、昭和初期になり、細川家一六代当主細川護立《ほそかわもりたつ》が買い戻して細川家のもとに戻った。現在では、細川家の宝を管理する財団法人永青文庫《えいせいぶんこ》が所蔵している。

幽斎さんの田辺城が落ちなかったのは、敵方の武将に文化人が多く、積極的な攻撃を避けたから、というのも理由のひとつだったそうです。幽斎さんは、朝廷だけじゃなくて武士からも惜しまれるほどの文化人だったのですね！

Illustrated by かる

斬りも斬ったり三六首 ——

歌仙兼定【かせんかねさだ】

正式名称／刀　銘　濃州関住兼定作【かたな　めい　のうしゅうせきじゅうかねさださく】

全長／-
刃長／60.5cm
反り／中反り 1.3cm
元幅／3.0cm
先幅／1.8cm
造込み／鎬造り
樋／なし
永青文庫　蔵

文化人大名「細川忠興」が愛した おそるべき切れ味の実戦刀

歌仙兼定は、戦国時代末期から江戸時代にかけて活躍した大名「細川忠興《ほそかわただおき》」の愛刀だ。刀身を製作したのは、美濃国《みののくに》（現在の岐阜県南部）で室町時代後期に活躍した刀匠、二代目和泉守兼定《いずみのかみかねさだ》（➡一三四ページ）。刀の形式は「片手打ち」といって、両手で持つことを考慮しないため柄が短くなっている。大名の護身刀にふさわしい形式だ。刃長も六〇・五センチと短く、狭い室内での戦闘に向いている。

歌仙兼定の「歌仙」という号は、平安時代に活躍した三六人の和歌の名人「三十六歌仙」からとられたものだ。しかし、歌仙の号の由来となった物語は、名前の優雅さとかけはなれた血なまぐさいものである。

細川忠興が、大名の地位を息子の忠利《ただとし》に譲って隠居していたころのこと。息子の政治方針が気にいらなかった忠興は、それを「息子を補佐している部下のせいだ」と考えた。忠興は部下たちを自分の城に呼び出すと、この兼定で次から次へと成敗してしまったのだ。このとき細川忠興が斬り捨てた部下の数が三六人だったため、三十六歌仙になぞらえて本刀を「歌仙」と呼ぶようになったといわれている。

この逸話は、昭和九年に書かれた熊本の刀剣解説書『肥後刀装録《ひごとうそうろく》』に書かれたものである。号の由来は異説もあり「若いころに三六人の荒くれ者を斬った」「斬った人数は六人で〝六歌仙〟からとった」「斬った三六人はスパイだった」などバリエーション豊かである。ただ、細川忠興の業績を記した『細川忠興公御年譜』には、歌仙兼定の逸話に関係のある記述は見られない。

この刀は刀身の美しさも高く評価されているが、日本刀の歴史という観点から見ると、鞘《さや》や柄《つか》などの「拵《こしら》え」も重要である。

細川忠興自身がデザインした鞘には、黒地に小さな点がいくつもあらわれている。これは表面がデコボコしている鮫皮《さめかわ》（エイの皮）に、黒い漆を塗り重ねたあと、デコボコを削り落とすことで作られる。茶道の〝侘《わ》び・寂《さ》び〟の精神を取り入れたと言われているこの拵えは、刀の名前から「歌仙拵《かせんこしらえ》」と呼ばれるようになった。

江戸時代になって細川忠興の息子、忠利《ただとし》が肥後国《ひごのくに》（現在の熊本県）の熊本藩を支配すると、歌仙拵の優美さだけでなくその堅牢さや実戦での使いやすさが評価された。そのため歌仙拵と同じ構造の拵えは、地名から「肥後拵《ひごこしらえ》」として広まり、江戸を中心に日本中の侍たちに愛用されたのである。

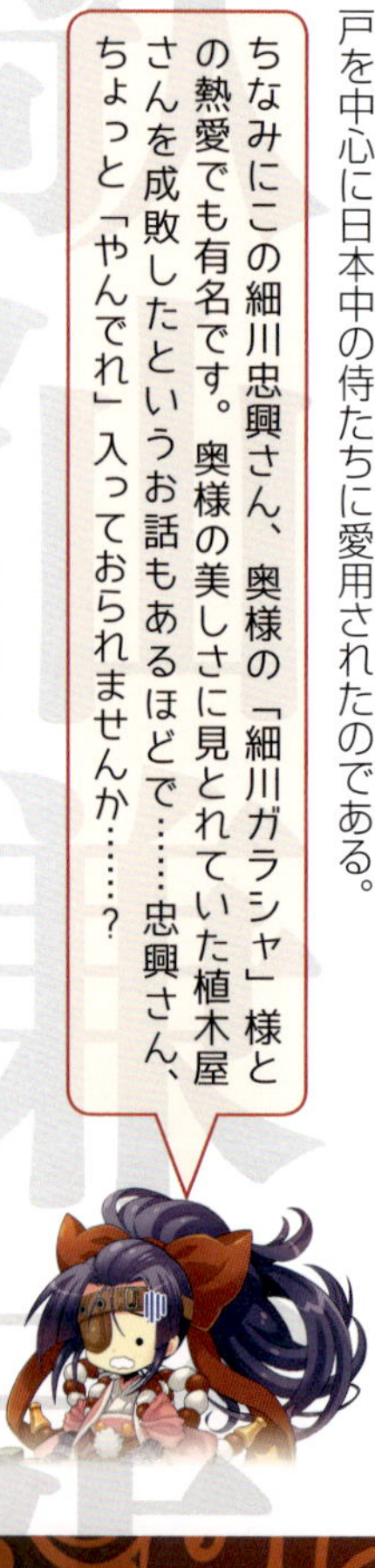
ちなみにこの細川忠興さん、奥様の「細川ガラシャ」様との熱愛でも有名です。奥様の美しさに見とれていた植木屋さんを成敗したというお話もあるほどで……忠興さん、ちょっと「やんでれ」入っておられませんか……？

Illustrated by 鈴根らい

ソハヤノツルキウッスナリ

徳川幕府と将軍家の守り刀 ——

正式名称／革柄蝋色鞘刀《かわづかろいろさやかたな》　無銘《むめい》（伝三池光世作《でんみいけみつよさく》）／裏二「妙純傳持ソハヤノツルキ」《うらにみょうじゅんでんぎそはやのつるき》／表二「ウツスナリ」ト刻ス《おもてにうつすなりとこくす》

全長	-
刃長	67.6cm
反り	2.5cm
元幅	3.9cm
先幅	2.8cm
造込み	鎬造り
樋	刀樋に添え樋

久能山東照宮博物館　蔵

西国平定《さいごくへいてい》の祈りをこめた子々孫々を守り抜く決意の刀

徳川家康が晩年を過ごした駿府《すんぷ》（現在の静岡県静岡市）にある、久能山東照宮《くのうやまとうしょうぐう》博物館所蔵の刀「ソハヤノツルキウツスナリ」。この刀には、作者をあらわす銘はないが、作風から筑後国《ちくごのくに》（現在の福岡県）の名匠、三池典太光世《みいけてんたみつよ》（➡一四七ページ）の作品だとされる。刀身の幅広さに比べて薄手の作りで、高度な技術がうかがわれる。

一般的にソハヤノツルキといえば、奈良時代から平安時代にかけて、東北地方の異民族征伐で功績をあげた将軍「坂上田村麻呂《さかのうえのたむらまろ》」の愛刀だ。これは細身で分厚く、まっすぐな刀身を持つ直刀なのだが、右に写真を掲載した日本刀「ソハヤノツルキウツスナリ」は、明らかに直刀ではない。この刀の銘には、自身が「写し」すなわち模造品であると説明しているため、右の写真の刀は坂上田村麻呂の「ソハヤの剣」とはちがう、別の「ソハヤの剣」を模造したものであろう。

この刀が久能山東照宮で大切に保管されている理由は、この刀が名刀だから、だけではない。徳川家康の人生最後の願いが込められた刀だからだ。江戸幕府将軍の位を息子の秀忠《ひでただ》に譲り、豊臣家を大坂城もろとも滅ぼした家康にとって最大の懸念《けねん》は、西日本に多い、豊臣家と縁の深い大名たちだった。彼らがいつ結託して江戸幕府に反乱を起こしてくるか……それを警戒した家康は、献上されたこの刀の切れ味を何度も試させて鋭さを確認したのち、自分の墓にこの刀を入れ、鋒《きっさき》を多くの敵が潜む西のほうに向けるようにと遺言したのである。

家康の思いが通じたかどうかは定かではないが、家康が作った江戸幕府はその後も二五〇年以上にわたって大きな反乱もなく繁栄した。また、薩摩《さつま》藩と長州《ちょうしゅう》藩が朝廷のうしろ盾を得て「新政府軍」として**西から**江戸に攻め寄せたときも、交渉によって江戸幕府は無血開城し、家康が作った江戸は戦火から守られたのである。ソハヤノツルキウツスナリは、立派に主人の望みをかなえたといって問題ないだろう。

この刀の疑問点をあげるなら、名刀の写しを作るという文化がなかった鎌倉時代に、三池典太光世がなぜ刀剣の写しを作ろうとしたかである。刀剣研究家の福永酔《ふくながすい》剣《けん》は、この刀の本当の製作者は、室町時代の美濃《みの》の名匠で、刀剣の「写し」も得意とした二代兼定《かねさだ》（ノサダ）であり（➡一三六ページ）、三池典太光世が作った「ソハヤノツルキ」を真似て作ったと推測している。もしそうだとすれば二代兼定は三池典太光世の作風を完璧に写し取っており、天晴《あっぱ》れというほかない。

日本の三種の神器である「草薙剣」を保管するという愛知県の熱田神宮には、「ソハエの剣」という刀があるという。もしかするとこの刀こそが本物の「三池典太のソハヤノツルキ」かも知れんぞ？

Illustrated by あり子

大地すら貫く無双の鋭刃——

南泉一文字【なんせんいちもんじ】

正式名称／刀　無銘　一文字（名物南泉一文字）
【かたな　むめい　いちもんじ　めいぶつなんせんいちもんじ】

《重要文化財》
全長／ 77.3cm
刃長／ 61.8cm
反り／ 1.8cm
元幅／ 2.8cm
先幅／ 2.1cm
造込み／鎬造り
樋／なし
徳川美術館　蔵

Image: TNM Image Archives

足利将軍家伝来の宝刀の名は武士の仏教「禅宗」からとられた

備前国《びぜんのくに》福岡地方の名匠「福岡一文字」の刀匠が作った刀「南泉一文字」は、すばらしい切れ味を誇る名刀だ。「丁字乱《ちょうじみだ》れ」という荒波のような刃文《はもん》が焼かれており、豪華絢爛で華やかな姿と紹介される。

江戸幕府を支えた徳川御三家のひとつで、南泉一文字を所持していた「尾張《おわり》徳川家」には、南泉一文字のとてつもない切れ味を示すこんな逸話が残っている。あるとき藩主の命令で、南泉一文字で試し切りを行うことになった。試し切りを任された武士がこの刀を振り下ろしたところ、あまりに切れ味がよすぎたために刀身が地面を切ってその下に潜り込んでしまった。このとき武士はとっさに「折れました！」と叫んだという。あまりにも斬れすぎたために手応えがなく、刀身が折れたものと勘違いしてしまったのだ。

また別の逸話では、この刀が「南泉」と呼ばれるようになった理由を説明しているが、これが少々変わっている。この刀がまだ室町幕府の足利将軍家の持ち物だったころ、南泉一文字を研ぎに出したことがあった。研師はこの刀を抜き身の状態で壁に立てかけていたのだが、これに子猫が飛びかかり、刃に当たった子猫が真っ二つになってしまったのだ。この逸話から「南泉」という号がついたという。

なぜ子猫が切れると「南泉」なのか、合点がいかない人がほとんどだろう。実はこの号は、仏教の一派「禅宗《ぜんしゅう》」の僧侶である**南泉**普願《なんせんふがん》という人物が猫を斬り殺したという故事「南泉斬猫《なんせんざんみょう》」から取られている。この故事の内容は、南泉がある寺を訪れたとき、寺の小僧が子猫の取りあいをしていたので、小僧たちから子猫を取り上げて、修行の成果を見せなさいと命じた。しかし小僧たちはこの問いに答えられなかったので、南泉は子猫を斬ってしまったという。

この故事はいわゆる「禅問答《ぜんもんどう》」であり、明確な回答は存在せず、このテーマについて深く思考することによって仏教の最終目標「悟り」を目指すものだ。ともあれ「南泉斬猫」の故事は、刀の名前に使われるほど有名だったのである。

それにしても、抜き身の刀をそのままたてかけておくとは、不用心な研師もいたものよ。よいかカグヤ、日本刀は猫どころか人間だって触るだけで切ってしまう刃物なのだから、きちんと保管せねばならんぞ。

Illustrated by チーコ

刀剣界の西の横綱――

大包平【おおかねひら】

正式名称／【太刀《たち》 銘《めい》 備前国包平作《びぜんこくかねひらさく》（名物《めいぶつ》 大包平《おおかねひら》）】

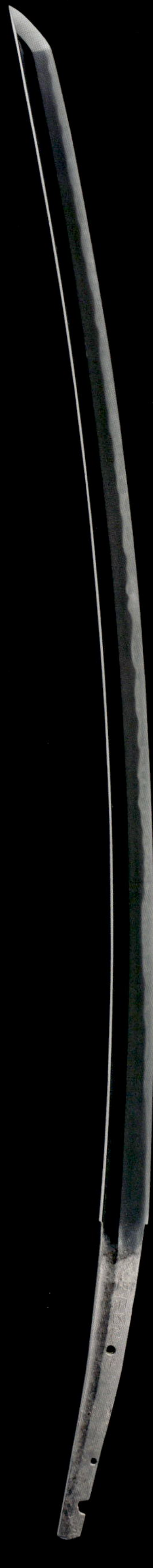

《国宝》
全長／-
刃長／89.2cm
反り／腰反り 3.4cm
元幅／3.7cm
先幅／2.55cm
造込み／鎬造り
樋／棒樋
東京国立博物館 蔵

Image: TNM Image Archives

節約上手の名君すらもひと目でとりこにした天下の名剣

日本には「横綱」と呼ばれる二本の名刀がある。東の横綱は天下五剣のひとつ「童子切安綱《どうじぎりやすつな》」（➡一八ページ）であり、西の横綱と呼ばれるのが、この大包平である。現在日本には、国宝に指定されている刀が一〇〇本以上あるが、なかでも大包平は「国宝中の国宝」と呼ばれるほどで、日本一の名刀と言っても過言ではない。

大包平の刀身は非常に幅広で、ここに美しく波打った「小乱《こみだれ》」と呼ばれる刃文が描かれている。これだけ幅広の刀となると重量もかなりのものになるのが普通だが、大包平の刀身は、わずか一・三五キロと非常に軽量である。新人物往来社の《日本名刀大図鑑》によれば、同じ幅の刀を現代の刀匠が作れば、強度を確保するために刀身を厚くせざるをえず、二キロ近い重さになってしまうという。さらに重量が軽いだけでなく、バランスがよく振り回しやすいというから、国宝の筆頭という意見にも説得力がある。

この刀を作ったのは、平安時代末期に刀剣づくりの本場「備前国《びぜんのくに》」（現在の岡山県南東部）で活躍した刀匠「包平《かねひら》」である。備前国には彼のほかにも高平《たかひら》、助平《すけひら》という名匠がいて、三人あわせて「備前三平」などと呼ばれていた。三人のなかで、銘が入った刀がいちばん多く残されているのは包平であり、知名度も高い。

大包平は、現在は東京国立博物館の所蔵品となっているが、昭和四二年に国が購入するまでは、播磨国《はりまのくに》（現在の兵庫県南西部）の大名、池田家伝来の品だった。池田家そのものは知らなくても、白亜の城として有名な「姫路城」の城主だといえば、思い当たる人も多いことだろう。池田家は、戦国時代の覇者である織田信長の親衛隊長、池田恒興《いけだつねおき》を先祖とする家で、その息子である池田輝政《いけだてるまさ》が徳川家康に重用されたため、播磨国に大きな領地を任された。

江戸時代の逸話によると、大包平は、輝政の孫で祖父譲りの愛刀家として有名だった「池田光政《いけだみつまさ》」が購入したものだという。あるとき大包平を見た光政は、大喜びで購入しようとしたが、家来に「刀ではなく優れた家臣を雇うべきだ」と忠告を受ける。だが光政は「これだけは許せ」と言い、大包平を購入したという。

しかしこの逸話は事実ではない。実際には大包平は、光政の祖父輝政の時代から池田家にあったからだ。池田光政は、江戸時代初期の三名君と呼ばれる節約上手である。彼の財布の紐をゆるめるほどの刀、というのがこの逸話の骨子《こっし》なのだ。

ちなみに池田輝政さん自身の記録を見ると「大包平より家臣たちを頼りにしろ」と息子さんに言い聞かせているんですね。案外、大包平への執着心は創作で、ご本人はそこまで入れ込んでなかったかもしれませんね？

Illustrated by タムチロイドフェニックス銀河龍一黄昏一

斬り落とすこと豪雨のごとし

村雨【むらさめ】

正式名称／太刀　銘　津田越前守助廣　村雨
【たち　めい　つだえちぜんのかみすけひろ　むらさめ】

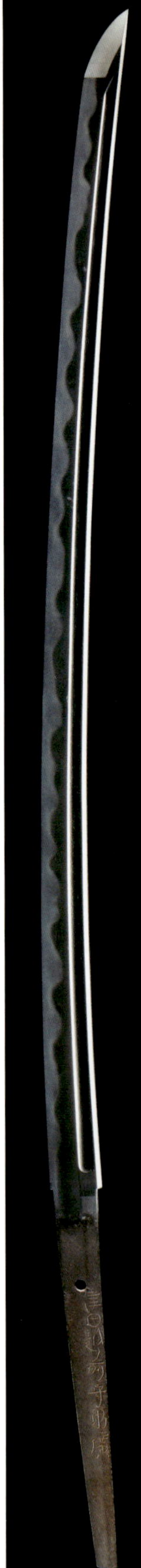

全長／-
刃長／83.03cm
反り／4.24cm
元幅／-
先幅／-
造込み／鎬造り
樋／なし
個人蔵

※上のデータは実物の村雨のデータです。
左の写真は村雨を作った刀匠、津田越前守助広作の別の刀であり、下がそのデータです。

刀　銘　津田越前守助広
延宝九年八月日
全長／ー
刃長／76.2cm
反り／ー
元幅／ー
先幅／ー
造込み／鎬造り
樋／なし
刀剣博物館　蔵

〝抜けば玉散る氷の刃〟 名刀「村雨」は果たして実在したか?

創作の世界で「いわくつきの刀」といえば、徳川家に祟る妖刀「村正《むらまさ》」（⬇一三九ページ）のほか、「村雨」という名前がよくあげられる。この刀は、江戸時代末期の娯楽小説『南総里見八犬伝《なんそうさとみはっけんでん》』に登場するもので、作中では「村雨丸」と呼ばれている。

『南総里見八犬伝』の「村雨丸」が架空の刀なので、世間ではよく「村雨という刀は実在しない」といわれるが、これは大きな間違いである。日本には「村雨」という名前で呼ばれる刀が複数存在するのだ。なかでも有名なのが、江戸時代屈指の名匠、津田越前守助広《つだえちぜんのかみすけひろ》（⬇一四七ページ）が製作した刀である。助広は右の写真のように大きく波打つ「濤瀾乱《とうらんみだ》れ」という刃文を発明した刀匠である。

助広の「村雨」は右の写真とは別の刀で、茎《なかご》に「村雨」の銘が切られている。刃の長さは八三センチあまりとかなり長く、刀身には深さ四・二センチの大きな反りがついている。刀身には代名詞である濤瀾乱れの刃文と、口から火を吐く龍の彫刻「火炎倶利伽羅龍《かえんくりからりゅう》」が施され、迫力のある一振りとなっている。

この村雨というのは、短時間で強く降る「にわか雨」を指す言葉で、この刀の切れ味を示すためにつけられた異名である。

情景をイメージしてもらいたい。葉っぱに朝露がついているときに、突然にわか雨が降ると、葉についていた朝露は「コロリ」と落ちてしまう。また、長い草が生い茂る草原に、強いにわか雨が降ると、雨とともにやってきた強風で、草がかたむいて「ふたつに分かれる」。つまり村雨という銘は、斬った敵の首が「コロリと落ち」、体が斬られれば「ふたつに分かれる」ほどの切れ味を誇る刀だ、という意味が込められているのだ。

ちなみに『南総里見八犬伝』に登場する架空の「村雨丸」は、切れ味自慢だけではない神秘的な能力を備えている。刃長または全長が三尺（約九一センチの刀で、殺気を込めて鞘から抜くと、刀の茎《なかご》から水が流れ出し、水滴が刀身を覆うのである。このため村雨丸は、敵を何人斬っても切れ味が落ちることがない。人間を斬った刀の切れ味が落ちる最大の原因は、刀身に血液がこびりつくことだからだ。作中では、この刀が水で血を洗い流す様子が「にわか雨」に似ているから、村雨という名前が付いたと説明されている。

村雨丸の使い手である犬塚信乃《いぬづかしの》さんは、「男子を女子として育てると、丈夫に育つ」という家の教えで女の子として育ったんだそうで……はっ!?　これはいまはやりの「女装少年」の先取りでしょうか!?

Illustrated by しょういん

大小二刀流の「大」を担う正宗

武蔵正宗【むさしまさむね】

正式名称／刀　無銘　伝正宗【かたな　むめい　でんまさむね】

《重要美術品》
全長／ -
刃長／ 70.6cm
反り／ 1.3cm
元幅／ -
先幅／ -
造込み／鎬造り
樋／棒樋
刀剣博物館　蔵

剣豪、宮本武蔵が愛用したとされる反りの小さい正宗の打刀

武蔵正宗は、江戸時代の刀剣解説書『享保名物帳《きょうほうめいぶつちょう》』で紹介され、無銘ながら正宗《まさむね》（⬇一一八ページ）の作品と鑑定された刀である。この「武蔵正宗」の名前の由来には二種類の説がある。ひとつは関東平野中央部の旧国名である「武蔵国《むさしのくに》」で将軍家が召し上げたので「武蔵」と呼んだという説。もうひとつは、二刀流、五輪書《ごりんのしょ》、巌流島《がんりゅうじま》の決戦などで有名な剣豪「宮本武蔵《みやもとむさし》」の愛刀だったことからこの名前がついたとするものだ。将軍家の刀のデータや由来をまとめた『御腰物台帳《おこしものだいちょう》』には、後者の説である「宮本武蔵の刀」だと紹介されているので、本書でもそれにしたがってこの刀を紹介する。

宮本武蔵は戦国時代末期から江戸時代初期の約五〇年間で活躍した剣豪であり、一五八二年に生まれ、一六四八年に亡くなっている。視点を移すと将軍家には、二代将軍徳川秀忠《ひでただ》が、徳川家の分家である紀州《きしゅう》徳川家にこの刀を贈った記録がある。秀忠の没年は一六三二年だから、この刀は武蔵が剣術家として名をあげはじめた一三才のころ（一五九五年）から一六三二年までの三七年のどこかで武蔵に使われて有名になり、なんらかの理由で将軍家の物となったはずである。

その後、この刀は徳川将軍家と紀州徳川家が、おたがいにめでたいことがあったときに贈りあうかたちで両家の蔵を往復し、最終的には将軍家の蔵に戻っていた。

そして二百年後の江戸幕府崩壊前夜、薩摩藩《さつまはん》と長州藩《ちょうしゅうはん》らの新政府軍が江戸の町に迫っていたときのこと。幕府の家臣である政治家にして剣術家の「山岡鉄舟《やまおかてっしゅう》」は、新政府軍の指導者である西郷隆盛《さいごうたかもり》との交渉を成功させ、新政府軍の江戸城攻撃を中止させて江戸を戦火から守った。それから一〇年ほどあとになって、江戸城開城にまつわるやりとりを思い出した「最後の将軍」徳川慶喜《よしのぶ》は、山岡の功績を思い出して彼にこの刀を贈った。山岡は刀を受け取ったが、交渉が成功したのは貴族の岩倉《いわくら》具視《ともみ》のおかげだと考え、この刀を岩倉家に贈ったのである。その後は岩倉家を出て愛刀家の藤沢乙安《ふじさわおとやす》の所蔵品となったのち、日本美術刀剣保存協会に寄贈された。現在は同協会運営の刀剣博物館（⬇一五六ページ）で、その姿を見ることができる。

宮本武蔵は自著『独行道《どっこうどう》』に「兵具は格別、余の道具たしなまず（他の道具にこだわらないが、武器だけは別だ）」と書いているとおり、武器にはこだわった。このため武蔵が名刀を差したという伝説や、武蔵の愛刀だとする実在刀に事欠かない。武蔵の本当の愛刀がどれだったのかは、本人だけが知っていることである。

武蔵正宗は将軍家に伝わった刀だけあって、拵えの金具にはすべて葵の紋がつけられておる。とはいえ宮本武蔵が使っていたときも同じ拵えだったとは考えにくい。はたして当時の拵えはどんなものであったのだろうな。

Illustrated by 閏あくあ

星から生まれた幻想の刃――

流星刀【りゅうせいとう】

正式名称／流星刀【りゅうせいとう】

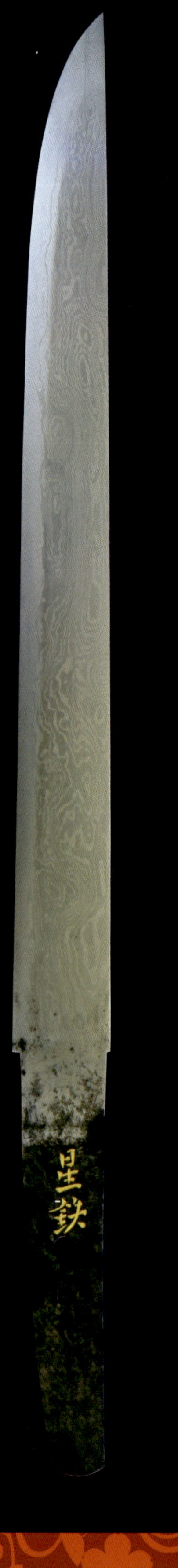
星鉄

短刀　銘　星鉄　国宗
全長／-
刃長／19.9cm
反り／筍反り
元幅／-
先幅／-
造込み／平造り
樋／なし
富山市立天文台　蔵

明治維新の重鎮、榎本武揚《えのもとたけあき》が隕鉄剣へのあこがれを託した短刀

流星とは天文学的に言うと、宇宙から飛来した物体が、地球の大気圏に当たって燃え尽きる途中に光を放つ現象である。ただし飛来したものが大きい場合、大気圏では燃え尽きずに、隕石《いんせき》となって地表に落ちてくる。鉄隕石の成分はさまざまだが、主成分が鉄であるもの（隕鉄、鉄隕石という）が非常に多い。ということは、鉄隕石を材料にして剣や刀を作ることも可能なのだ。日本でも明治三一年（一八九七年）に、鉄隕石を材料にした「流星刀」という刀が作られている。

流星刀は、明治政府の要職を歴任した政治家「榎本武揚《えのもとたけあき》」の依頼で、東京の刀匠岡吉国宗《おかよしくにむね》が担当したものである。榎本は、明治二十三年（一八九〇年）に富山県に落下した隕石「白萩隕鉄《しらはぎいんてつ》第1号」を岡由に託し、岡吉はこれを材料に刀二振りと短刀二振り（右写真）を完成させたという。隕石の鉄は、日本刀に使われる鉄「玉鋼《たまはがね》」とは成分が異なるため、刀身に光を当てると右の写真のように、通常の日本刀よりもくっきりとした、木の肌のような模様が浮かび上がる。

隕石からつくられた日本刀という存在にはロマンがあるが、実は鉄隕石は刀の材料にするには向いていない素材である。

そもそも純粋な鉄というのは、金属としては比較的柔らかい。我々が普段扱っている鉄が硬いのは、鉄に炭素が含まれているからだ。適切な量の炭素が含まれている鉄を熱してから水で急冷する「焼き入れ」を行うと、鉄は非常に硬くねばり強い性質に変化する。これが日本刀の強靭さの秘密なのである。

ところが鉄隕石の場合、成分のなかにほとんど炭素が含まれていない。しかも鉄のなかにニッケルという「鉄よりも溶けやすい」金属が混ざっているので、刀を打つために鉄を熱するとボロボロになってしまうのだ。

岡吉は何度かの失敗を経て鉄隕石の特性をつかみ、日本刀の材料である玉鋼と隕鉄を3：7の割合で混ぜあわせ、溶けて液体になる寸前まで熱することによって、日本刀に加工できるように鉄の性質を作り替え、大小四振りの刀を完成させた。

四振りの流星刀のうち、長刀一本は、日本の戦没者を祀る「靖国神社《やすくにじんじゃ》」の資料館「遊就館《ゆうしゅうかん》」にあるという。短刀二本のうち富山市立天文台にない刀は、榎本氏の子孫である榎本隆充《えのもとたかみつ》が所有している。最後の長刀は、榎本の棺に流星刀が納められたという記録があるため、今も榎本のかたわらにあると思われる。

日本で最も高い電波塔となった東京スカイツリーには、四億五〇〇〇万年前に飛来した鉄隕石を、現代の吉原義人刀匠が刀に鍛えた「天鉄刀」が常設展示されておる。隕鉄刀の独特の輝きを生で鑑賞するよい機会だな。

Illustrated by ryota

無双の豪傑、真柄直隆の大太刀——

真柄太刀【まがらのたち】

正式名称／刀　末之青江〈真柄太刀〉附、朱塗鞘野太刀拵【かたな　すえのあおえ　まがらのたち　つけたり　しゅぬりさやのだちこしらえ】

全長／-
刃長／221.5cm
反り／3.4cm
元幅／4.5cm
先幅／-
造込み／鎬造り
樋／棒樋に添樋
熱田神宮　蔵

徳川武士を戦慄させた「姉川の戦い」伝説の武勲刀

室町時代から戦国時代にかけて、それまで馬に乗って戦っていた武士が、徒歩で戦うようになると、力自慢の武士たちのなかに、刃長一メートルを超えるような長大な太刀を使って戦う者があらわれた。このような、両手で持って使用する長大な太刀を、特に「大太刀《おおたち》」と呼んでいる。

大太刀の使い手として特に有名なのが、越前国《えちぜんのくに》（現在の福井県東部）の侍、真柄十郎左右衛門直隆《まがらじゅうろうざえもんなおたか》と、その子真柄隆基《たかもと》である。父直隆は身長七尺（約二一〇センチ）もある大男であり、とてつもない長さの大太刀を振り回して一太刀で何人もの敵兵をなぎ払ったといわれている。一五七〇年、真柄家が仕える戦国大名朝倉氏《あさくらし》は、織田信長と徳川家康の連合軍と、姉川《あねがわ》という場所で激突。真柄直隆は大太刀を振り回して徳川軍と戦い、壮絶な戦死を遂げた。

この真柄直隆が使ったとされる大太刀が、愛知県の熱田神宮《あつたじんぐう》に奉納されている大太刀「末之青江《すえのあおえ》」である。熱田神宮ではこの刀の号を「真柄太刀」としているが、弟の直澄も大太刀の使い手だったので混同を避けるためか、兄の直隆が使った大太刀を「太郎太刀《たろうだち》」、息子の隆基または弟の直澄が使った大太刀を「次郎太刀《じろうだち》」と呼ぶことが、江戸時代の講談などで一般化している。

この刀の正式名称「末之青江」とは、かつてこの刀の茎《なかご》（持ち手部分）に切られていた銘である。青江とは備中国《びっちゅうのくに》（現在の岡山県西部）の地名で、「青江派」と呼ばれる刀匠一派が工房を置いていた。青江派は鎌倉時代に多数の名匠を輩出して有名になった一派で、彼らの流れを引く室町時代の青江の刀匠は、青江派の末流という意味で「末之青江」という銘を切ったのである。

末之青江の外見でまず目を引くのは、刃長二二一・五センチ、重さ四・五キロという巨大な刀身である。江戸時代に一般的だった日本刀「打刀《うちがたな》」の平均サイズはおおむね七一センチ、重さは平均〇・九キロ程度だから、末之青江は普通の日本刀に比べて長さで三倍、重さ五倍の刀ということになる。

五倍の重さというと、とてつもなく重いのではないかと感じるが、通常、立体物の長さが三倍になった場合、重さは三の三乗で二七倍になるはずである。だがこの末之青江は、刀身の幅を細く、厚みを薄手に作ったうえで、刀身に「棒樋《ぼうひ》」という太い溝と、その近くに「添《そ》え樋《ひ》」という細い溝を切るなどして軽量化を行い、この大きさでわずか四・五キロという軽さを実現しているのである。これなら、力自慢の大男なら振り回すことも可能だろう。

ちなみに真柄直隆が使用したものだと伝わる大太刀はほかにもある。石川県の白《しろ》山《やま》比咩《ひめ》神社《じんじゃ》には、刃長一八六・三五センチで、地元加賀国《かがのくに》の刀匠「行光《ゆきみつ》」の銘が切られた大太刀があり、真柄直隆の大太刀だと伝えている。そして末之青江を所蔵する熱田神宮には、越前国の刀匠「千代鶴国安《ちよつるくにやす》」作の刃長一六六・七センチの大太刀があり、真柄直隆の息子真柄隆基の愛刀だと説明している。

なお前述のとおり、真柄直隆の大太刀を太郎太刀、息子隆基の大太刀を次郎太刀と呼ぶことが多いが、熱田神宮、白山比咩神社ともに「太郎太刀」「次郎太刀」という呼び名を一切使っていないことには注意が必要だろう。

日本刀の世界では、コレクションのなかでいちばん大きくて立派な刀を「太郎太刀」と呼ぶ文化があるそうですよ。真柄さん親子の刀が「太郎太刀」「次郎太刀」と呼ばれるのは、もしやこのあたりと関係があるんでしょうか？

その華やかさ、天下一——

山鳥毛一文字【さんしょうもういちもんじ】

正式名称／太刀　無銘一文字（山鳥毛）【たち　むめいいちもんじ　さんしょうもう】

《国宝》
全長／-
刃長／79.0cm
反り／腰反り3.2cm
元幅／3.5cm
先幅／2.2cm
造込み／鎬造り
樋／棒樋
岡山県立博物館寄託　個人蔵

山鳥の毛のように美しく 燃えさかる山のように苛烈な切れ味

越後《えちご》の戦国大名、上杉謙信《うえすぎけんしん》。彼は刀の蒐集家《しゅうしゅうか》としても有名であった。彼のコレクションの中でも特に有名なのが、この山鳥毛一文字である。

茎にはただひと文字「一」とだけ切られており、備前国《びぜんのくに》の名匠として知られる備《び》前《ぜん》福岡一文字派（➡一二八ページ）の作だとされている。具体的な刀匠の名前まではわかっていないが、この刀の美しさの前ではささいな問題といえよう。上杉謙信の養子として上杉家を継いだ上杉景勝《うえすぎかげかつ》は、上杉家に伝わる名刀コレクションのなかから特に優れた三五振りの刀を選んで『上杉家御手選三十五腰《うえすぎけおてらびさんじゅうごよう》』をまとめている。もちろんこの刀も「山てうまう」という名前で三十五腰に選ばれているし、現代でも我が国の国宝に指定されている。

山鳥毛の最大の特徴は、その美しく華やかな刃文である。刀身の中ほどから刃に向かって、山鳥のうぶ毛が舞い散るように、あるいは炎がゆらめくように繊細に焼かれた刃文は、備前国の刀匠が得意とする「丁字乱れ《ちょうじみだ》」の刃文をさらに複雑化させた「重《しげ》花調《はなちょう》の大丁字乱れ」であり、刀剣の愛好家からも「日本刀の刃文のなかで特に美しいもの」と評価される。もちろん美しいだけでなく、太刀としての性能も申し分ない。実用性を重視し切れ味鋭く焼かれた刃は、頑丈な革鎧を切り裂く威力がある。

『上杉家御手選三十五腰』での号である「山てうまう」は、現在では山鳥毛《やまどりげ》と書くことが一般的になっており、山鳥の産毛のような華麗な刃文という意味だと考えられている。だが山てうまうは「山焼亡《さんしょうもう》」であり、延々と燃え続ける山火事のように見えることから名づけられたという説も根強い。どちらにしても、華やかな刃文からつけられた名前であることは間違いないだろう。余談であるが『上杉家御手選三十五腰』では、この刀は備前長船《おさふね》（➡一三〇ページ）の作だとされており、福岡一文字の作だとする現在の解釈とは違いが見られる。

このように美しい太刀であれば、実戦に出すことなくいつまでも飾って眺めていたいと考えるのが我々現代人である。だが質実剛健な上杉家にはその常識はあてはまらない。謙信はこの刀を、実際に戦場で使うことを前提にした最新式の拵《こしら》えにおさめ、何度か戦場に持ち出している形跡があるのだ。そのときについたものかどうかは定かではないが、この刀の手元の部分には日本刀を打ちあわせたときにできる「切り込み傷」がついており、実際にこの刀が戦場で使われたものであることを物語っている。

山鳥毛が収録された上杉家の「御手選三十五腰」は、現在では二振りが国宝、七振りが重要文化財に指定されている。本書に紹介した刀のなかでは、姫鶴一文字《ひめつるいちもんじ》（➡五八ページ）、竹俣兼光《たけまたかねみつ》（➡九六ページ）、五虎退吉光《ごこたいよしみつ》（➡一二六ページ）、謙信景《けんしんかげ》光《みつ》（➡一三二ページ）の四振りがこのリストから選ばれた刀剣である。上杉謙信が、いかにわが国の日本刀文化にとって重要な刀、名高い逸話を持つ名刀を収集していたかが、この一件だけとってもよくわかる。このような天下の名刀が数多く記録された『上杉家御手選三十五腰』は、刀そのものだけでなく、リストの文書そのものが我が国の国宝に指定されている。

上杉家御手選三十五腰には、三四ページの小烏丸を作った天国《あまぐに》の作品だと伝わる刀まで含まれておる。うち二八振りが謙信の愛刀だというから、いかに謙信のもとに名刀が集まっていたかがわかろうというものだな。

日本刀の模様

日本刀の刀身には、他国の刀剣には見られない独特の模様がある。刃文とは刃の部分にあらわれる波のような模様、地肌とは刀身全体にあらわれる木材の断面のような模様のことだ。

刀身の「地肌《じはだ》」の種類

名前	外見と断面	解説
正目肌《まさめはだ》		地肌の模様が縦にまっすぐ走るもの。名前の由来は、木材を繊維と垂直に斬ったときの断面の呼び方からつけられました。
板目肌《いためはだ》		木材を年輪と平行に切ったときにあらわれる「板目」という模様に似た地肌です。ほとんどの日本刀の地肌は、この「板目肌」に分類されます。
杢目肌《もくめはだ》		板目肌の一種ですが、表面に木材の年輪のような丸い模様「杢目」があらわれている地肌のことをこう呼びます。
綾杉肌《あやすぎはだ》		津軽三味線の内側に刻まれているジグザグ模様「綾杉文」に似た地肌です。おもに東北、鹿児島の刀匠が得意としています。
鏡肌《かがみはだ》	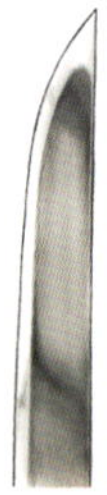	均質な材料を使って作られているため、鏡のように模様が見えない地肌のこと。江戸時代後期以降の刀によく見られます。

地肌の模様は、日本刀の鋼を鍛え上げる作業「折り返し鍛錬」で生まれます（➡ 178ページ）。鉄の不純物を取り除くため、ハンマーで叩いて折り曲げるという工程を繰り返すと、鉄がパイ生地のように薄い組織を積み重ねたものになり、このような模様が出てくるのです。

刃の「刃文《はもん》」の種類

名前	外見と断面	解説
直刃《すぐは》		刃と平行にまっすぐ伸びる刃文です。これと逆に、曲がったり波打つ刃文を「乱刃《みだれば》」といいます。左で紹介している四つはどれも乱刃の一種です。
互《ぐ》の目乱れ		刀身の波打ちが、丸みを帯びているものです。囲碁で使う碁石を並べたような見た目から、この名前が付いたのではないかと推測されています。
丁字刃《ちょうじば》		細い模様が刃先のほうに向かって無数に伸びた刃文です。これが丁字（西洋スパイスのクローブのこと）のつぼみに似ているためにこの名がつきました。
尖《とが》り刃		互の目乱れの一種ですが、刃文がノコギリのように尖っているものです。角刃《つのば》、鍬形刃《くわがたば》、三本杉《さんぼんすぎ》（⬇ 一三六ページ）などの亜種があります。
飛焼《とびや》き刃		「刃」以外の部分にも、小さな焼きが入っている部分が点在する刃文です。焼きが一部ではなくが刀身の大部分にある場合「皆焼刃《ひたつらば》」と呼ばれます。

日本刀の刃文は、熱した刀身を水に入れて冷やすとき、鉄の性質が変化することで生まれます。急激に冷えて固い鉄に変わった部分と、ゆっくり冷えて粘りのある鉄になった部分は光の反射のしかたが違うので、性質が違う鉄どうしが触れる境界線が、このような刃文となるのです。

失われた名刀

長いものでは1000年以上にわたって受け継がれてきた日本刀のなかには、戦いのなかで失われたり、持ち主不明のまま行方がわからなくなってしまったものがあります。歴史に名を残すような名刀でも、失われてしまったものがあります。

この章で紹介する5振りの刀は、名刀として天下に名を残しながら、さまざまな事情で行方がわからなくなっているものです。

蛍が癒やした神秘の刀――

蛍丸【ほたるまる】

正式名称／大太刀　銘　来国俊【おおたち　めい　らいくにとし】

激戦での刃こぼれを蛍が直したという来国俊が最大の大太刀

鎌倉時代後期ごろの刀匠に「来国俊《らいくにとし》」（➡一四六ページ）という人物がいる。現存している作品には国宝や重要文化財に指定されているものも数多い、鎌倉時代を代表する刀匠だ。彼はおもに短刀作りの名手であったが、一方で非常に長い大太刀も鍛造している。

蛍丸の通称で知られるこの大太刀は、来国俊の作品のなかでも最大の大きさで、刀身が一〇〇センチを越える。刀のなかでも長く実戦向けとされる「野太刀《のだち》」が約九〇センチほどであるから、蛍丸がいかに長大かがわかるだろう。蛍丸のもうひとつの特徴は、刀身の彫り物だ。蛍丸には「護摩箸《ごまばし》」と「素剣《すけん》」という、仏教に関連した彫り物がふたつある。

この刀の通称である「蛍丸」とは、文字どおり昆虫の〝蛍〟と関係した逸話からつけられたものなのだが、その内容は「刀にとまった蛍が刃こぼれを直した」という幻想的なものだ。

当時の蛍丸の持ち主は阿蘇惟澄《あそこれずみ》という武将であった。彼は現在の熊本県にあたる肥後国《ひごのくに》の氏族、阿蘇《あそ》氏の人物だ。鎌倉幕府が滅び、朝廷が天皇の相続や正当性などを巡って北朝と南朝のふたつに分かれて争った南北朝時代、惟澄は南朝の武将として、北朝と戦った。

現在の福岡市にあたる多々良浜《たたらはま》での戦いのとき、惟澄は大太刀（のちの蛍丸）を手に北朝の軍と戦う。しかし南朝の軍は敗北、惟澄も熊本県東部の阿蘇山《あそざん》まで逃げのびた。このとき太刀は激戦で刃こぼれがひどく、刀身がまるでノコギリのようになってしまっていたという。

不思議なことが起きたのはこのあとだ。疲れて眠った惟澄は、自分の刀に無数の蛍がとまり、光を灯したり消したりしている夢を見た。目を覚ました惟澄が刀をみると、なんと刃こぼれがすべてなくなっていたのである。この出来事のあと、太刀は〝蛍丸〟と名づけられ、以後は阿蘇家に代々伝わる宝刀となったのだ。

この逸話には、細部が異なるものも伝わっている。光っていたのは実は〝欠けてしまった太刀の刃〟であり、それらが惟澄の寝ているあいだに飛んできて、太刀の元の場所にぴたりと納まった、というのだ。この物語では、飛んできた刃が蛍のようだったので蛍丸と名づけられたとされている。

その後、熊本の阿蘇神宮《あそじんぐう》に秘蔵されていた蛍丸は、昭和六年には国宝の仲間入りをしたが、今現在、その行方はわかっていない。所在不明になったのは第二次世界大戦後の混乱によってと言われているが、くわしい理由は不明である。

一説によると、敗戦後の日本を占領した駐留アメリカ軍が、日本人を武装解除するために多くの日本刀を没収、処分してしまった〝刀狩り〟のときに、蛍丸もまた処分された可能性がある。米軍の日本刀に対するスタンスは占領した軍ごとに微妙に違っていたのだが、九州を占領していた部隊のやりかたは、没収した刀に石油をかけて燃やし、そのあと海中に投棄するという徹底的なものだった。

この推測が正しいとすると、蛍丸は九州において没収されたさまざまな名刀とともに、いまでも九州の海の底で眠っていることになる。

蛍丸を作った来国俊の刀には、銘の切り方が二種類あってな。「来国俊」と切った刀と「国俊」と二文字だけ切った刀があるのだ。この両者を同名の別人の作品だとする説もあって、その場合は後者を「二字国俊」と呼んでおる。

《旧国宝》
全長／約 136cm
刃長／約 101.35cm
反り／-
元幅／約 3.9cm
先幅／-
造込み／鎬造り
樋／棒樋に連れ樋
所在不明

Illustrated by KAZTO FURUYA

剣聖一刀斎の伝家の宝刀

甕割一文字【かめわりいちもんじ】

※この刀には正式名称がありません

データ不明

伝説の〝甕割〟をなしとげたのは、開祖一刀斎か、一番弟子「御子上典膳」か？

世の中に「剣豪」と呼ばれる人物は数多いが、剣豪自身が伝説的な名刀を持っていることは意外に少ない。その数少ない例が、生涯に剣術の勝負をすること三三回、すべてに勝利した大剣豪「伊藤一刀斎《いとういっとうさい》」である。彼の愛刀「甕割一文字」は、一刀斎の剣技もあいまって、すさまじい切れ味の名刀として伝わっている。

この刀は、備前国《びぜんのくに》（現在の岡山県南東部）の刀匠、一文字派（➡一二八ページ）の刀匠が鍛えたものだと伝えられている。大正一四年に書かれた『日本剣道史』という書籍には、この刀の作者を「越前国《えちぜんのくに》の下坂《しもさか》という刀匠」だと紹介しているが、現代の日本刀研究家である福永酔剣《ふくながすいけん》は、後者の記述は誤りだと判断している。

この刀が「甕割」という号で呼ばれるのは、この刀が人間と大甕《おおがめ》をまとめて一刀両断したという逸話があるからだ。だが、誰がどんな経緯で人間と甕を真っ二つにしたのかは、資料によって意見が分かれている。

一刀流の伝承をまとめた『一刀流口伝書《くでんしょ》』によると、伊藤一刀斎は若いころ、現在静岡県にある「三島神社《みしまじんじゃ》」の軒先で暮らしていた。あるとき一刀斎は、三島神社をおとずれた剣術の達人と試合をして勝利をおさめる。これを見ていた三島神社の神主から、一文字の刀をもらったのだという。この刀は、三島神社の天井にくくりつけられていたのだが、縄が切れて刀が落下したとき、真下にあった酒瓶を貫き、刃こぼれ一つなかったという名刀だった。

その後、三島神社に強盗たちが押し入り、一刀斎は彼らを迎え撃って斬りまくった。強盗のひとりが巨大な酒甕の中に飛び込んで難を逃れようとしたのだが、一刀斎はその酒甕ごと賊を真っ二つにしてしまったという。

もうひとつの説は、江戸時代末期に書かれた剣術流派解説書『撃剣叢談《げきけんそうだん》』にあるもので、一刀斎自身ではなくその弟子「小野忠明《おのただあき》」、通称「御子上典膳《みこがみてんぜん》」が甕割をなしとげたと説明している。

その内容によれば、伊藤一刀斎が自分の一文字の愛刀を「勝ったほうに譲る」といい、ふたりの高弟、小野忠明と善鬼《ぜんき》を勝負させた。ところが伊藤一刀斎は、立ち会いに先だって一刀流の極意〝夢想剣〟を小野忠明に授けていたのだ。師から教わった秘伝を駆使して善鬼に圧勝した小野忠明は、一刀斎から甕割一文字を授かると、大甕の影に隠れて息を整えている善鬼を甕ごと一刀両断してしまったという。

どちらの説を採用する場合でも、甕割一文字は御子上典膳こと小野忠明に伝承され、忠明は幕府設立前の徳川家に仕官。幕府の将軍に剣術を教える「剣術指南役」となった。彼は「小野派一刀流」という剣術流派を立ち上げ、甕割一文字派代々の弟子に伝承されていったという。

甕割り一文字がふたたび歴史の表舞台にあらわれるのは、小野忠明の甕割継承から約三〇〇年後、明治時代初期のことだ。小野家九代目の小野業雄から、政治家でありながら剣客としても有名だった山岡鉄舟《やまおかてっしゅう》に、一刀流の正統を証明する物品とともに「甕割刀」が贈られたのだ。鉄舟の死後、この刀は栃木県の日光東照宮《にっこうとうしょうぐう》に奉納されたとされているが、日光東照宮にはこの刀は現存せず、一刀流の歴史を語るこの名刀は行方がわからないままになっている。

一刀流の刀としてもうひとつ「朱引太刀《しゅびきのたち》」という有名なものがある。もっともこれは木刀で、一刀流の極意が朱色の墨で書き込んであるものだ。こちらは行方不明になることなく、現在も一刀正伝無刀流の宗家に伝わっておるぞ。

Illustrated by 白い鴉

今も語られる歴史の名場面で振られた刀 ―

竹俣兼光【たけのまたかねみつ】

正式名称/太刀　銘　備州長船兼光　延文五年六月日
【たち　めい　びしゅうおさふねかねみつ　えんぶんごねんろくがつひ】

全長/ -
刃長/ 84.8cm?
反り/ -
元幅/ -
先幅/ -
造込み/
樋/棒樋に三鈷剣と梵字

信玄が軍配で受けたとされる謙信の刀 その逸話には他の刀との混同も

八九ページで紹介したとおり、戦国武将「上杉謙信《うえすぎけんしん》」は有名な愛刀家で、多くの名刀を所有していた。現在では国宝や重要文化財ばかりになっている上杉家のコレクションのなかには、所在不明になっている刀も存在する。上杉謙信の生涯のライバル「武田信玄《たけだしんげん》」と戦ったとき、上杉謙信がみずから武田本陣を襲い、本陣に座っている武田信玄が、手に持った軍配でかろうじてその斬撃を受け止めたという逸話が残る、謙信の愛刀「竹俣兼光」である。

この刀がかつて実在したことは、江戸時代にとられた刀剣の写し絵「押形《おしがた》」によって確認できる。右にあげたデータは、おもに豊臣秀吉の政権下だった安土桃山時代に活躍した刀剣鑑定家「本阿弥光徳《ほんあみこうとく》」がとった押形のデータである。しかしその五才年下である本阿弥光悦《こうえつ》もこの刀の押形をとっているが、こちらは長さが七六・九六センチと短くなっているほか、銘の年月日と樋の形が違うため、どちらが本当の竹俣兼光なのかは判別しがたいものがある。

また、上杉家には竹俣兼光のほかにも「小豆長光《あずきながみつ》」という刀が伝わっていたが、竹俣兼光と同様に行方不明になっている。実はこの小豆長光は、前述の竹俣兼光と多くの場所で混同されており、両方の刀にまったく同じ内容の逸話が伝わっている。以降の解説では竹俣兼光の逸話を紹介するが、これは同時に「小豆長光」の逸話でもあることを踏まえて読んでいただきたい。

もともと竹俣兼光は、越後国《えちごのくに》(現在の新潟県)の農民の愛刀だった。あるとき百姓が雷雨に襲われ、何を思ったか刀を頭上に掲げていたのだが、雨があがった後、刀にべっとりと血糊がついていた。農民はこれを「雷を切った」と思って驚いたという。また、この農民が収穫した小豆《あずき》を運んでいたとき、袋に空いていた穴から小豆がこぼれ、鞘《さや》の割れ目の中に入って刀身に当たった。すると小豆は、おそるべき切れ味の刃に触れただけで真っ二つになってしまったという。

この刀が地元の領主、竹俣慶綱《たけのまたよしつな》に献上され、慶綱がこれを振るって大活躍したため、竹俣兼光という号をつけられ、主君の上杉謙信の愛刀となったのだ。その後の武田信玄との戦いでの活躍は前述のとおりである。その後竹俣兼光は豊臣秀吉に献上されていたが、豊臣氏は秀吉の死後に徳川家康に滅ぼされてしまう。家康は豊臣氏が籠もる大坂城を攻め落とした後、多額の懸賞金をかけて竹俣兼光を捜させたがついに見つからず、現在も行方がわからないままとなっている。

ちなみに竹俣兼光(小豆長光)が「刃の上にこぼれた小豆を真っ二つにした」という伝説について、江戸時代末期に、本当に可能なのかどうかを検証した記録が残されている。居合の達人である窪田清音《くぼたすがね》という人物が、実際に名刀を使って実験してみたがうまくいかず、刀匠の意見も聞いて「そんなことは不可能である」という結論に至ったという。

では小豆長光という名前の由来は何か? 右のとおり竹俣兼光と小豆長光の伝承には不可解な点が多く、「小豆を切ったから小豆長光」だという説には疑わしいものがある。窪田は「アズキ」ではなく「ナズキ」、すなわち人間の頭《なずき》を切った刀の意味だという結論に至った。実際に死体を使って試し切りを行うとき、頭蓋骨を切ることを「小豆割り」と呼ぶから、この説には説得力がある。

竹俣兼光には、上杉家が秀吉さんに献上するのを嫌って、偽物を提出したという噂があります。その証拠か、この刀には刀剣の形を模写した「押形」が二種類あるんだそうです。家康さんが見つけられなかったのもそのせいかも?

Illustrated by れんた

〝第六天魔王〟織田信長の最期を看取った刀

実休光忠

【じっきゅうみつただ】

──正式名称／刀　銘　光忠【かたな　めい　みつただ】

織田信長が最後に振るった？「本能寺の変」の激しさを伝えた焼け身の刀

戦国時代を戦い抜き、天下統一目前で命を落とした「織田信長《おだのぶなが》」。彼は部下の明《あけ》智光秀《ちみつひで》に叛乱を起こされ、京都の寺「本能寺《ほんのうじ》」で燃えさかる炎のなか命を落とした。有名な「本能寺の変」である。ここで紹介する実休光忠という日本刀は、この信長最後の戦いで、信長が振るった刀である可能性が指摘されている。

実休光忠の作者は、備前長船派《びぜんおさふねは》（➡一三〇ページ）の刀匠で、鎌倉時代中期に活躍した備前長船光忠《みつただ》である。信長は、この光忠の刀が特にお気に入りで、なんと二五本もの光忠の刀をコレクションしていたという（現代刀剣研究の第一人者である佐藤寒山《かんざん》は、さらに多い三三本だとしている）。本書でも紹介している生駒光忠《いこまみつただ》（➡一三二ページ）をはじめ、三振りが国宝に、より多くの刀が重要文化財に指定されている光忠の刀は、高名な「正宗《まさむね》」（➡一一八ページ）などと並んで、時代を代表する名刀といっても差し支えないだろう。

九六ページの竹俣兼光《たけまたかねみつ》と違い、実休光忠には押形《おしがた》がとられていないため、外見については文字の資料に頼って想像するほかに方法がない。刀剣の目利き書である『三好下野入道聞書《みよししもつけにゅうどうもんしょ》』によれば、刀身の根本付近は大きく波打つ「大乱れ」の刃文で、先端付近は小さく波打つ「小乱れ」の刃文だった。また、鋒《きっさき》には小さな刃こぼれが一ヶ所あったという。

実休光忠の「実休」とは、この刀が「三好実休義賢《みよしじっきゅうよしかた》」という武将の愛刀だったことからついた名前である。三好実休は、信長の前に近畿地方を制していた大名、三好長慶《ちょうけい》の弟で、日本で初めて鉄砲による狙撃で戦死したという説がある武将である。戦国時代の逸話を集めた江戸時代の文献『常山紀談《じょうざんきだん》』によると、三好実休の最後の戦いにおいて、実休は本陣を攻撃した敵の脚を切りつけたが、脛《すね》当てという防具に阻まれた。実休光忠の鋒の刃こぼれはこのときについたと考えられる。

三好実休が戦死したことで、実休光忠は戦争相手の畠山《はたけやま》氏に奪われ、畠山氏から織田信長に献上された。この刀は当時から名刀として評価が高かったため、織田信長はみずからこの刀の切れ味を試したという記録が残っている。

そしていよいよ「本能寺の変」がやってくる。一五八二年、織田信長が近畿地方を制圧し、部下に中国地方や北陸・甲信越地方を攻めさせていたとき、織田信長は京都にある城塞化された寺「本能寺」に、わずかな側近たちとともに宿泊していた。そこに突如として、近畿地方の守りを任せていた有力な部下、明智光秀の軍勢が襲いかかったのだ。信長の側近はこれによく抵抗し、信長自身も弓矢や槍で応戦するなど奮闘したが、肘に傷を負った信長は抗戦をあきらめ、本能寺に火を放って自害したと言われている。

この本能寺の変が起きたとき、実休光忠もまた本能寺にあった。織田信長が本当にこの刀を使ったかどうかは証拠がないが、炎上した本能寺跡地から発見され、刀身が焼けてしまった実休光忠には、一八ヶ所もの新しい「切り込み傷」がついており、この刀の持ち主が炎上する本能寺のなかで奮戦したことを物語っている。

その後、この刀は信長の形見として豊臣秀吉が「焼き入れ」のやり直しを行い、豊臣家の宝刀として伝わっていた。だが秀吉の死後、大坂城の落城とともに行方不明になり、現在でも見つかっていない。

この刀の元の持ち主、三好実休さんは、茶の湯の創始者「千利休」さんに弟子入りしたり、和歌をたしなむ文化人でもあったそうです。七二ページの細川さんとは茶飲み仲間だったらしいですよ。

全長／ー
刃長／69.7cm
反り／ー
元幅／ー
先幅／ー
造込み／鎬造り
樋／なし

Illustrated by テトラポッド

敵を信じて託された刀

不動国行【ふどうくにゆき】

正式名称／刀　銘　来国行【かたな　めい　らいくにゆき】

筆舌しがたい刀身と彫物の出来映え「天下一」の美称でたたえられた名刀

戦国時代の武将には愛刀家が多い。九八ページで紹介したように、織田信長も、備前長船光忠《びぜんおさふねみつただ》という刀匠の作品を好んでいた愛刀家である。では、その織田信長がもっとも愛した刀は何か？　これを断定できる資料は残されていないが、有力な候補としてあげられているのが、この不動国行という刀である。

不動国行は、太刀よりも小振りな「小太刀」に分類される刀だ。刀の名前の不動国行は、この刀の作者である京都の刀匠流派「来派《らいは》」（⬇一四六ページ）の実質的な創始者だとされている名匠「来国行《らいくにゆき》」と、刀身に彫り込まれている不動明王《ふどうみょうおう》の彫刻からとられている。

不動明王とは、悪魔を退治する仏教の守護神で、特に仏教の一派である「密教《みっきょう》」で篤《あつ》く信仰されている。日本刀に彫り込まれる彫刻としては剣や龍についで人気があるモチーフだ。ちなみに不動国行の刀身に彫り込まれている不動明王は、背景に滝が描かれているため「滝不動」と呼ばれる。なお、刀身の裏側には、龍が巻き付いた剣「倶利伽羅剣《くりからけん》」が彫られているが、この倶利伽羅剣も、不動明王の武器として知られているものである。

もともと不動国行は、室町幕府の足利将軍家に伝わる刀だった。しかし一三代将軍「足利義輝」暗殺のとき、刺客を送ったひとりだという松永久秀《まつながひさひで》の手元に渡った。その後松永は織田信長の配下となり、不動国行を織田家に献上したのである。

不動国行が信長のいちばんの愛刀だと考えられる理由は、信長が酒に酔ったときに決まって歌った歌に、この刀の名前が出てくるからだ。それは**「不動国行、つくも髪、人には五郎左《ごろざ》ござ候」**というものである。つまり刀のなかでは不動国行、茶器なら「九十九髪茄子《つくもなす》」という茶葉入れ、部下のなかでは「五郎左」こと、側近の丹羽長秀《にわながひで》が、信長にとって自慢だったというわけだ。

その後、織田信長が本能寺の変で明智光秀に倒されると、不動国行は光秀の配下“明智左馬助秀満《あけちさまのすけひでみつ》”の手に渡った。だがここから、不動国行の喪失の危機がたてつづけにおとずれるのである。

最初の危機は、本能寺の変の直後におとずれた。織田信長の本拠地「安土城《あづち》」から、この刀を回収した秀満は、そのあとすぐ、遠征先の中国地方からすさまじい勢いで帰還してきた豊臣秀吉の軍勢に、居城「坂本城《さかもと》」を包囲されてしまったのだ。

落城間違いなしと覚悟した秀満は、ここで大胆な行動に出る。彼は不動国行をはじめとする名刀、名宝が失われることを恐れ、これらの宝を城の天守閣から投げ落とし、城を攻めている敵方の武将に託したのだ。文化を解する秀満の機転によって、不動国行は最初の危機を乗り越えた。

次の危機は、一六三二年に発生した「明暦《めいれき》の大火」である。不動国行は江戸城とともに焼けてしまい、美しい刃文が損なわれてしまった。だがこの刀を所有する江戸幕府は、高額を支払って「焼き直し」という技法で不動国行を修復した。

現在不動国行は、第二次世界大戦の混乱で所在不明になるという、第三の危機にある。刀剣研究家の福永酔剣《ふくながすいけん》は、不動国行は現在韓国にあるかもしれないと語っている。第三の危機を乗り越えた不動国行が、発見される日を期待したい。

不動国行の刀身彫刻は、来国行本人ではなく、別の彫刻師によって彫られたものだという説が根強い。現代でも刀身への彫刻を専門に行う「刀身彫刻師」という職名があるくらいだ、刀匠にとって分業は当たり前だったようだな。

《重要美術品》
全長／-
刃長／60.3cm
反り／-
元幅／-
先幅／-
造込み／鎬造り
樋／棒樋に連れ樋　櫃の中に剣巻龍／棒樋に連れ樋　櫃の中に滝不動

Illustrated by ジョンディー

日本刀の反りと樋

日本刀っていえば刀身が反っている刀ですけど、この「反りかた」にも名前があるんですって！　それから、刀身に彫られている「樋《ひ》」という溝にも、形にあわせた名前があるそうです。

刀身の「反りかた」の名前

名前	外見と断面	解説
中《なか》反《ぞ》り		反りのいちばん深い部分が、刃の中央にある形です。この形が鳥居の横木に似ていることから、「鳥居反り」という名前で呼ばれることもあります。
腰《こし》反《ぞ》り		反りの深い部分が、刃身の中央よりも手元に近い場所にある形で、元《もと》反《ぞ》り、備前《びぜん》反《ぞ》りとも呼ばれます。太刀によく見られる反りかたです。
先《さき》反《ぞ》り		反りの深い部分が、刃身の中央よりも鋒に近いところにある反り方です。相模国《さがみのくに》の刀によく見られる形式なので、相州《そうしゅう》反《ぞ》りとも呼ばれます。
無《む》反《ぞ》り		刀身の反りが極端に少ない刀です。江戸時代以降、竹刀剣術が盛んになったのにあわせて、竹刀と近い形である無反りの刀が流行しました。
内《うち》反《ぞ》り		刀の棟《むね》（背中）の部分が、通常の刀とは逆に、刃のほうへ反っている形式で、短刀によく見られます。その形状から「筍《たけのこ》反《ぞ》り」とも呼ばれます。

刀身の「樋」の種類

名前	外見と断面	解説
棒《ぼう》樋《ひ》		太くて大きな一本の樋のこと。先端は丸まっていることが多いですが、上のイラストのように尖っている場合もあり、この場合は「刀樋《かたなひ》」と呼ぶことも。
添《そ》え樋《ひ》		棒樋の隣にかかれた細い樋のことをこう呼びます。なお、細い樋が鋒まで回り込んでいる場合は、添え樋ではなく「連《つ》れ樋《ひ》」と呼ばれます。
二筋《ふたすじ》樋《ひ》		細長い二本の樋が平行にかかれているものです。三本なら「三筋樋」となります。
腰《こし》樋《ひ》		刀身の全体ではなく、鐔《つば》に近いほうだけに樋がかかれている場合はこう呼びます。ほかの樋と組みあわさることもあります。
食《く》い違《ちが》い樋《ひ》		二本以上の樋が、折れ曲がったり互い違いになるなどの形状になった樋の総称です。ほかの樋とちがって、実用性よりも装飾性を重視した樋になります。

刀身に樋をつけるのは、刀身の性能を向上させるためです。刀身を**軽量化しつつ強度を確保**したり（現代の“H 字鋼”と同じ原理）、斬ったときに敵の体と密着する面積を減らすことによる**摩擦の軽減**、敵の体から出た血液を樋の中に逃がすことで、刃にこびりつく血液の量を減らして**切れ味を維持**するなどとされます。

日本刀歴史入門

カグヤよ。鍛冶の神となるためには、名刀をただ鑑賞するだけでは足りん。おまえに足りないものは何だとおもう？

足りないものが多すぎて難しいですが……「誰がどうやって日本刀を作ったのか」を知らないのは問題だと思います。

ふむ、日本刀の歴史を知りたいというわけだな。それならばうってつけの講師を呼んでいるから、ご挨拶なさい。

……と、ヒノカグ兄さんに呼ばれて登場！　アマテラスお姉さんでーす♪　いいよ、日本刀の歴史、教えてあげよう！

あ、アマテラス様～!?　なんで我が国の最高神様が、わたしなんかのために～!?

「歴史入門」講師のご紹介！

はーい、みんなー？　芦原中国《あしはらのなかつくに》のみんなのお姉さん、太陽神のアマテラスだよ～♪　今日はみんなに日本刀の歴史を教えてくれる、三人の先生を紹介するね～！

うむ、お初にお目にかかる！　マロは初代征夷大将軍、坂上田村麻呂じゃ！　日本人が日本刀のヒントを得た「奈良・平安時代」のことなら任せるがよい！

江戸幕府五代将軍、徳川綱吉だワン！　日本刀の形にでっかい革命が起きた、室町時代末期から江戸時代にかけての日本刀を解説しにきたワン！

会津藩士山本覚馬が妹、山本八重子。女だけれど、鉄砲の腕なら男に負けんよ。私の担当は江戸時代が終わった後の日本刀なんやね。うん、知ってる限り話すよ！

アマテラス
坂上田村麻呂《さかのうえのたむらまろ》
徳川綱吉《とくがわつなよし》
山本八重子《やまもとやえこ》

日本刀はこうしてできた!!

はーいみんな〜？　アマテラスお姉さんだよ〜！
お姉さんはヒノカグツチ兄さんの妹で、この「日本」っていう国を守る、いちばん偉い神様をやってるんだ。ずぅっと日本のことを見てきたから、もちろん日本刀のことだってよく知ってるんだ！
日本の歴史と一緒に成長していった「日本刀」のことを知るために、まずは歴史のお勉強だよっ！

	古墳時代	飛鳥時代	奈良時代	平安時代	鎌倉時代	
日本刀関連事件	日本に大陸の製鉄技術が伝来			反りのある刀が登場 本格的な日本刀が誕生	鎌倉幕府のお膝元、相模国《さがみのくに》が刀の中心地に	
刀の区分	上古刀	上古刀	上古刀	上古刀／古刀	古刀	古刀

この年表は、古墳時代のはじめごろ（三世紀）に日本国内で鉄製の剣が作られはじめてから現在に至るまでのあいだに、日本刀がどのように生まれ、どのように変化してきたかを説明するものです。
一〇六ページからは、それぞれの時代で日本刀に起こった変化や、時代ごとの特徴についてくわしく説明しています。まずは日本刀が、我々がよく知る刀になるまでに、どんな道筋をたどってきたのかを押さえておきましょう。

日本刀誕生！

片刃で、刀身に反りがつき、刀身の断面がひし形になる「鎬造り《しのぎづくり》」が導入され、我々のよく知る日本刀の形になったのは、平安時代初期〜中期ごろです。この形になるまでに日本の刀剣がたどった足跡を調べてみましょう。

106ページへ!

刀匠流派〝五箇伝《ごかでん》〟

日本刀は全国各地で作られましたが、そのなかでも特に多くの刀が作られた五つの地方と、その地方に伝わる作刀技術のことを、刀剣界では「五箇伝」と呼んでいます。五箇伝の伝承地と伝ごとの特徴について説明します。

110ページへ!

おさらいしよう！日本刀の定義

日本刀とは、日本固有の鍛冶技術によって作られた刀の総称です。ただしどこまでを日本刀と呼ぶのかはあいまいで、古墳時代の両刃の鉄剣も「日本刀」の一種に数えることがあります。

一般的に日本刀といえば、刀身に反りがある、片刃の刀剣のことを指します。この形式の刀のなかでもっとも古いのは、平安時代に発明された「毛抜形太刀《けぬきがたたち》」（➡三〇ページ）です。この「毛抜形太刀」以降に開発された刀が、誰もが認める「日本刀」の定義ということになります。

時代とともに移り変わる日本刀

日本刀のなかでも初期の形式である「毛抜形太刀」や「太刀」は、馬に乗った武士が使いやすいように作られた武器でした。

ですがその後、武士がかならずしも馬に乗るとは限らない時代になると、徒歩で戦うのに便利なように、日本刀の形状が変化していきます。

その後も日本刀の外見は、時代が求めるニーズに答えるかのように細かく変化して現代に伝わっています。この「日本刀歴史入門」では、時代にあわせて変化していった日本刀の姿にも注目してみてください。

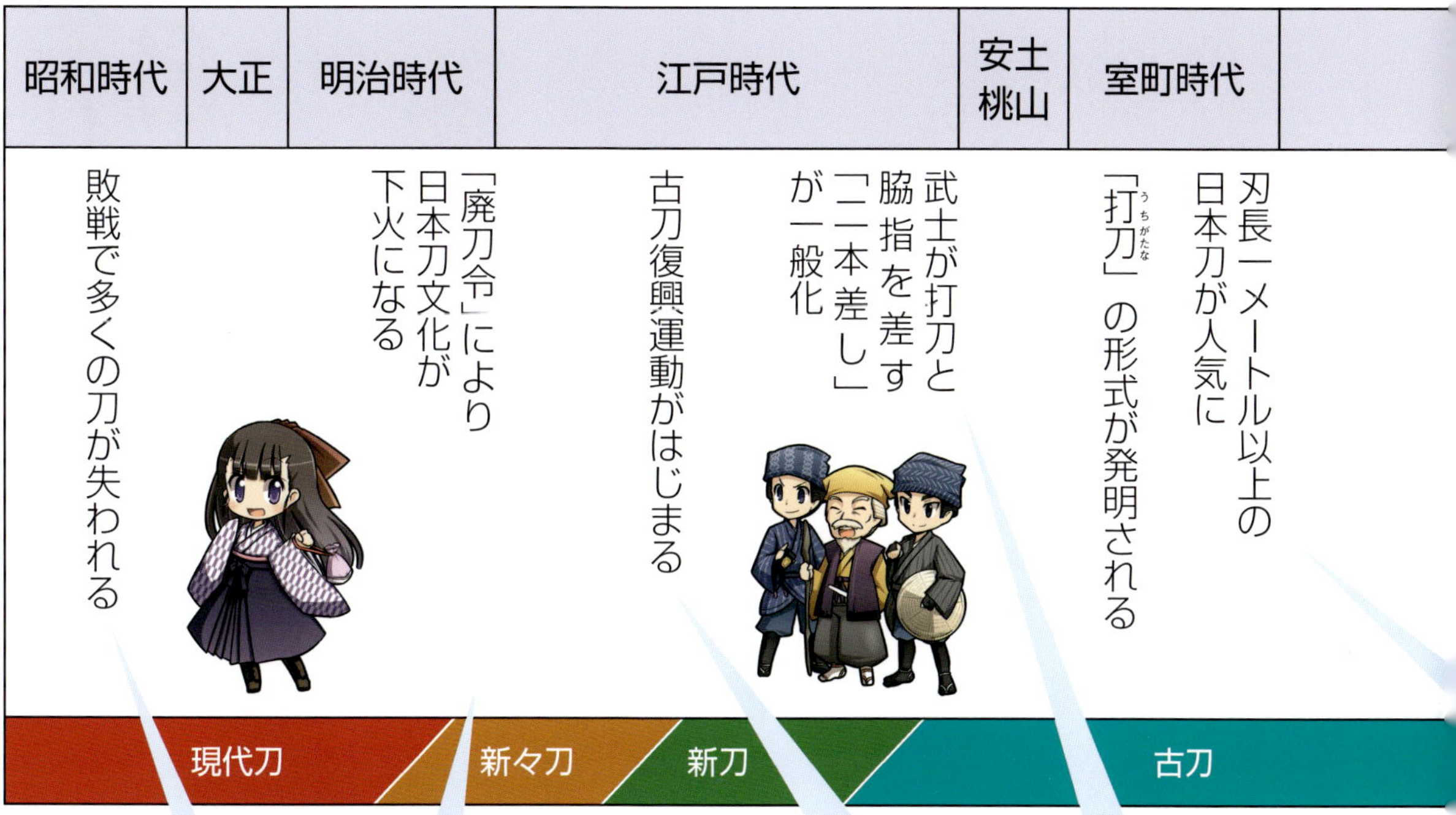
室町時代
安土桃山
江戸時代
明治時代
大正
昭和時代
刃長一メートル以上の日本刀が人気に
「打刀《うちがたな》」の形式が発明される
武士が打刀と脇指を差す「二本差し」が一般化
古刀復興運動がはじまる
「廃刀令」により日本刀文化が下火になる
敗戦で多くの刀が失われる
古刀
新刀
新々刀
現代刀

江戸時代の日本刀

江戸時代には、武士が長い刀と脇指《わきざし》を身につける「大小」のスタイルが確立したほか、新しい形式の日本刀「打刀《うちがたな》」が普及しました。この打刀とそれまでの日本刀の違いを説明します。

112ページへ！

現代の日本刀

明治維新によって日本の軍隊は西洋風に作り替えられ、さらに、日本刀を日常的に身につけることが違法行為になってしまいました。そんななかでも日本刀という文化を守るため、多くの人が奮闘したのがこの時代です。

114ページへ！

「剣」「刀」から日本刀へ
～古墳時代から平安時代～

日本刀歴史入門

やあやあ！　マロこそは日本で最初の征夷大将軍、坂上田村麻呂じゃ～！　マロたちが活躍した、一〇〇〇年以上昔の日本で、どのような武器が使われていたか知っておるかの？　実は当時は今の日本刀のような刀はほとんどなく、まっすぐな剣が主流であった。これがどうして反りのある日本刀になったのか、まずはざっと流れを教えて進ぜようぞ！

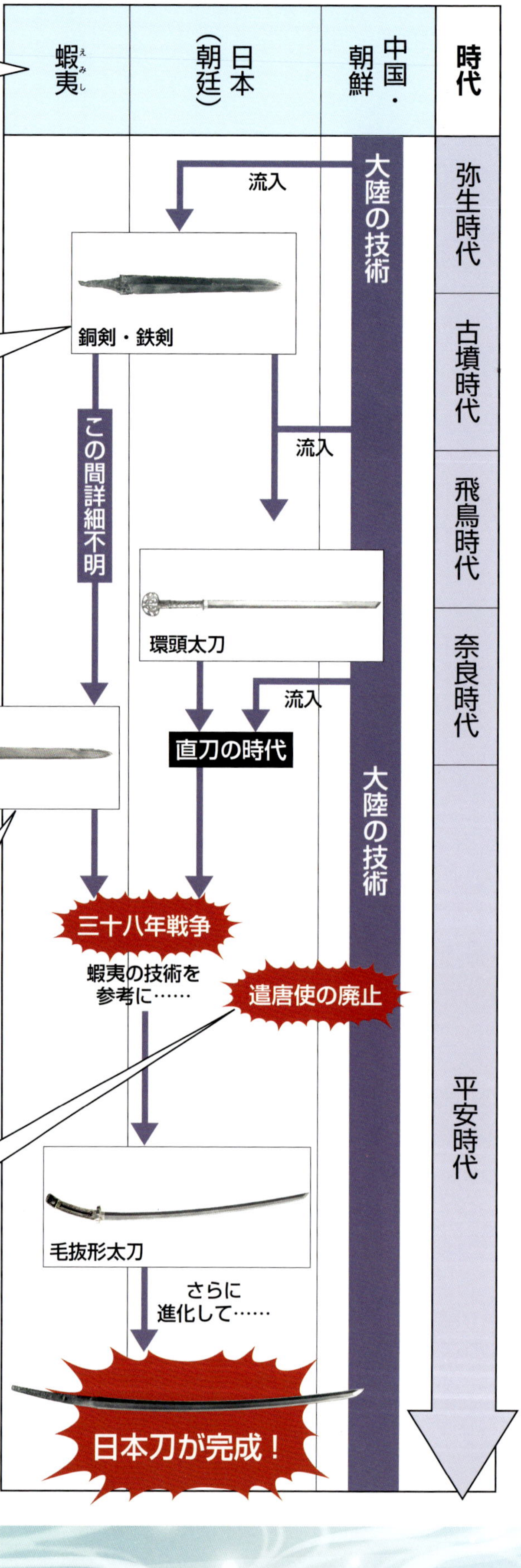

時代
中国・朝鮮
日本（朝廷）
蝦夷《えみし》
弥生時代
古墳時代
飛鳥時代
奈良時代
平安時代
大陸の技術
流入
銅剣・鉄剣
この間詳細不明
流入
環頭太刀
流入
直刀の時代
蕨手刀
大陸の技術
三十八年戦争
蝦夷の技術を参考に……
遣唐使の廃止
毛抜形太刀
さらに進化して……
日本刀が完成！

東北地方には、天皇家に服従しない、独自の文化をもった諸部族が暮らしていました。当時の朝廷は、彼らをひとまとめにして「蝦夷（エミシ）」と呼んでいました。

日本では、中国や朝鮮から武器を輸入したり、外国から移住した鍛冶師に国産武器を作らせていました。そのため作られる武器の形式も中国や朝鮮の模倣でした。

蝦夷が発明した「蕨手刀」は、反りのある片刃の剣でした。この武器が朝廷の軍隊の脅威となったことから、日本でも反った刀の研究が始まります。

中国に使者と献上品を送って文物を持ち帰る遣唐使が廃止されたことにより、中国の文化が流入しなくなった日本では、独自の武器「日本刀」が誕生しました。

古墳《こふん》時代の刀

「前方後円墳（ぜんぽうこうえんふん）」というのを知っておるか？　あの鍵穴のような形をしたお墓のことじゃな。古墳時代というのは天皇陛下の大きなお墓がたくさん作られた時代での、日本で本格的に鉄の武器が作られるようになったのは、この時代からだと言われておる。

日本の天皇家が本格的な朝廷を作り、その支配地域を日本列島中に延ばし始めたのは、この古墳時代のことだと考えられています。このころの日本は、中国や朝鮮半島と比較しても技術的に遅れており、多くの優れた技術を中国から輸入することで文化や国力を高めていました。

製鉄や武器製作は、中国からもたらされたもっとも重要な技術のひとつです。鉄の武器が生まれるまで、日本の武器といえば銅にスズを混ぜた「白銅《はくどう》」や、黒曜石《こくようせき》で作ったものが主であり、お世辞にも優れたものとはいえませんでした。

当時の日本には優れた鍛冶師が少なく、朝鮮半島から渡ってきた韓鍛冶《からかぬち》と呼ばれる人々が日本でもっとも優れた鍛冶でした。日本人の鍛冶師も彼ら韓鍛冶から技術を学び、しだいに両者の技術は接近していきました。

はじめての国産金属武器？「鉄剣」

日本に残る鉄剣の多くは、古墳の副葬品です。どれも刀身は両刃でまっすぐなのが特徴で、斬るよりも突き刺す攻撃に適しています。

鉄剣のなかでも特に有名なものは、埼玉県行田《ぎょうだ》市の稲荷山古墳から発掘されたもので、「ワカタケル王」という人物に忠誠を誓う文章が金の彫刻で彫り込まれています。これは朝廷の支配が関東地方まで及んだことを示す証拠とされています。

飛鳥《あすか》・奈良《なら》時代の刀

飛鳥時代と奈良時代は、今でいう奈良県のあるあたりに日本の都が置かれていた時代じゃ。この時代の特徴は、剣の多くが両刃ではなく片刃にだったことじゃな。マロの愛刀「黒漆《くろうるしの》太刀《たち》」も、片刃の直刀じゃ。

古墳時代の後期から奈良・飛鳥時代にかけて、中国で刀剣の様式が変わり、現代のカンナのように刃が片側だけについている「切刃造り《きりはづくり》」の直刀が主流になりました。そのため日本においても同じ形式の刀が作られています。なお、この時代においても日本の武器製造技術は中国や朝鮮に後れを取っており、朝廷の要人などが身につける武器は中国や朝鮮半島からの輸入品が主体でした。

ただしこの時代の刀剣製作には明らかな変化があり、日本刀の製作方法（➡一七八ページ）につながる部分があらわれ始めています。たとえば刀の素材になる鉄は、熱して何度も折り返すことで強度を増し不純物を取り除く「折り返し鍛錬」で作られており、性質の異なる鋼を組みあわせて刀身にしたり、美しい刃文をつけるために焼刃土《やきばつち》を使って焼き入れした形跡が見られるのです。

中国伝来の様式「環頭太刀《かんとうだち》」

古墳時代後半から中国で流行し、日本にも輸入されていた形式の刀剣です。持ち手の末端（柄頭《つかがしら》）に環がついていることから「環頭太刀」と呼ばれます。

この環頭は、わざと大きく作ることで刀が手からすっぽ抜けるのを防ぐとともに、環の装飾に紐を結んで手首と結ぶことで、万が一手からすっぽ抜けてもすぐに拾って戦いに復帰できるようにしてあります。

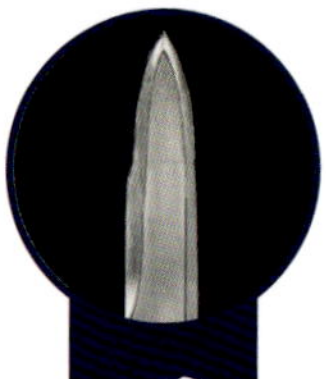

平安時代初期の刀剣

鳴くよウグイス平安京！　このマロが活躍したのも、ちょうどこの「平安京」に都が移ったころでの。この時代に起きたふたつの事件をきっかけに、ついについに、日本の刀剣が独自の進化をはじめるのじゃ！

事件1　中国との交流が途絶える

飛鳥時代以降、朝廷は中国の王朝「隋《ずい》」に使者を送る「遣隋使《けんずいし》」と、その隋を倒した王朝「唐《とう》」に使者を送る「遣唐使《けんとうし》」によって、中国の優れた技術と文化を日本に持ち帰っていました。日本は一〇年〜二〇年に一回のペースで遣唐使を送り続けていましたが、西暦八〇四年の第一八回遣唐使以降、急激に遣唐使派遣のペースが低下し、八九四年には遣唐使が廃止されます。これは日本朝廷や唐王朝の外交政策の変化、唐の内乱などが原因でした。

日本の武器製造技術は、長らく中国の技術と流行を参考に発展してきました。ですが中国との交流が途絶え、見習うべき手本を失った日本の軍事技術は、独自の発展を迫られるようになりました。こうして長く続いた「片刃の直刀」の時代は終わりを告げることになるのです。

刀身だけではないぞ。刀を飾る金具や漆塗りなどの様式も、中国との交流が途絶えたことでどんどん「日本風」になってゆく。遣唐使の廃止は、剣が中も外も「日本刀」になるための大事な土台だったのだ。

事件2　「蝦夷《えみし》」との大戦争

「蝦夷《えみし》」族との大戦争

奈良時代後期から平安時代初期の日本列島は、まだ朝廷の支配下になっていませんでした。西暦七七〇年ごろ、朝廷の支配地域は現在の宮城県と山形県までで、現在で言う岩手県、秋田県、青森県にあたる地域には、朝廷に「蝦夷」と総称される土着の部族が暮らしていました。朝廷は東北地方を手中に収めるため、七七四年以降、三八年のあいだに合計四回の遠征軍を送って蝦夷と戦いました。これが「三十八年戦争」です。

ところが数で圧倒的に勝る朝廷軍は、馬に乗り、反りのある刀で斬りつける蝦夷の戦術に翻弄されて大苦戦します。朝廷では、この戦訓をもとに反りのある刀の開発をはじめました。この研究が、のちの日本刀につながっていくのです。

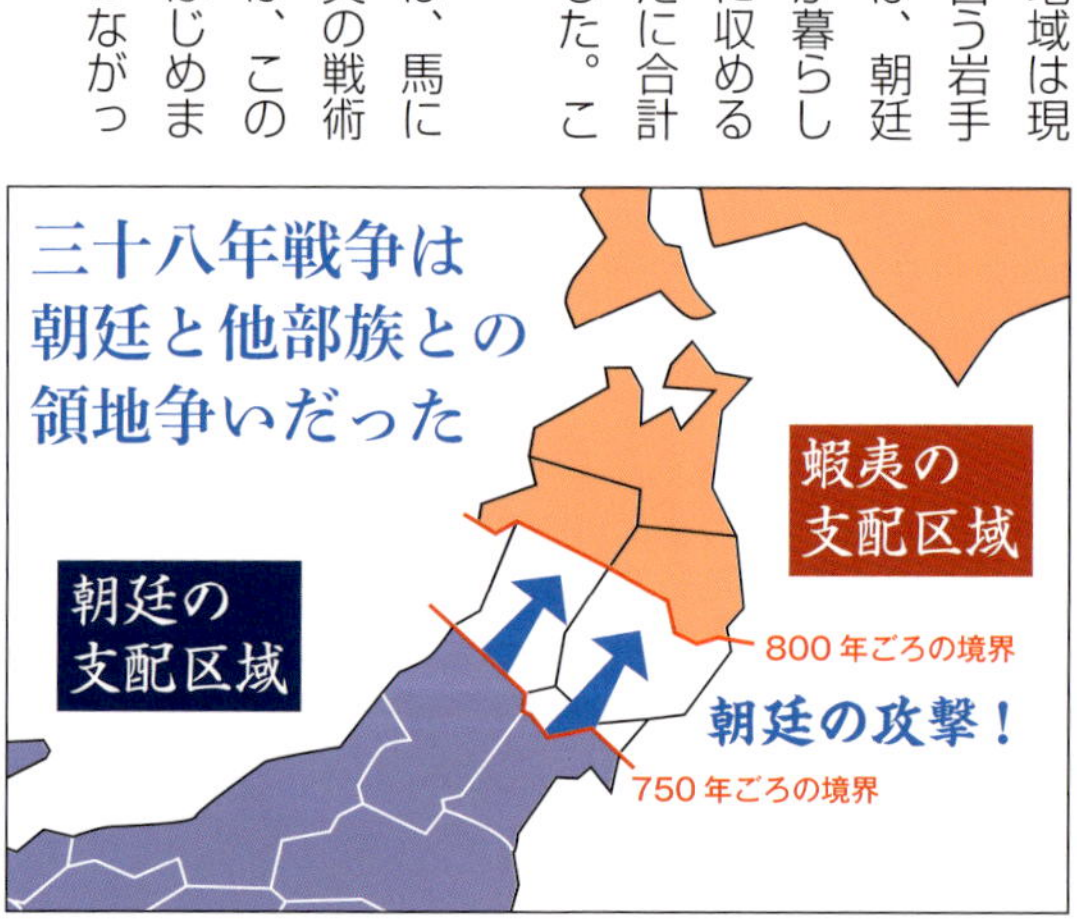
三十八年戦争は
朝廷と他部族との
領地争いだった
蝦夷の
支配区域
朝廷の
支配区域
800年ごろの境界
朝廷の攻撃！
750年ごろの境界

蝦夷の刀「蕨手刀《わらびてのかたな》」

蝦夷が開発したとされる蕨手刀は、刃の部分が曲がっている片刃の刀です。持ち手（柄）の末端に、野草の「ワラビ」の若芽のような部分があることから、蕨手刀と呼ばれています。この刀は馬上から振り下ろしたときに最大の威力を発揮するよう作られており、徒歩の兵士主体だった朝廷軍を大いに苦しめました。

平安時代前期の刀

敵が新兵器を使ってきて、それが強かったらどうすればよい？　こちらも敵の武器を研究したうえで、似たような武器を投入して対抗するほかあるまい。そこで我ら朝廷の鍛冶師たちも、「反りのある刀」の研究をはじめたのじゃ！

中国との交流の途絶で、大陸から武器の流行が伝わらなくなる一方で、「蕨手刀」という強敵が登場したことにより、朝廷側の勢力は敵の武器を参考にした新型の刀を開発しはじめたと考えられています。とはいえ、その変化は急速なものではなく、いまだ刀剣の主流はまっすぐな刀身を持つ直刀でした。

朝廷が蝦夷の反った刀を知ってから、朝廷側の鍛冶師が作る刀は、一〇〇年あまりの時間をかけて徐々に変化していきます。そして一〇世紀初頭になると、日本で作られる刀剣の主流は、それまでの平らでまっすぐな直刀ではなく、側面に出っ張りのある「鎬造《しのぎづく》り」で、刀身が反り返った、我々がよく知る日本刀の刀身になったのです。

日本刀の原型「毛抜形太刀《けぬきがたたち》」

西暦九三九年、関東地方で平将門という武士が反乱を起こしたとき、武士の装備としてこの「毛抜形太刀」が使われたことがわかっています。

三〇ページでも紹介したこの武器は日本刀の前身で、刀身と柄が一体化した金属であること以外、ほとんど日本刀と同じ構造になっています。

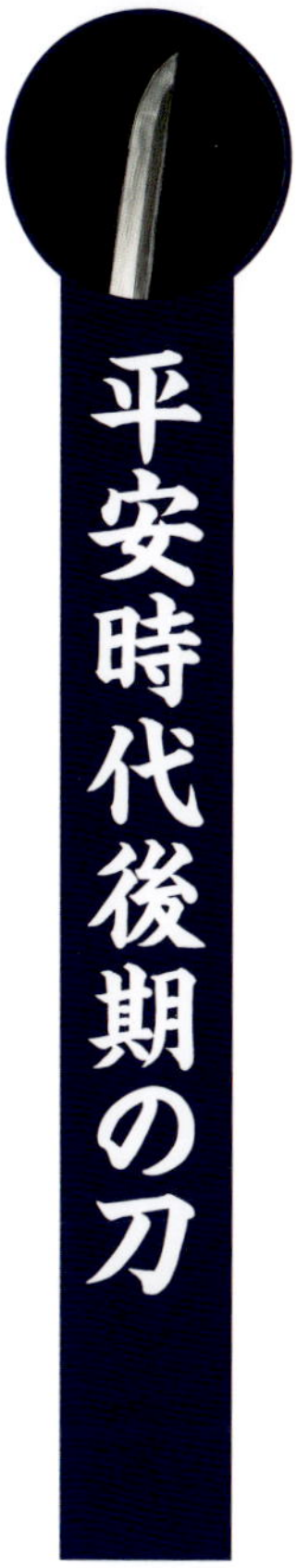

平安時代後期の刀

平安時代後半になると、全国に広がる貴族たちの私有農地「荘園《しょうえん》」を守る雇われ警備兵に過ぎなかった武士たちが、土地から税の一部を取る権利を手に入れ、ほかの武士と激しい縄張り争いを繰り広げるようになりました。

そのため武士たちの武器である日本刀はおおいに発展し、より効率のよい姿に変化していきました。こうしてついに、日本人の魂ともいえる武器、日本刀が完成したのです。

この時代の日本刀「太刀」は、馬上から振り下ろす攻撃に使いやすいように、刀身が長く、反りが大きく作られているのが特徴です。武士とは馬に乗って弓矢と太刀で戦う存在であり、強固な鎧を身にまとい、太刀を振り回す武士には、雑兵が何人いても文字どおり「太刀打ちできなかった」といいます。

日本刀の発明者は誰？

初めて日本刀を作った刀匠が誰なのかは、現代の研究でも判明していません。その理由のひとつに当時はまだ「茎《なかご》に刀匠の名前を刻む」銘切りの習慣がなかったことがあげられます。

日本刀に銘が刻まれるようになったのは、一〇世紀初頭に朝廷が「制作者を明らかにするため、銘切りを義務づけた」からです。あらゆる刀匠のなかで個人の名前がわかっている最古の刀匠は、京都の三条宗近《さんじょうむねちか》（三日月宗近の作者）や、伯耆国《ほうきのくに》（現在の鳥取県中西部）の大原安綱《おおはらやすつな》（童子切安綱の作者）ですが、彼らが日本刀の発明者というわけではなく、それ以前から日本刀は作られていたと考えられています。

というわけで、日本で鉄の武器が作られはじめてから**七〇〇年も後**、平安時代後半になって、ようやく日本刀という武器が完成したというわけじゃな。
その後の日本刀の発展については鍛冶神様にお任せしよう。あとは任せたのじゃ！

刀匠流派"五箇伝《ごかでん》"

～鎌倉時代から室町時代～

平安時代に確立した日本刀の製作技術は、日本各地に散らばって、地方ごとに独自の発展をとげておる。なかでも刀の原材料や政治的立地条件に恵まれ、特に有名な日本刀の産地となった５つの場所には、その地方に代々伝わる日本刀の製作技術が生まれておる。この産地と製造法をひっくるめて「五箇伝」と呼んでおるのだ。

美濃伝《みのでん》

鎌倉後期～現代
全盛期：室町時代～江戸時代

現在の岐阜県南部、関地方で発展した流派で、五箇伝でもっとも新しい技法です。戦国時代の戦乱を避けた刀匠たちが、比較的平和で刀の材料を多く生産する美濃国に集まったのが起こりです。

美濃伝では「関七流《せきななりゅう》」と呼ばれる７組の親方による大規模な量産体制が構築されていました。美濃伝の刀には裏表で刃文の模様がぴったりあうものが多く、これは「土置き」（➡ 179ページ）の作業で、効率化のために木型を使っていたからだといわれています。

作風「均質」

戦乱を避けた刀匠が平和な美濃に集まる

相州伝《そうしゅうでん》

鎌倉前期～室町後期
全盛期：鎌倉時代後半

相模国（現在の神奈川県）に鎌倉幕府が設置されると、幕府の武士たちに刀を供給するため、山城国や備前国から刀匠が招聘《しょうへい》されて独自の鍛刀技術を編み出しました。質実剛健な武士のために造られた刀であるため、各部の模様は繊細さよりも勢いを重視しています。刀身全体に焼きが入る「皆焼《ひたつら》」は相州伝独特の技法です。

相州伝は焼き入れ時に刀身の温度管理が非常に難しい流派であり、室町時代後期以降になると、技術伝承が困難になり衰退してしまいました。

作風「豪快」

作風「古風」

大和伝《やまとでん》

平安末期～室町前期
全盛期：鎌倉時代

奈良時代まで日本の首都だった大和国（現在の奈良県）には、日本刀の誕生以前から武器を作っていた鍛冶師がいたため、日本刀の発明後、平安時代になったあとも刀剣製作の中心地となりました。大和伝の刀は、奈良で大きな勢力を有していた寺社の防衛用武器の製作に特化していたため、見栄を重視する貴族や武士向けの刀を作っていたほかの地域よりも実用性本位の造りになっています。具体的には刀身側面の出っ張り「鎬《しのぎ》」の起伏が大きいことが特徴です。

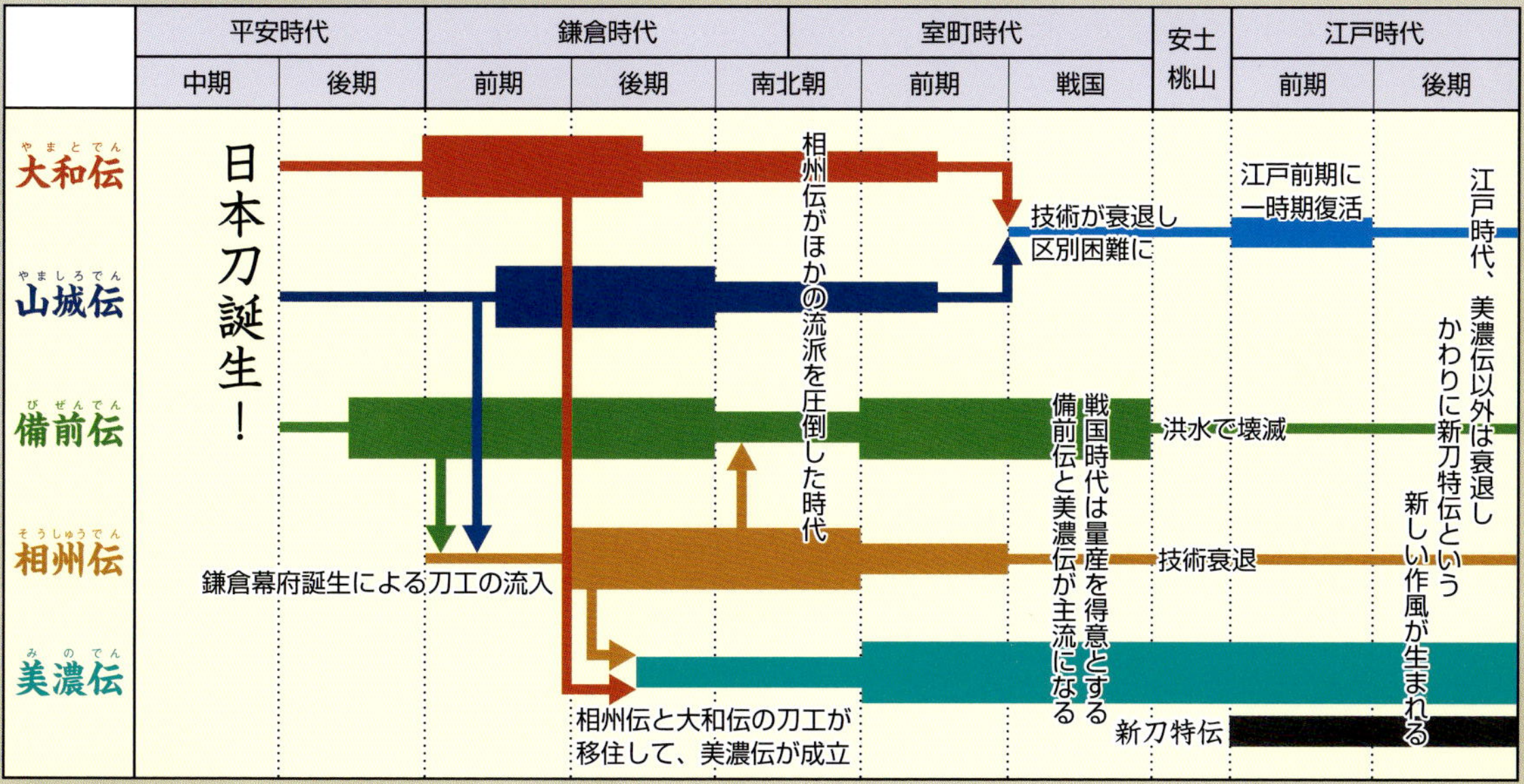

平安時代
中期
後期
鎌倉時代
前期
後期
南北朝
室町時代
前期
戦国
安土桃山
江戸時代
前期
後期
大和伝《やまとでん》
山城伝《やましろでん》
備前伝《びぜんでん》
相州伝《そうしゅうでん》
美濃伝《みのでん》
日本刀誕生！
相州伝がほかの流派を圧倒した時代
技術が衰退し
区別困難に
江戸前期に
一時期復活
江戸時代、美濃伝以外は衰退し
かわりに新刀特伝という
新しい作風が生まれる
戦国時代は量産を得意とする
備前伝と美濃伝が主流になる
洪水で壊滅
技術衰退
鎌倉幕府誕生による刀工の流入
相州伝と大和伝の刀工が
移住して、美濃伝が成立
新刀特伝

この表は、五箇伝の各流派が生まれた時代や栄えた時代、技術の移動などを説明しておる。色つきの棒が太くなっているところが、その流派がもっとも栄えた時期だ。

山城伝《やましろでん》

作風「雅び」

平安後期～室町前期
全盛期：鎌倉時代後期

平安時代の日本の首都だった、京都周辺の刀匠たちがつくりあげた流派です。貴族や皇族向けの刀を造るという地域性から、華やかに乱れた刃文、樹皮のような「板目肌《いためはだ》」の地肌、刀の中心付近で優雅に反る「中反り《なかぞ》」など、見た目の美しい刀が多く造られました。

室町時代中期ごろになると、京都は「応仁《おうにん》の乱」という内乱によって焼け野原となり、刀匠たちは京都を離れて地方に移住したため、山城伝は衰退してしまいました。

鎌倉幕府に招かれた刀匠たちが移住

備前伝《びぜんでん》

作風「華やか」

平安後期～室町後期
全盛期：平安後期～室町後期

五箇伝のなかでもっとも多くの刀を作ったのは、政治的要地ではない、この備前国です。備前国は砂鉄と木炭が豊富な立地のため、古くから刀鍛冶の盛んな地域として「古備前《こびぜん》」「備前長船《びぜんおさふね》」「一文字《いちもんじ》」などの刀匠を輩出してきました。刀身の手元近くで大きく反る「腰反り」や、細かく波打つ「丁字乱《ちょうじみだれ》」という刃文が特徴です。

備前伝の生産地は、室町時代末期に大洪水の被害を受けたため、刀匠たちは散り散りに各地へ移住。急速に衰退しました。

江戸時代の日本刀 ～武具から装身具へ～

鎌倉時代まで、武士は基本的に馬に乗って戦っていましたが、室町時代以降になると、徒歩で戦う武士の数が増えていきます。そのため刀に求められる性質が変化し、それまでの「太刀《たち》」とは違う、もっと取り回しやすい刀「打刀《うちがたな》」が発明されることになりました。太刀と打刀には左のような違いがあります。

ここからは、徳川幕府五代将軍、犬公方こと徳川綱吉が説明するワン！　戦国時代の後半から、日本刀の外見に大きな変化が起きるんだワン！
犬

太刀《たち》の構造

太刀緒《たちお》 太刀を体に固定するには、太刀緒という組紐《くみひも》を使います。太刀緒は鞘《さや》の二ヶ所に固定されています。

太刀の装着と抜き方

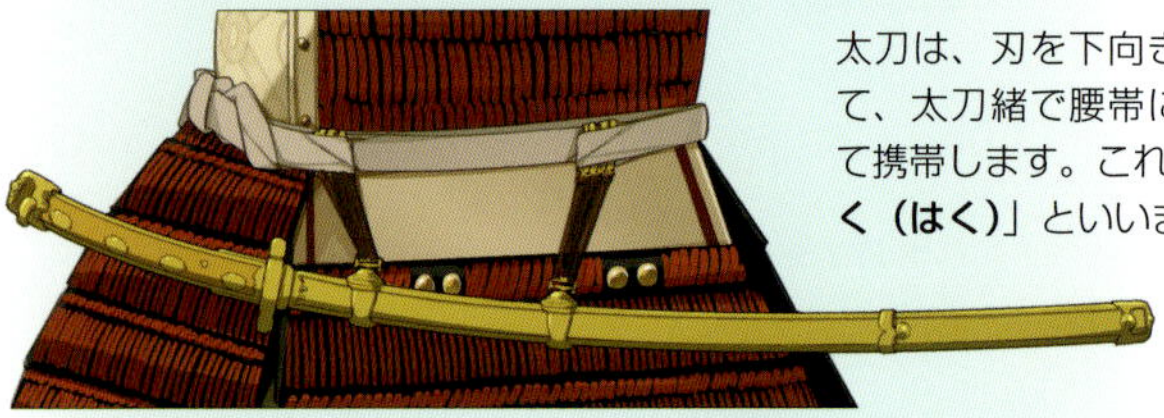

太刀は、刃を下向きにして、太刀緒で腰帯に吊して携帯します。これを「**佩く（はく）**」といいます。

馬上で抜くため、馬の首を切らないよう、小さな回転半径で引き抜きます。

太刀を抜くには、右手で柄を、左手で鞘を持ち、鞘をうしろに引っ張ります。

　平安時代から鎌倉時代まで、武士が使う大型の日本刀は「太刀」と呼ばれていました。太刀は馬上での戦闘に特化しており、刀身が長くて反りが大きくなっています。

　また、鞘を「太刀緒」でぶらさげる形式を取っているため、太刀緒の長さのぶんだけ鞘をうしろにひっぱることが可能であり、これが馬上での引き抜きやすさにつながっています。

江戸時代の刀匠が、「○○守《のかみ》」と名乗るのはなぜ？

江戸時代の刀匠といえば、和泉守兼定《いずみのかみかねさだ》、大和守安定《やまとのかみあんてい》といったように、名前に「○○守」という言葉がついている者が多い。これがどんな意味なのか気にならんか？ この「○○守」というのは「受領名《じゅりょうめい》」といってな、朝廷が定める正式な官位、役職名なのだ。例えば大和守なら、現代でいうところの「奈良県知事」というような意味になる。

なぜ刀匠に朝廷の役職名が与えられるのかというと……江戸時代の朝廷は幕府の締め付けで金銭的に困窮していてな。大声では言えんが、官位を金で売って生活費を稼いでおったのだ。そこで刀匠は、朝廷から官位を買うことで自分の名前にハクをつけ、刀がより高く売れるようにしたというわけよ。

朝廷は形骸化した官位で金を稼ぎ、刀匠は官位の力で刀を高く売る。両者が得する取引というわけなのだ。

江戸時代は、武士が腰に大小の刀を差して歩いた最後の時代だったワン。武士という持ち手を失った日本刀がどんなふうに変化していくのか、実際に見た者に語ってもらうとしようかワン。幕末の会津で徳川家のために戦った、山本八重子という娘だワン。

打刀《うちがたな》の構造

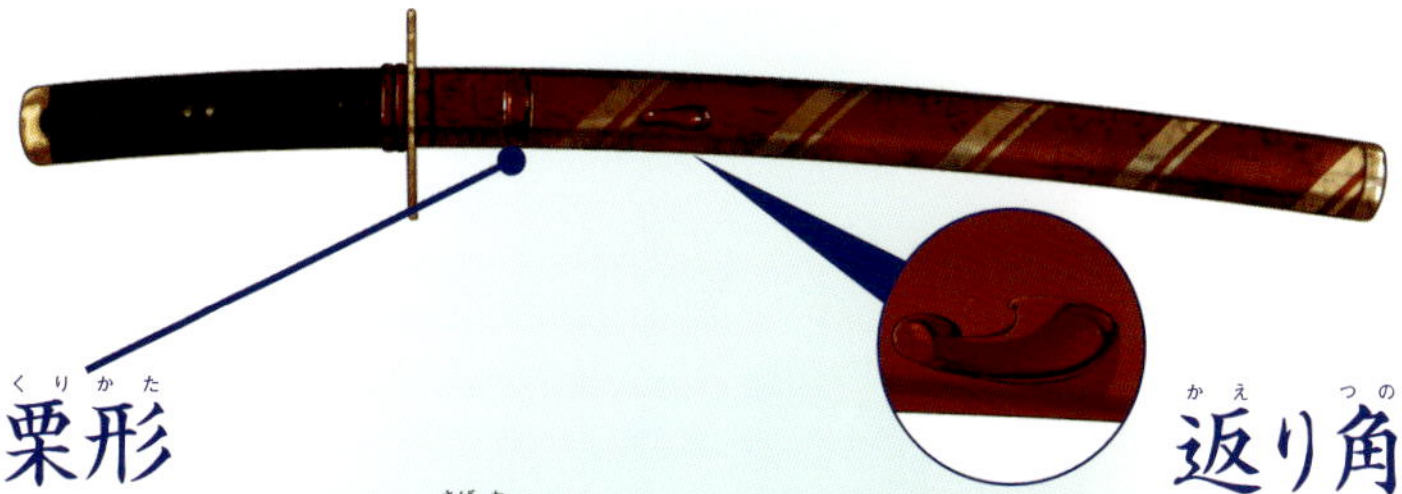

栗形《くりかた》
拵えを帯に結びつける「下緒《さげお》」を通すための穴があいています。

返り角《かえりつの》
拵えを上方向に引っ張ったときに、鞘が帯に引っかかるようにするための部品です。

打刀の装着と抜き方

打刀は、刃を上向きにして、帯で刀身を挟むように腰帯に差し込んで携帯します。このため太刀とは違い「**差す（さす）**」という呼び方をします。

刃の向きにあわせて、手首をひねって柄《つか》を握ります。

上か前に引き抜きます。なお鞘を握らなくても、返り角が帯に引っかかるので、刀は抜けます。

打刀は、戦国時代に開発された新しい形式の拵《こしら》えで、徒歩で戦いやすいように作られています。太刀との最大の違いは、刀身を上向きに装着することと、返り角という部品がついていることです。打刀は刃を上向きに引き抜くことで狭い空間でも刀を抜くことができます。また、「返り角」のおかげで片手でも引き抜けるので、左手で槍を持ったまま、右手で刀を抜いて刀で敵を迎え撃つような使い方ができます。

日本刀受難の時代
～明治から現在～

会津藩士山本覚馬の妹、山本八重だ！
薩長のやつらが徳川様の幕府を倒して、明治時代がやってきたら、「廃刀令」なんて法律ができて、武士が刀を身につけるのが禁止されてしまったんだ。
……え、それで日本刀はどうしたのかって？
軍の兵隊が、こんな感じで身につけとるよ。

明治九年、明治政府は「廃刀令《はいとうれい》」を実施し、あらゆる階級の人々が許可なく刀を携帯することを禁じました。ですが日本刀が滅んだわけではありませんでした。西洋式に作り替えられた軍隊は、指揮官の装備として「軍刀（サーベル）」を必要としていました。ちなみに西洋式の軍服には帯がないため、西洋式軍服に剣を装着するための新しい拵え「突兵拵《とっぺいごしらえ》」が開発されました。

一部の軍人は、軍隊から支給されたサーベルの拵えのなかに、先祖伝来の日本刀の刀身をおさめて使用したといいます。また、軍隊が刀匠に、上級軍人用の「軍刀」を発注することもありました。

ただし軍刀の生産は刀匠だけでは追いつかなかったので、伝統的な日本刀とは異なる材料で作られた、粗悪な軍刀も多数出回ることになりました。

明治時代の日本刀「軍刀」の身につけ方！

腰のベルトに豚革製の提緒《さげお》（剣吊帯《けんつりおび》）を吊し、その先端を軍刀の拵えについている丸い金具につなげてぶら下げます。打刀とも太刀とも違い、柄が背中側にまわっているのが大きな特徴です。

軍刀の刀身はどのように作られたか？

日本刀直し	江戸時代以前に打たれた日本刀を手直しし、軍刀の拵えに入れられるように改造したものです。
数打ち	刀匠によって、最初から軍刀の拵えに納めることを前提として作られたものです。
工業刀	伝統的な鍛冶技術による鋼ではなく、既存の工業用鋼材で作った刀です。自動車の板バネを材料に作られた「スプリング刀」などが有名です。

軍人の魂「九五式軍刀《きゅうごしきぐんとう》」

大日本帝国陸軍が昭和十年に制式化した、下士官（兵士のまとめ役）用の軍刀。正式な士官用の軍刀ではないため、すべてが「工業刀」です。

品質は作った工場ごとにまちまちで、正式な日本刀顔負けの切れ味のものもあれば、武器としては使い物にならない粗悪品もあったといいます。

武器から美術品へ

新しい日本刀「軍刀」を装備し、連合軍との「第二次世界大戦」に挑んだ大日本帝国は、アメリカ軍の攻勢の前に敗れました。この戦いで、伝家の宝刀を軍刀に仕立てて出征していった兵士が数多くいましたが、戦闘中に失われたり、降伏時に敵軍に奪われるなどの形で、国を代表するような名刀が数多く失われました。

また、日本が連合軍に全面降伏すると、連合軍から「GHQ（連合国最高司令官総司令部）」という組織が送り込まれ、日本を占領管理することになりました。このとき、GHQは占領政策の一環として、日本人から武器を没収する「武装解除」を行いました。もちろん日本刀も武装解除の対象になったことは言うまでもないでしょう。豊臣秀吉が天下統一後に行った「刀狩り」のごとく、日本中から没収された銃と刀剣は、その価値もわからないまま放置されてしまいました。なかには集めた刀剣にガソリンをかけて焼いてしまった地域もあったといいます。

このままでは日本刀の文化が死んでしまうと、刀剣界の有志はGHQに「日本刀は骨董美術品であるから、日本人が保有することを許してほしい」と願い出たところ、GHQの憲兵司令官キャドウェル大佐の協力により、日本人の日本刀所持があらためて認められることになりました。こうして現在では、銃と刀剣は書類によって所有者を明らかにする登録制度が普及し、誰もが美術品としての刀剣を手に入れることができるようになっているのです。

あーよかった！ これ、敗戦直後に立ち上がった人たちがいなかったら、本当に日本刀っていう文化は滅んでいたんじゃないか？ 日本刀を生き残らせるためにがんばった先人に感謝しないとな！

赤羽刀《あかばねとう》～失われかけた刀～

GHQのキャドウェル大佐の尽力により、連合軍が接収した刀剣は、もとの持ち主に返還されることになりました。ところが連合軍が東日本全土から集めた刀は、東京都北区赤羽にある「アメリカ陸軍第八軍兵器廠《へいきしょう》」に、整理もされず保管されていたため、その多くは所有者がわからなくなっており、さらには劣悪な保存環境のために錆びてしまっていたのです。これらの所有者不明の日本刀は、保管されていた兵器廠の所在地から「赤羽刀」と呼ばれました。

こうして所有者不明となった五〇〇〇振りあまりの赤羽刀は、長らく東京国立博物館に保管されていましたが、戦後五〇年となる一九九五年に「接収刀剣類の処理に関する法律」が成立し、赤羽刀を新たに判明した所有者に返還したり、刀匠の出身地にある博物館などに譲渡できるようになりました。

現在、各地の博物館では、錆びてしまった赤羽刀を研師の研磨でよみがえらせる作業が進んでいます。

何十年も錆びたまま放置されていた赤羽刀が研ぎ直して復活できたのは、日本刀の材質が多層構造の鉄になっているおかげだ。西洋の刀なら、表面が錆びれば芯まで錆びてしまうが、日本刀の場合は多層構造のおかげで錆が何層目かで「止まる」。研ぎ師は、錆びていない層があらわれるまで、錆を「一層ずつ剥《む》いて」いけばよいのだ。

赤羽刀の倉庫の跡地は
オリンピック選手を
育てる施設に
なってます！

赤羽刀が保管されていた、アメリカ陸軍第８軍兵器廠の跡地は、いまでは「味の素ナショナルトレーニングセンター」「西ヶ原サッカー場」などが並ぶスポーツの都になっています。

時代で変わる！ 日本刀の姿

知っておるかワン？　日本刀のカタチには、時代ごとに「ブーム」があるんだワン。どの時代にどんなスタイルが流行っていたのか、時代の順番に並べてみるワン！

下の画像は、時代ごとにもっとも流行した日本刀の形状を並べたものです。いちばん右がもっとも古く、左に行くにつれて時代が新しくなり、最後は江戸時代末期の刀になっています。

①奈良～平安初期
まだ日本刀が生まれていなかった時代、日本で使われていた刀は、大陸の流行をそのまま真似した直刀が主体でした。

②平安後期～鎌倉初期
初期の刀は、手元の幅にくらべて鋒《きっさき》付近の幅が狭く、鋒が小さい傾向があります。反りは手元のみで強く反り、先端はほとんど反りません。

③鎌倉中期
鎌倉時代初期までの刀と比べると、刀身の先端があまり細くならず、厚みが増した「豪壮《ごうそう》な」と表現される外見になります。

④鎌倉後期
それまでの刀は、刀身の先端付近には反りがほとんどありませんでした。このころから刀身全体が反った形状が主流になります。

⑤南北朝期
刃長九〇センチを越える大太刀が流行した時期です。大きな刀身を軽量化するため、刀身に樋《ひ》をかき、薄く作られています。

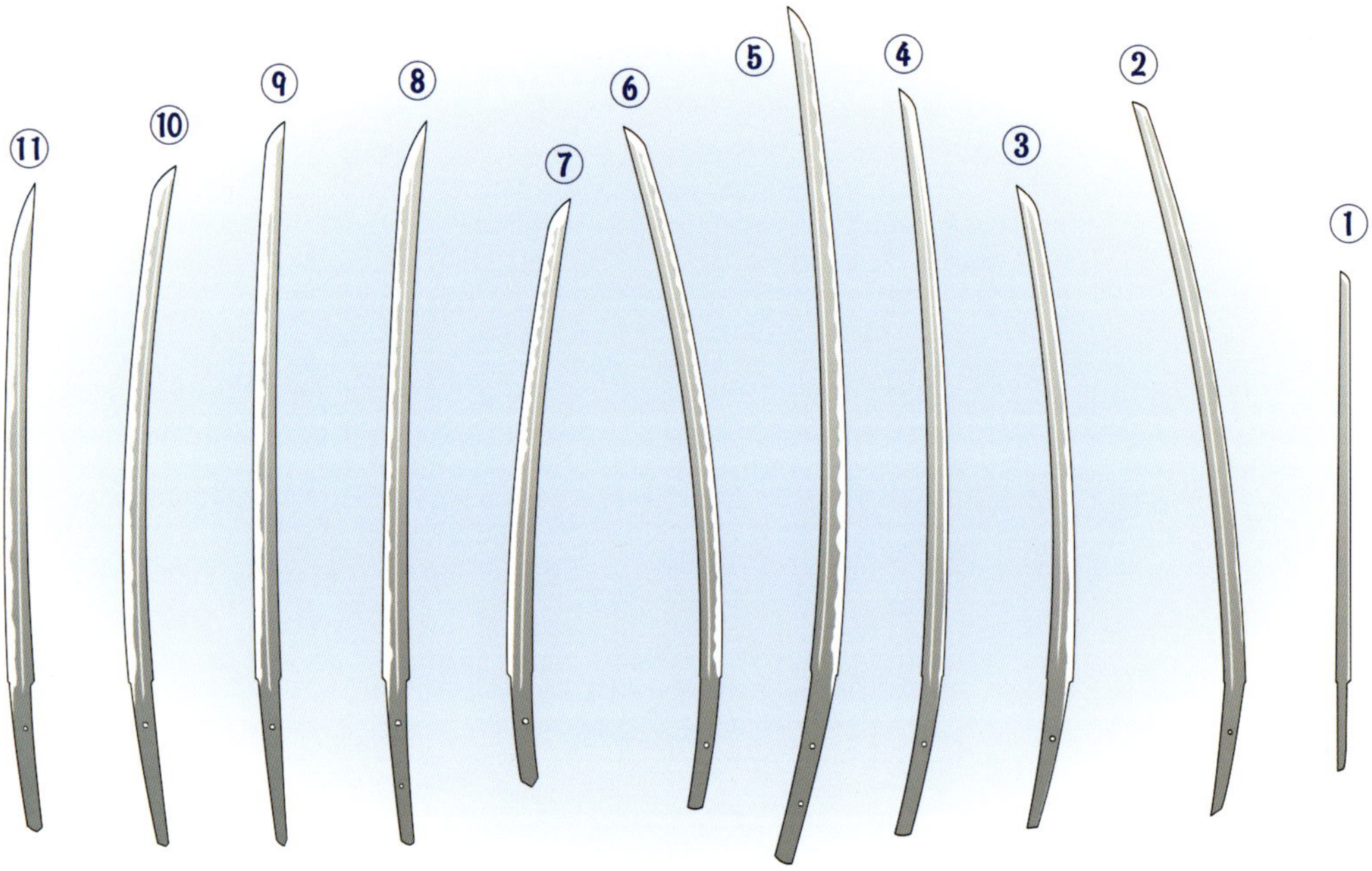

⑥室町前期
鎌倉時代の腰反りの太刀に似ていますが、鋒まで刀身全体に反りが入っており、刃長は七二センチ～七五センチ程度です。

⑦室町後期
片手で扱うことを前提にした、茎《なかご》の短い刀が増えてきます。刃長は六〇センチあまりで、鋒が大きく先反りがついています。

⑧安土桃山
幅が広く、先幅も太く、鋒が大きいものが好まれました、刃の長さは二尺四～五寸（七三～七五センチ）のものが主流でした。

⑨江戸中期
竹刀剣術の普及で（➡一四二ページ）、先細りで鋒が小さく、反りの浅い刀がもてはやされました。これを寛文新刀《かんぶんしんとう》といいます。

⑩元禄期
反りが極端に浅くなった寛文新刀から一転して、大きな反りがついた刀が流行しました。幕末の「新々刀《しんしんとう》」への過渡期の姿です。

⑪幕末期
鋒が大きく、分厚い刀身がもてはやされました。鎧を着ていない敵を斬るのに適した形で、幕末の動乱に向いた実戦刀です。

天下の名匠

平安時代以降、現在に至るまでの日本には、名前が現代に伝わっている者だけでも1万人以上の刀匠がいたことがわかっています。そのなかにほんの一握りだけ、すばらしい刀を作る名匠が存在します。この章で紹介する19組の刀匠は、その「一握り」です。いずれも時代を代表する刀匠として歴史に名を残した名匠ばかりを、代表作の実物画像とともにご紹介します。

正宗にあらずば刀にあらず

正宗【まさむね】

日本には無数の刀匠が存在し、名匠と呼ばれた職人も数多い。だがそんななかで「日本を代表する刀匠」をあげるとすれば、かならず候補に入ってくるのが「正宗」という刀匠である。

正宗は鎌倉時代中期、鎌倉幕府の本拠地である相模国《さがみのくに》で活躍した刀匠で、相模国独特の刀剣製作流儀「相州伝《そうしゅうでん》」（➡一一〇ページ）を確立したことで知られる。相州伝は、刀を熱してから水につけて急冷する「焼き入れ」の工程において、刀を熱する温度と冷やす水の温度管理がもっとも難しいとされる流派である。

相州伝の刀は、刃に平行にまっすぐ描かれる刃文《はもん》「直刃《すぐは》」の刀が多いことで知られるが、相州伝の祖である正宗自身は、特定の技法にこだわらず、さまざまな大きさ、さまざまな刃文で刀を作ったため、外見に明らかな特徴と呼べるものは少ない。正宗のほとんどの刀に共通しているのは、刀の素材となった鉄がやや青みがかっていることと、茎《なかご》の部分が魚の腹のようにふくらんだ「タナゴ腹」という形状になっていることだ。

正宗の刀は、おもに江戸時代初期に武士や大名たちのあいだで大ブームになり、「正宗にあらずば刀にあらず」という言葉が生まれるほど、多くの大名や有力武士が正宗の刀を身につけていた。

戦国時代末期の東北で活躍した「独眼竜」伊達政宗《だてまさむね》もそのひとりである。江戸時代に伝わっていた逸話によると、ある大名が江戸城に登城した政宗に「政宗殿が身につけている刀は、やはり正宗なんでしょうな」と話題を振り、当の政宗も「いかにも」と応じた。だが、このとき伊達政宗が身につけていた脇指《わきざし》は、正宗の作ではなかったのだ。伊達政宗は、嘘をごまかすために正宗の脇指を探すが見つからない。江戸城では武士が身につける大小の刀のうち小さい方の「脇指」しか装着できないので、長い正宗では意味がないのだ。そこで正宗は、伊達家に伝わっていた長い正宗を「磨《す》り上げ」して短くし、無理やり脇指にしてしまったという。

この「正宗を磨り上げた脇指」が伊達家の刀剣台帳にのっていないため、この逸話はあくまで創作だと思われるが、伊達政宗の見栄っ張りな性格と、当時の正宗の人気が伝わってくる逸話ではある。

ただしそうなると新しい疑問が生まれる。そんなに多くの大名が求めた正宗の刀が、皆に行き渡るほど充分な数があったのだろうか？　もちろん鎌倉時代にひとりの刀匠が打った刀が、そんなに多く残されているわけがない。実は江戸時代に流通していた正宗の刀の多くは「偽造品」だったのである。

刀匠正宗は、刀にめったに銘を切らない刀匠だった。「正宗」あるいは「相州住正宗」と銘を切った作品が少数存在するが、大部分の刀は銘を切らない「無銘」の刀なのだ。そのため、正宗と作風の似た刀を手に入れ、銘を削ってしまえば、正宗の刀だと言い張ることができてしまう。

刀剣研究家の福永酔剣は、正宗が刀に銘を切らなかったのは、彼が鎌倉幕府お抱えの刀匠だったからだと説明する。多くの刀匠は、作った刀を商人に売るので、ブランドイメージを守るために銘を切る。だが幕府から命令されて刀を作り献上していた正宗は、銘を切って価値を高める必要がなかったと思われる。数少ない在銘の刀は、外部からの注文品だった、というのが福永酔剣の推測である。

刀身だけではないぞ。日本中にある「正宗が使った井戸」「正宗が刀を打った屋敷」「正宗が書いた本」などは九割九分方は偽物だ。刀匠たる者、名声は高いほうがよいが、何事も程度問題だともいえそうだな。

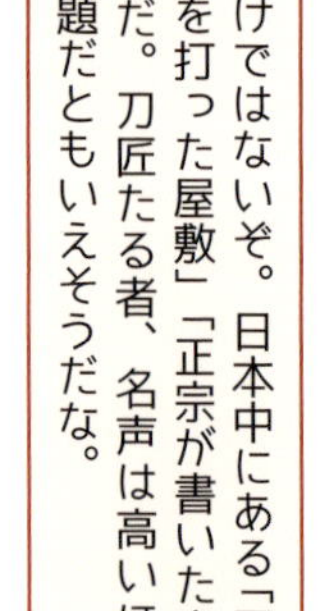

活躍した時代／鎌倉時代中期
おもな鍛刀地／相模国（神奈川県）
五箇伝流派／相州伝

イラストテーマ：九鬼正宗　Illustrated by しらこみそ

相州正宗の手による正真正銘の「正宗」

不動正宗【ふどうまさむね】

正式名称／短刀　銘　正宗【たんとう　めい　まさむね】

正宗の銘が切られている刀は数点あれど公的に認められた正宗はこの一振りのみ

《重要文化財》
全長／ー
刃長／約 25.0cm
反り／内反り
元幅／ー
先幅／ー
造り込み／平造
樋／なし
徳川美術館　蔵

この刀は、現存する刀のなかで唯一無二の、間違いなく正宗のものとわかる銘が切られた刀である。

前述のとおり正宗は刀に銘《めい》を切ることが極端に少ない刀匠であり、正宗の銘が切られている刀は、きわめて貴重なのだ。非常に珍しい一振りであるこの短刀には、刀身の片面に不動明王《ふどうみょうおう》が彫られていることから、不動正宗の通称がある。

日本刀の刀身に諸仏《しょぶつ》が刻まれる場合、ほぼそれは不動明王となる。不動明王を信仰するものは万事願いが成就し、災害を防ぎ、憎い敵や反逆者を排除し、財宝を得るとされ、現世利益に敏感な武士に広く信仰された。鎌倉時代から南北朝時代にその信仰が頂点に達し、多くの刀剣に不動明王が刻まれた。

不動正宗の場合、不動明王に加えて、もう片面にも、護摩箸《ごまばし》という二本の線が彫られているが、これは上杉謙信《うえすぎけんしん》も信仰していた仏教の一派「密教《みっきょう》」で、祈りの護摩を焚《た》くときに使われる金属製の箸で、やはり不動明王を示すものである。

ただし、この不動明王を彫ったのは正宗ではないという。刀剣研究家の福永酔剣《ふくながすいけん》は、将軍家に仕える刀剣の専門家・本阿弥《ほんあみ》家が刀剣売買の仲介人としても活動しており、自分の利益を高めるために彫刻を加えたものであろう、と分析している。

Image: TNM Image Archives

護国《ごこく》の祈りが込められた祈祷《きとう》の短刀

包丁正宗【ほうちょうまさむね】

正式名称／短刀　無銘　名物包丁正宗【たんとう　むめい　めいぶつほうちょうまさむね】

「包丁」の名がぴたりとはまる幅広で分厚い刀身の三振り

《国宝》
全長／ー
刃長／ 21.8cm
反り／反りわずか
元幅／ 4.8cm
先幅／ー
造り込み／平造り
樋／素剣と爪／護摩箸
永青文庫　蔵

正宗作とされる刀剣は多数あるが、そのなかに包丁のように肉厚で幅の広い刀身を持つ短刀が三振りあり、それらは見た目そのままに「包丁正宗」と呼ばれている。写真は「永青文庫《えいせいぶんこ》」所蔵の国宝で、刀身に、仏教の一種「密教《みっきょう》」の仏、不動明王《ふどうみょうおう》が手に持つ剣とされる素剣《すけん》と、爪が刻まれている。これは、この刀が外国の侵略から国を守るお祈りのために作られた刀だからだ。この包丁正宗が制作されたのは二度のモンゴル来《らい》寇《こう》という国難のあとで、モンゴルが三度目の攻撃を企てているという情報を得た鎌倉幕府は、各地の寺社、特に一ノ宮と呼ばれる霊徳《れいとく》の高い神社に名刀を納め、護国《ごこく》の祈りを捧げるように命じたのである。

包丁正宗はここで紹介している永青文庫蔵のもののほかに、徳川美術館蔵のものと、大阪府の法人が所蔵するものがあるが、それら三振りのすべてが無銘ながらも国宝となっている。

永青文庫の包丁正宗は、のちに戦国大名「毛利家」の軍師を務めた安国寺恵瓊《あんこくじえけい》の刀となり、関ヶ原で恵瓊を捕縛した奥平信昌《おくだいらのぶまさ》から徳川家康に献上され、のちに奥平信昌の子、松平忠明《まつだいらただあきら》に下賜《かし》された。徳川美術館蔵の包丁正宗は徳川家康の遺品で、尾張《おわり》徳川家に与えられた。剣の彫り物が奥まで貫通しているので、別名をほりぬき正宗という。大阪府の法人が所蔵するものは、かつて日向国《ひゅうがのくに》の延岡内藤《のべおかないとう》家《け》に伝来したものという。

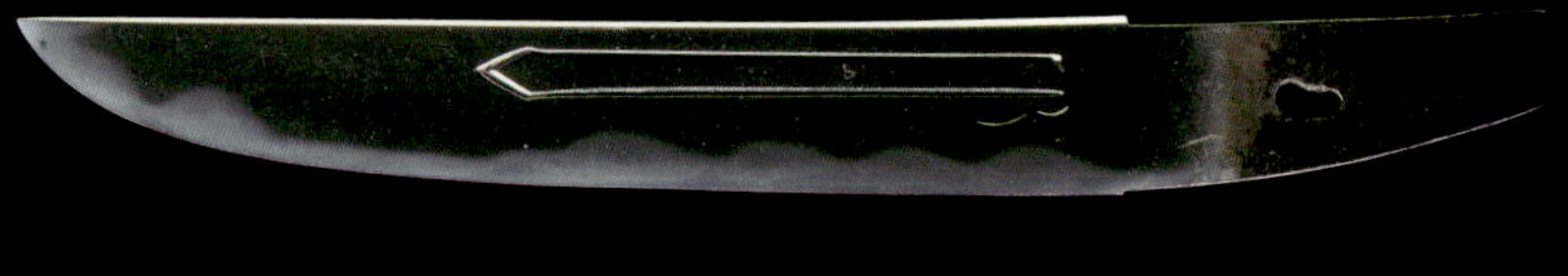

石田三成が義弟に贈った運命の刀

日向正宗【ひゅうがまさむね】

正式名称／短刀　無銘　名物日向正宗
【たんとう　むめい　めいぶつひゅうがまさむね】

表面にかかれた控えめな護摩箸は
密教を好む戦国武将が求めたもの

現在の近畿から四国周辺を治めていた紀州徳川家《きしゅうとくがわけ》に伝わる正宗。もっとも著名な所有者は豊臣秀吉の側近で、関ヶ原の合戦で西軍の将だった石田三成である。石田三成は主人であった豊臣秀吉と同様に正宗の刀を愛刀としていた。重要文化財の石田正宗（⬇七〇ページ）がそれである。

三成は関ヶ原の戦いの前夜、諸将に秘蔵の正宗の名刀を贈り、味方につけようとした。日向正宗の場合、石田三成から妹婿である福《ふく》原長堯《はらながたか》に与えられたが、関ヶ原の戦いで水野日向守勝成《みずのひゅうがもりかつなり》がそれを奪いとったため、日向正宗と呼ばれるようになった。その後、紀州徳川家を経《へ》て、三井記念美術館が所蔵している。

日向正宗の刀身の片面、根本に近いあたりには二本の細い線が彫り込まれている。これは不動正宗の刀身に彫られているものとおなじ、「護摩箸《ごまばし》」の刀身彫刻である。この彫刻も不動正宗の不動明王と同様、もともと日向正宗の刀身にはなかったが、のちに刀剣鑑定家の本阿弥家が彫り加えたものである。

戦国時代の武将たちには、仏教の一派「密教」と、武士の守護神である不動明王を信仰する者が多かった。そこで本阿弥家は、武将たちのニーズに応えるために、名刀の刀身に不動明王のモチーフを彫り込むことによって御利益のある刀に作り替えたのである。

《重要文化財》
全長／34.1cm
刃長／24.7cm
反り／なし
元幅／2.2cm
先幅／ー
造り込み／平造
樋／なし
三井記念美術館　蔵

舞いの褒美に名刀一振り

九鬼正宗【くきまさむね】

正式名称／短刀　無銘　名物九鬼正宗
【たんとう　むめい　めいぶつくきまさむね】

ただの無銘刀と思われていた短刀は
驚くべきことに正宗であった

戦国時代、船に乗っての戦いを得意とする九鬼水軍《くきすいぐん》の大将《たいしょう》として知られた九鬼嘉隆《くきよしたか》の子、九鬼守隆《もりたか》が所持していたため、九鬼正宗と呼ばれる国宝である。もともとは豊臣政権における大老のひとり「小早川隆景《こばやかわたかかげ》」が所有していた。ある日、九鬼嘉隆の子「五郎八《ごろはち》」が、日本固有の舞台劇「能」の名手だったため、豊臣政権の本拠地である伏見城において舞を披露したところ、その美技に感動した小早川隆景が褒美として一振りの無銘の短刀を与えた。なお、この段階では双方とも、この短刀が正宗とは思っていなかった。

関ヶ原の戦いにおいて、九鬼嘉隆は五郎八とともに西軍に加わった。西軍の敗北により、九鬼嘉隆と五郎八は自刃し、短刀は故郷に戻っていた息子の守隆に受け継がれた。守隆は徳川家康を説得して父の助命嘆願に成功していたが、不幸にも使者が間《ま》にあわず、九鬼嘉隆と五郎八は家中の圧力で切腹してしまっていたのだ。

その後、守隆が将軍徳川家お付きの刀剣鑑定家、本阿弥家《ほんあみけ》に鑑定を依頼したところ、その作風から、正宗の作ったものに間違いないという折紙がつき、以来この短刀は九鬼正宗と呼ばれるようになった。九鬼正宗はその後、守隆から徳川家康に献上され、徳川家康の十男である紀州《きしゅう》徳川家当主、徳川頼宣《よりのぶ》を経て、四国地方を治める伊《い》予西条松平家《よにしじょうまつだいらけ》に渡った。現在は林原美術館に収蔵されている。

《国宝》
全長／ー
刃長／24.8cm
反り／内反り
元幅／2.3cm
先幅／ー
造り込み／平造
樋／ー
林原美術館　蔵

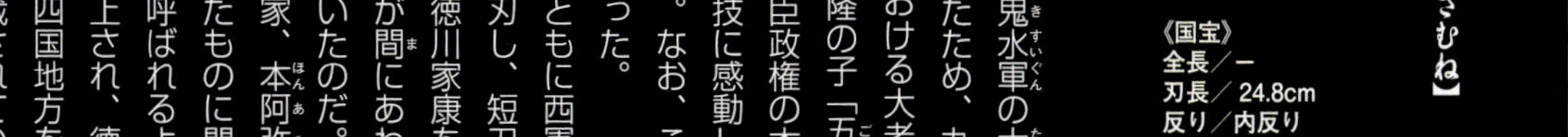

日本刀を生み出した？　辺境の刀匠集団

舞草鍛冶【もうくさかじ】

**日本最古の刀鍛冶集団であり
彼らの武器は東北の抵抗を支えた**

活躍した時代／平安中期～鎌倉前期
おもな鍛刀地／陸奥国舞草（岩手県一関市）
五箇伝流派／なし

日本刀をはじめて作ったのが誰なのかを確定するのが難しいことは、一〇九ページで説明したとおりである。その有力な候補のひとつが、現在の岩手県一関《いちのせき》市にある。大正時代の京都大学教授、小川琢治《おがわたくじ》氏は、この地の「舞草《もうくさ》」という地方の刀匠が、日本刀製作者としてもっとも古いと考えた。そして舞草の刀匠のひとり、延房《のぶふさ》が、わが国における日本刀製作の元祖である、としている。

舞草鍛冶とは平安時代中期、日本刀の原型とも言える「毛抜形太刀《けぬきがたたち》」（⬇一〇八ページ）を考案したとされる鍛冶集団だ。この舞草地方は、西暦七〇〇年代終盤にまで北方の異民族「蝦夷《えみし》」の統治下にあり、朝廷の遠征軍と戦う最前線に位置していた。そしてこの地域を流れる川は、現在でも「砂鉄川」と呼ばれるほどで、川底に砂鉄が大量につもっている。つまり鉄から武器を作る鍛冶仕事に最適な場所であり、戦いの最前線に近くて武器の需要が多いということで、有能な鍛冶職人が集まりやすい環境だったのだ。

蝦夷と朝廷の戦争が終わり、舞草が朝廷の支配下に入っても、この地が職人の土地であることは変わらなかった。彼らは今度は、朝廷の軍のために刀を打ったのである。舞草鍛冶のひとりである舞草光長《みつなが》は、日本刀三〇〇〇振りを作って朝廷に献上したという記録がある。当時の舞草鍛冶たちは、三〇〇〇振りもの刀を献上できるほどの人数と実力をそなえていたのだ。

その後も舞草鍛冶は刀を作り続けたが、平安時代後期になると、東北地方を支配していた「奥州藤原氏《おうしゅうふじわらし》」が反乱の罪で処罰されてしまう。うしろ盾を失った舞草鍛冶は舞草を離れ、日本全国に散り散りになってしまった。日本中に散らばった舞草の鍛冶たちは、各地で作刀技術の発展をうながしたと考えられている。

奥州の冬に輝く刀——

舞草刀【もうくさとう】

正式名称／太刀《たち》　銘《めい》　舞草《もうくさ》

**極寒の奥州で鍛えられた太刀には
北国ならではの工夫が盛り込まれている**

全長／ー
刃長／72.7cm
反り／2.1cm
元幅／3.2cm
先幅／ー
造込み／鎬造り
樋／なし
一関市博物館　蔵

舞草の刀匠が鍛刀地を銘に切ることはあまり多くなかったらしい。この刀は銘に「舞草」が入り、舞草で鍛えられた刀だということをその身で主張している貴重な一振りである。

丸太の側面を削ぎ落としたような「板目肌《いためはだ》」の地肌がくっきりとあらわれているこの刀は、輝きの鈍い直刃の刃文《はもん》という舞草刀の特徴がよくあらわれている典型的な一品だ。このように舞草刀の輝きが鈍いのは、北東北ならではの技法が用いられているからである。

冬の東北地方は、ときに冬の最低気温がマイナス一〇度を下回ることもある極寒の地である。このように寒いときに普通の日本刀を使えば、兜などの固いものに打ち当てた瞬間、低温によりもろくなった刀身が折れてしまうのだ。

そこで舞草の日本刀は、関東や近畿の刀に比べて、地鉄の「粘り気」を強くしている。まず刀身の側面を固める硬い皮鉄をトタン板のように波状にして接着し、焼き入れのときに盛りつける焼刃土は他地域の二倍ほど高く盛る。そして通常より強火で高温に熱した刀身を水中に入れて「焼き入れ」し、そのまま放置する。こうすると焼き入れで生まれた硬化が若干損なわれ、刃が若干くもるかわりに粘り強くなる。そのため極寒の冬に使っても折れることがないのだ。

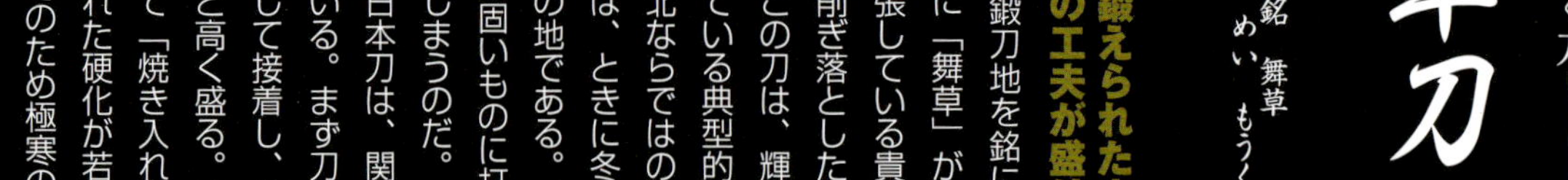

イラストテーマ：舞草刀　Illustrated by 河内やまと

船乗りたちが愛した刀匠

波平行安

【なみのひらゆきやす】

質実剛健な薩摩武士に刀を鍛えて九〇〇年の歴史

活躍した時代／平安後期～明治時代
おもな鍛刀地／薩摩国波平（鹿児島県鹿児島市）
五箇伝流派／大和伝

波平行安は、薩摩国（現在の鹿児島県）で平安時代末期から活動した刀匠一家である。大和国（現在の奈良県）の正国という刀匠が、薩摩国に渡って作刀をはじめたのが始まりだとされるが、正国銘の刀は現在ほとんど存在しないため、実質的な波平の初代は行安だというのが通説だ。波平行安の家系は明治時代の波平安行まで六四代にわたって続き、これは日本の刀匠のなかで最長の記録である。

初代波平行安の刀の特徴は、鋒《きっさき》が小さく、手元で大きく反る「腰反り」の姿であることと、刀身が厚くて刀身側面にある鎬《しのぎ》の出っ張りが大きいこと、そして刃が非常に細いまっすぐな刃文である。質実剛健で、耐久性に優れた作りだ。

波平行安の刀は名刀として評価が高かったが、特に船乗りたちのあいだで愛される刀だった。これは、彼の名前が「波平らかで行き安い」と読むことができるため、船乗りにとって縁起のいい名前だったからだ。「初代正国が薩摩へ移住する航海で嵐に襲われたが、刀を海に捧げたら嵐が収まったので、海神に感謝して波平行安と改名した」という伝説もあるほどだが、さすがにこれは後世の創作である可能性が否定できない。

九州南部の刀匠である波平行安に関する物語は、なぜか北陸地方の石川県にも残っている。年老いた鍛冶師が孫娘の婿を選ぶにあたり、もっとも立派な刀匠を選ぶと宣言したところ、数多い志願者のなかに「一晩で一〇〇〇本の刀を作る」と豪語する男があらわれた。驚異的なペースで刀を完成させてゆく男をいぶかしんだ鍛冶師は、鍛冶の光景を絶対見るなと言う男の警告を無視して工房を覗くと、なんと鬼が口から火を吐き、焼けた鉄を素手で扱って刀を作っていたのだ。作刀風景を見られたことに気づいた鬼は、一本の刀を残して逃げ去ったが、その刀には「鬼神大王《きじんだいおう》波平行安」の銘が切られていたという。

笹の葉を貫いた太刀

笹貫

【ささぬき】

正式名称／太刀　銘　波平行安
【たち　めい　なみのひらゆきやす】

《重要文化財》
全長／ー
刃長／72.5cm
反り／腰反り　2.3cm
元幅／ー
先幅／ー
造込み／鎬造り
樋／なし
京都国立博物館　蔵

「失敗作」の思わぬ切れ味隠せぬきらめきで魅惑する

波平行安の刀のなかでも傑作と評されるのが、この笹貫という太刀である。戦国時代に九州南部を支配した島津《しまづ》氏の分家「樺山《かばやま》氏」が伝えた刀で、現在は京都国立博物館に寄贈されている。

刃文《はもん》は直刃、鋒《きっさき》は小さく、波平行安の典型例と言える作品である。黒い漆塗りの拵《こしら》えが附属しており、金具には島津家の家紋である「丸に十字」の意匠があしらわれている。

この刀が「笹貫」と呼ばれるようになった由来が、『三国名勝図会《さんごくめいしょうずえ》』という資料で語られている。あるとき波平行安は、天下に誇る名刀を作りたいと考え、数日間工房に籠もるので中を見てはいけないと妻に厳命した。だが工房から物音がしなくなったことを心配した妻は、工房の扉をそっと開けてしまったのだ。刀の最期の仕上げで極度の集中状態にあった波平行安は、妻の行為で集中を乱してしまった。刀造りが失敗したと思った波平行安は、できかけの刀身を工房の裏手の竹やぶに投げ捨ててしまった。

しばらくあと、竹やぶから夜な夜な妖しい光が見られるので、村人たちが調べたところ、刀身が鋒を上にして地面に突き立ち、その鋒が無数の笹の落ち葉を貫いているのが見つかった。村人は怪しい刀だとこれを海に捨てたが、海の中でも光るので、漁師の網ですくい上げ、この刀に笹貫という名前をつけたという。

イラストテーマ：笹貫　Illustrated by えめらね

京都粟田口に名人あり

粟田口鍛冶【あわたぐちかじ】

東の要衝、粟田口に構え 短刀の達人「藤四郎吉光」を輩出した一族

活躍した時代／鎌倉時代
おもな鍛刀地／山城国（京都府南部）
五箇伝流派／山城伝

社会科の授業などでも周知のとおり、京都の町は、東西南北に伸びる道で碁盤《ごばん》の目のように仕切られている。町の中程を東西に横切る三条通《さんじょうどおり》の東側の出口は、通称を「粟田口《あわたぐち》」と呼ばれていた。ここはかつて日本刀の歴史上最初期の名匠「三条宗近《さんじょうむねちか》」が工房を置いた地であり、日本刀の歴史上重要な土地である。

鎌倉時代初期、この京都粟田口に、国家《くにいえ》という刀匠が大和国《やまとのくに》（現在の奈良県）から移住した。この国家を祖に、国家の六人の息子をはじめとする多数の名匠を生み出したのが粟田口鍛冶と呼ばれる刀匠集団だ。鬼丸国綱《おにまるくにつな》（⬇一二六ページ）の作者である、国家の末子「粟田口国綱」など、粟田口鍛冶は名前に「国」の字を入れる刀匠がほとんどだが、その法則から外れた名前を持つ長男国友の孫「粟田口吉光《よしみつ》（通称、藤四郎《とうしろう》）」が、粟田口鍛冶の最高の刀匠だとされている。

藤四郎吉光は短刀の名人であり、のちに三振りの短刀が国宝、七振りの短刀が重要文化財に指定された。もちろんひとりの刀匠としては最高の数字である。豊臣秀吉は吉光の短刀を特に高く評価し、みずから認定した天下の三名匠「三作《さんさく》」のひとりに藤四郎吉光を選んでいる。

鎧の隙間を貫くために細く厚手に作られ、厚さが一センチ強もある国宝・厚藤《あつとう》四郎《しろう》（東京国立博物館蔵）、虎を退けたという伝説を持つ五虎退吉光《ごこたいよしみつ》（下参照）など、短刀ならばなんでもお手の物の吉光だが、決して大振りな刀が苦手だったわけではない。生涯で一度だけ作った長い刀と言われる、刃長八六センチの太刀「一期一振《いちごひとふり》」は名刀の評価が高く、宮内庁の御物《ぎょぶつ》として大切に保管されている。

吉光以外の粟田口の名匠といえば、右で説明した粟田口国家の六兄弟と、五男「国綱」の息子である新藤五国光《しんとうごくにみつ》があげられる。新藤五国光は相模国に移住して相州伝《そうしゅうでん》の基礎を作った刀匠であり、三振りの短刀が国宝に指定されている。

虎もたじろぐ白刃の煌めき

五虎退吉光【ごこたいよしみつ】

正式名称／短刀《たんとう》　銘《めい》　吉光《よしみつ》

全長／ー
刃長／24.8cm
反り／なし
元幅／ー
先幅／ー
造込み／平造り
樋／二本樋
上杉邦憲　蔵

大陸で虎を撃退した吉光の短刀は 「甲斐の虎」の宿敵「越後の龍」の愛刀に

鎌倉時代中期を代表する短刀作りの名手、粟田口藤四郎吉光《あわたぐちとうしろうよしみつ》によって鍛《きた》えられた、山城伝らしい品格ある短刀である。表と裏に、仏教の一種「密教《みっきょう》」の祈りの儀式で使われる護摩箸《ごまばし》の彫刻が二本ずつ彫られている。

この短刀に付けられた「五虎退」の由来は、その名のとおり、この短刀が五頭の虎を追い払ったという逸話《いつわ》から来ている。

室町幕府の三代目将軍である足利義満《あしかがよしみつ》は、当時の中国の王朝、明《みん》との貿易を行っていた。当時の貿易は国どうしの手続きが必要であったため、国の役人がかならず船に乗り込んで立ち会わなければならなかった。

ある時、その役割を引き受けた人物がたまたま吉光の短刀を携えており、その人が帰国後に話したところによると、「荒野を通りかかったとき、五頭の虎が突然襲いかかってきたのだが、吉光の短刀を抜いてでたらめに振り回してみたところ、それに驚いたのか短刀に驚いたのか、虎たちは逃げ出していった」という。

嘘か真か、その土産話を聞いた義満は、「五頭の虎を退けた刀」という意味で、この短刀に「五虎退《ごこたい》」という号を付けたのだ。

五虎退吉光は義満から朝廷に献上《けんじょう》された後、戦国武将として名高い上杉謙信《うえすぎけんしん》に贈られ、現在も上杉家に伝来している。

写真提供　米沢市上杉博物館

イラストテーマ：五虎退吉光　Illustrated by はんぺん

茎に輝く「一」の銘

一文字【いちもんじ】

「菊一文字」の異名でも知られる備前国福岡の名匠一家

活躍した時代／鎌倉初期～鎌倉中期
おもな鍛刀地／備前国（岡山県南東部）
五箇伝流派／備前伝

「一文字」とは、刀の銘に「一」の文字を切る一派の呼び名である。大和国《やまとのくに》（現在の奈良県）、備中国《びっちゅうのくに》（現在の岡山県西部）などにも一の銘を切る刀匠はいたが、一般的に一文字と言えば、備前国《びぜんのくに》（現在の岡山県南東部）の福岡に工房を置いた福岡一文字派《ふくおかいちもんじ》と、そこから派生した吉岡《よしおか》一文字、片山一文字《かたやまいちもんじ》などのことを指す。

福岡一文字は名匠そろいで、創始者の則宗《のりむね》を筆頭に、複数の刀匠一家がライバルとして技を競いあっていた。その結果として六名の刀匠が現在国宝に指定される刀一五振りを製作しており、これは同じく備前国の刀匠一派である備前長船に次いで国内二位の数字である。作風は刃文《はもん》に丁字乱れ《ちょうじみだ》（⬇九〇ページ）系の模様を焼く作品が多いのが特徴である。

なお、彼ら一文字派が刀に「一」の銘を切るようになったのは、刀剣愛好家として名高い元天皇「後鳥羽上皇《ごとばじょうこう》」が、彼ら一文字の刀匠に「一」と銘を切ることを許したからだとされる。ただしすべてに一の銘があるわけではなく、刀匠の名前だけが切られたものや、「一」の文字の下に刀匠銘があるもの、なども存在する。京都国立博物館蔵の重要文化財「**二つ銘則宗**」は特殊な例で、経年変化で消えかかっている銘が「則国則宗《のりくにのりむね》」と、一文字の名匠ふたりの連名に見えることから名が付いたという説がある。これは本来は「備前国則宗《びぜんのくにのりむね》」だった銘の「備」と「前」の上半分が消えた結果、則国則宗と読めるようになったものだと推測されている。

不思議なことに、多くの名匠を抱え、名刀を生み出した福岡一文字の一派は、鎌倉時代中期を境にぱたりと姿を消している。福岡一文字が衰退したのは、備前国福岡の近くを流れる「吉井川《よしいがわ》」が大氾濫を起こし、福岡の地が川の底に沈んだからだという。工房を失った福岡一文字の刀匠は、最初に書いた吉岡一文字、片山一文字などの分派を作ったり、同じ備前国の長船で作刀を続けたと思われる。

荒波のごとく激しい刃文

今荒波一文字【いまあらなみいちもんじ】

正式名称／太刀　銘一（号今荒波）【たち　めいいち　ごういまあらなみ】

《重要文化財》
全長／－
刃長／69.1cm
反り／腰反り2.4cm
元幅／－
先幅／－
造込み／鎬造り
樋／なし
東京国立博物館　蔵

一文字の鬼才、片山則房の妙技 逆丁字乱れが華やかな刀

福岡一文字から派生した一文字系の刀工流派のうち、備前国あいは備中国の片山に移住して「片山一文字《かたやまいちもんじ》」と呼ばれた刀匠、一文《いちもん》字《じ》則房《のりふさ》の刀である。

今荒波は、刃に対して高低差の付いた「逆丁字乱れ」の刃文が華やかな逸品と評されている。今荒波という号は、「戦国時代に中国地方を支配した大名「大内氏《おおうちし》」の宝刀〝荒波〟に外見がよく似ていて、〝荒波〟の再来のような刀」というくらいの意味だが、実はここで引き合いに出されている「荒波」も、今荒波一文字と同じ則房の刀なのである。荒波と今荒波に共通する逆丁字乱れは、片山一文字則房の得意技である。同じ刀匠の刀なのだから外見が似ているのも当たり前だ。どちらの刀も「一」としか銘が切られていないので、当時は作者を判別できなかったのであろう。

なお、今荒波と呼ばれる刀は最低でも三振り確認されている。ひとつは江戸時代の刀剣解説書『享保名物帳《きょうほうめいぶつちょう》』に掲載されている今荒波で、銘は一ではなく「則房」、さらに茎の側面に「今川殿二」という隠し銘があることから、駿河国《するがのくに》（静岡県中部）の今川家に伝来の品だったことがわかる。また、下野国《しもつけのくに》（現在の栃木県）喜連川《きつれがわ》に所領を持つ、足利将軍家の分家「喜連川家《きつれがわ》」にも「一」の銘を持つ今荒波があった。下の刀はそれとも別で、三振目の「今荒波」ということになる。

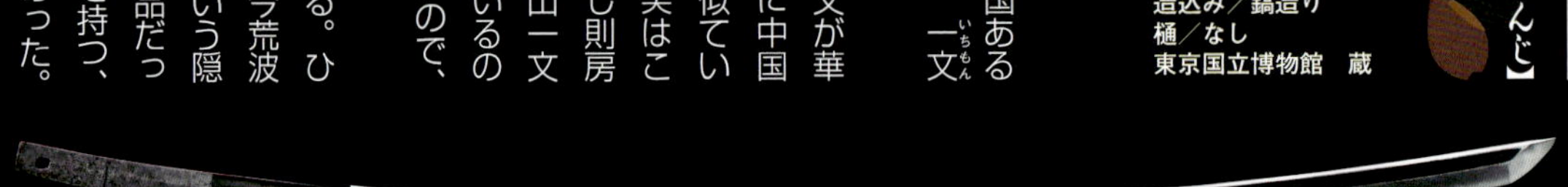

イラストテーマ：二つ銘則宗　Illustrated by 蒼月しのぶ

日本が誇る刀剣の名産地

備前長船【びぜんおさふね】

活躍した時代／鎌倉中期～室町末期
おもな鍛刀地／備前国長船（岡山県長船町）
五箇伝流派／備前伝

質と量を兼ね備えた銘刀の宝庫 日本刀剣史に輝く四〇〇年の歴史

日本で最高の刀の産地はどこか？ さまざまな意見があるが、質と量を総合的に判断すると、備前国《びぜんのくに》の長船《おさふね》地方を支持する声が大きい。現在の岡山県南東部、吉井川の東岸にある長船地方は、鎌倉時代中期ごろから備前国の名匠たちが刀剣製作の拠点を設けた場所である。一二八ページでも説明したが、この長船を拠点とした長船鍛冶は、日本中の刀匠のなかで、後世「国宝」となる刀をもっとも多く生み出した一派なのだ。

いつごろから長船で刀剣製作が行われていたのかは不明な点が多いが、初めて刀の銘に「長船」という地名を入れた、備前長船の祖とされる刀匠「光忠《みつただ》」は鎌倉時代中期の人物なので、少なくとも鎌倉時代中期には長船での作刀が行われていたと断言することができる。

長船にはあまりに多くの刀匠がおり、評価が高い者も多いため、代表的な刀匠の名前を挙げることすら大仕事になる。江戸時代の刀剣鑑定家たちは、長船の刀匠のなかで特に優れた四名を「長船四天王」と呼んでいる。

一人目は、長船派の始祖である光忠の息子「長光《ながみつ》」である。六本の代表作がのちに国宝に認定されており、さらに室町時代以前の刀匠のなかで、銘がついた作品がもっとも多く残されている。質、量ともに優れた刀匠といえる。

二人目はこの長光の息子で、鎌倉時代末期に活躍した「兼光《かねみつ》」。国宝に指定されている刀こそないものの、戦国武将に愛用されたり、特別な逸話を持つ、号のついた刀が多いのが特徴だ。

三人目は元重《もとしげ》といい、七振りの刀が重要文化財に指定され、切れ味のよさで知られる刀匠だ。四人目は長義《ちょうぎ》（ながよし、ではない）といい、備前長船の特徴である「丁字乱れ《ちょうじみだ》」または「直刃《すぐは》に小さな互《ぐ》の目」という刃文（➡九〇ページ）から離れ、五箇伝《ごかでん》のひとつ「相州伝《そうしゅうでん》」の影響を受けた自由な作風で、切れ味抜群の刀を作った備前長船の革命児であった。

備前長船が他地域を圧倒して多くの刀を作ることができた原因のひとつは、その生産体制だった。長船では古くから、ひとりの師匠が複数の職をたばねてチームで刀を作る分業体制が確立しており、刀匠ひとりが一振りの刀を作るより多くの刀を世に出すことができたのだ。

この分業体制は、戦国時代になって刀剣の需要が急増するとさらに強化された。大名などから注文を受けて作る「注文打ち」は、腕のいい刀匠が時間をかけて作るが、一般の武士が使う刀は、「数《かず》打《う》ち」という製作工程を簡略化した方法で作り、質を落とす代わりに生産数を飛躍的に増やしたのだ。

だがこの「数打ち」の量産は、質よりも数という価値観を生んでしまい、備前長船の刀匠としての技術を大いに低下させてしまった。そのため室町時代中期以降の長船には、名匠と呼べる刀匠の数が極端に少なくなっている。さらに追い打ちをかけるように戦国時代末期、一二八ページで紹介した福岡一文字に続いて、長船の鍛冶場は吉井川の大洪水で押し流され、八〇八軒ともいわれた長船の刀匠は、わずか三軒を残して壊滅。四〇〇年続いた長船は衰退してしまったのである。

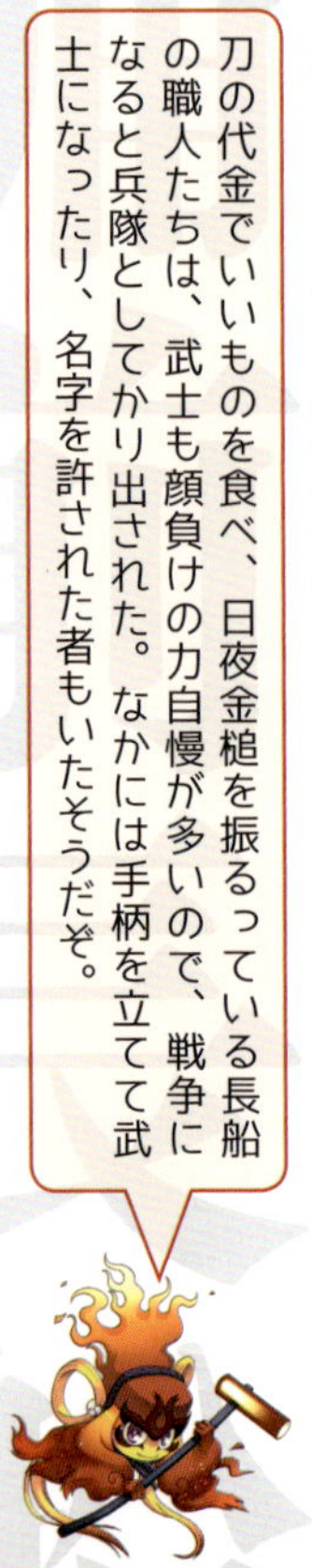
刀の代金でいいものを食べ、日夜金槌を振るっている長船の職人たちは、武士も顔負けの力自慢が多いので、戦争になると兵隊としてかり出された。なかには手柄を立てて武士になったり、名字を許された者もいたそうだ。

イラストテーマ：大兼光　Illustrated by 児玉酉

その華やかな作風は、あの織田信長も愛した――

生駒光忠【いこまみつただ】

正式名称／刀　金象嵌銘　光忠　光徳花押【かたな　きんぞうがんめい　みつただ　みつのりかおう】

《国宝》
全長／ー
刃長／ 68.4cm
反り／腰反り　2.0cm
元幅／ 3.1cm
先幅／ 2.3cm
造込み／鎬造り
樋／あり
永青文庫　蔵

数多くの刀を遺す長船光忠《おさふねみつただ》の作品の中でもっとも華やかな一振りとして知られる

長船派の開祖とされ、特に織田信長が愛好した「備前長船光忠《びぜんおさふねみつただ》」の刀。名匠として知られる光忠の作品のなかでも、刃文《はもん》や全体的な姿が「もっとも華やかな一振り」と評価され、現在はわが国の国宝に指定されている。刀の茎《なかご》には、徳川幕府お抱えの刀剣鑑定家「本《ほん》阿弥光徳《あみこうとく》」により、金象嵌《きんぞうがん》の技法で「光忠」の銘が切られ、この刀が無銘ながら光忠の作品だと保証している。

江戸時代には、全国の名刀が『享保名物帳《きょうほうめいぶっちょう》』などの刀剣鑑定、解説書で紹介されていたが。そこに生駒光忠の名前はない。生駒光忠は、戦国時代末期に讃岐《さぬき》（現在の香川県）の大名「生駒家《いこま》」が豊臣秀吉から拝領して以来、生駒家の門外不出の刀であり、一般に名前が知られていなかったからだ。生駒光忠のような、大名家の門外不出の名刀のことを、刀剣界では「御家名物《おいえめいぶつ》」と読んでいる。

現在この刀は、熊本藩主細川家の代々の宝を保存する、永青文庫《えいせいぶんこ》が所蔵している。細川家と縁のなかった生駒家の宝が永青文庫に渡ったのにはわけがある。明治一五年生まれの細川家一六代当主「細川護《ほそかわもり》立《たつ》」がまだ十代のころ、こづかいを前借りしてはじめて買ったのがこの生駒光忠だったのである。以降も細川護立のコレクションは拡大し、そのうち本刀を含む四振りが新たに国宝に指定された。そして護立個人は戦後、日本美術刀剣保存協会の初代会長になっている。

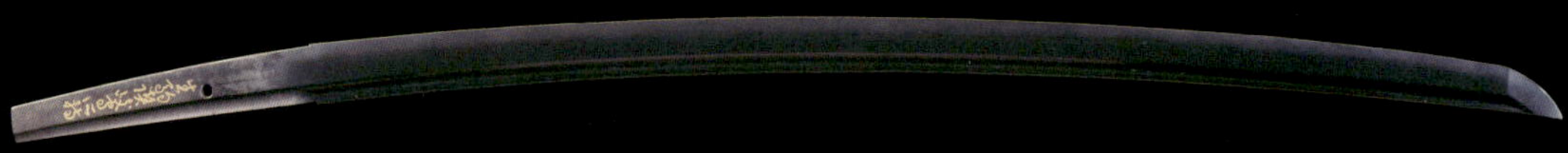

故郷への思いを示した刀――

謙信景光【けんしんかげみつ】

正式名称／短刀　銘　備州長船景光　元亨三年三月日（号　謙信景光）【たんとう　めい　びしゅうおさふねかげみつ　げんていさんねんさんがつひ　ごう　けんしんかげみつ】

《国宝》
全長／ー
刃長／ 28.2cm
反り／
元幅／ー
先幅／ー
造込み／平造り
樋／秩父大菩薩／梵字
埼玉県歴史と民俗の博物館　蔵

西国の名匠「景光」の短刀はいかにして東国の雄、謙信に渡ったか？

この備前長船景光《かげみつ》の短刀は戦国武将、上杉謙信《うえすぎけんしん》の愛刀として知られる刀のひとつである。「長船四天王《おさふねしてんのう》」長光の子で、鎌倉時代末期に数多くの名刀を送り出し、特に地金の美しさに定評がある名匠「景光」の最高傑作ともいわれる名刀で、付属する黒漆塗りの拵《こしら》えとあわせて国宝に指定されている。刀身には「秩父大菩薩《ちちぶだいぼさつ》」という文字が彫り込まれている。これは埼玉県西部にある秩父神社の祭神で、厄除けと長寿の御利益がある。

この刀が上杉謙信の愛刀となった理由は、なかなか複雑な事情によるものだ。もともとこの刀を作らせたのは、播磨国《はりまのくに》（現在の兵庫県南部）の武士、大河原氏である。彼らは播磨に領地を得る前は秩父地方で暮らしており、自分たちが信仰する秩父神社への奉納品として、名匠景光にこの短刀を作らせたのである。

その後戦国時代になり、上杉謙信は「関東管領《かんとうかんれい》」という室町幕府の役職を与えられた。謙信は軍勢を率いて何度も関東地方に出陣し、関東地方を支配する北条氏と一進一退の攻防をくり広げた。もちろん秩父地方も上杉謙信の勢力下になったことがあるため、この短刀はそのときに何らかの理由で謙信に渡ったものと思われる。その後も上杉家に所蔵されていたこの刀は、現在では秩父神社を抱える埼玉県のものとなり、県立歴史と民俗の博物館に保管されている。

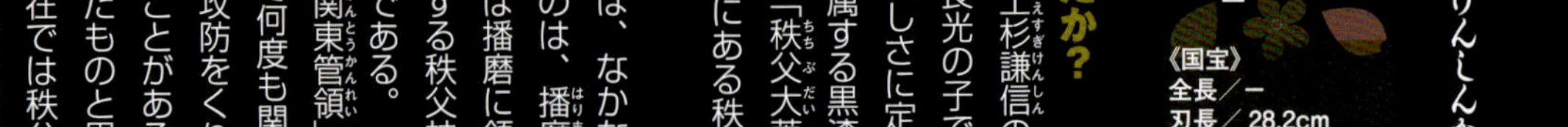

武田信玄の戦勝祈願奉納刀

南無薬師景光【なむやくしかげみつ】

正式名称／太刀　銘　南无薬師瑠璃光如来／備前国長船住景光【たち　めい　なむやくしるりこうにょらい　びぜんこくおさふねじゅうかげみつ】

《重要文化財》
全長／ー
刃長／77.3cm
反り／ー
元幅／ー
先幅／ー
造込み／鎬造り
樋／棒樋
富士山本宮浅間神社　蔵

風林火山を掲げる名将が武田家の未来を託した神刀

上杉謙信が神社から受け取ったらしい景光の刀がある一方で、その終生のライバルであった武田信玄《たけだしんげん》には、彼が神社に奉納した景光の刀がある。この刀の銘である南無薬師瑠璃光如来とは、仏教の仏で、人々を病と飢えから救うという「薬師如来《やくしにょらい》」のことである。

織田信長が今川義元《いまがわよしもと》を倒した「桶狭間の戦い」から八年後の一五六八年。武田信玄は弱体化した今川氏を攻め、三年間の戦いの末に、今川氏の領地であった駿河国《するがのくに》を手に入れている。この戦に先だって、武田信玄は富士山を神域とする「富士山本宮浅間神社《ふじさんほんぐうせんげんじんじゃ》」に、戦勝を祈願してこの刀を奉納したと記録されている。

武士が戦勝を祈願するため、神社に刀を奉納するという行為は、平安時代から一般的に行われてきた。瀬戸内海の大三島にある大山《おおやま》祇《つみ》神社（➡一五九ページ）は「国宝の島」と呼ばれ、多くの武器と鎧を所蔵しているが、これは大山祇神社が源氏や平氏など武士の信仰を集めており、戦があるたびに武具が奉納されたためである。また、織田信長は比叡山《ひえいざん》を焼き討ちしたり本願寺《ほんがんじ》と争ったことから宗教を敵視するイメージがあるが、地元の熱田神宮にしばしば名品を奉納しているし、桶狭間の戦いの前にも戦勝祈願の儀式を行った記録がある。このように、武士にとって武具と宗教は、切っても切れない密接な関係にあるのだ。

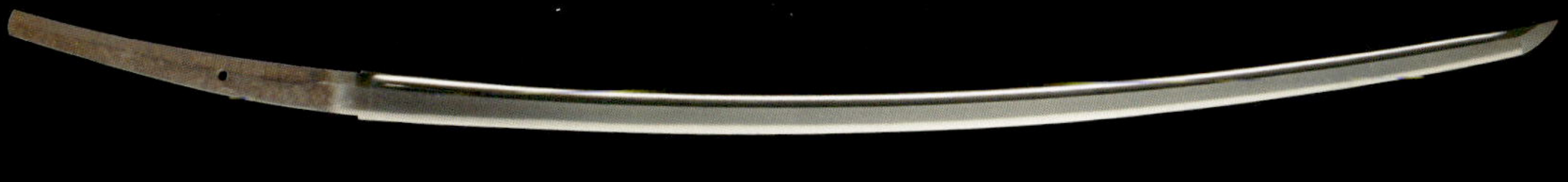

兼光の作でもっとも大きな刀

大兼光【おおかねみつ】

正式名称／刀　金象嵌銘備前国兼光（名物大兼光）／本阿弥（花押）【かたな　きんぞうがんめいびぜんこくかねみつ　めいぶつおおかねみつ　ほんあみかおう】

《重要文化財》
全長／ー
刃長／83.4cm
反り／腰反り2.2cm
元幅／-
先幅／-
造込み／鎬造り
樋／刀樋
佐野美術館　蔵

往事の刃長は一メートルを超える名匠長船兼光の晩年の名品

長船四天王のひとり、長船兼光《おさふねかねみつ》は、刀匠人生の前半期と後半期で作風が大きく変わった刀匠である。初期の作品では、祖父長光《ながみつ》の「丁字乱れ」や、父景光《かげみつ》の「片落ち互《ぐ》の目」など一門の流れをくむ作品を作っていたが、人生の後半になると相州伝《そうしゅうでん》の影響を受けて「大湾《おおのた》れ」などの刃文を焼いたり、長さ一メートルを超える巨大な大太刀を作るようになった。この作風の変化があまりに急激だったため、かつては長船兼光の前期と後期の作品は、名前が同じ別人が作った刀だと解釈されていたこともあるほどだ。

この大兼光は、刀匠兼光の人生の後半における代表作である。刀剣の世界では、刀匠の名前に「大」の字をつけた号をつける場合、その刀匠の代表作という意味なのが一般的だが、この刀の場合は、江戸時代の刀剣解説書『享保名物帳』に、「長き故の名也」と明記され、刀が長いのでこの名前が付いたと説明されている。

現在では八三・四センチと「長め」程度の刃長だが、刀身を短くする「磨り上げ」をした記録があるのに、目釘穴がひとつしかない。つまり古い目釘穴が残らないほど大きく磨り上げたのであり、元の刃の長さは一〇〇センチ以上あったと推測できる。磨り上げで失われたであろう銘を補うためか、刀剣鑑定家本阿弥一族が金象嵌《きんぞうがん》の技法で入れた銘が、兼光の刀であると保証している。

現代に続く刃物の聖地

関鍛冶【せきかじ】

活躍した時代／室町初期～現代
おもな鍛刀地／美濃国関（岐阜県関市）
五箇伝流派／美濃伝

戦乱の世を生き抜くための刀 頑丈さと切れ味で人気を集める

美濃国《みののくに》（現在の岐阜県）の関地方で発展した五箇伝《ごかでん》のひとつ「美濃伝」（⬇一一〇ページ）は、五箇伝のなかでもっとも新しく生まれた伝である。ほかの四つの伝は江戸時代に勢いを失ってしまったが、美濃伝すなわち関鍛冶だけは隆盛を保ち続け、関は現代でも日本刀と刃物の本場として国内外から注目されている。

このように関に刀匠が集まったのには理由がある。関に名匠が集まり始めた一五世紀後半の日本は、「応仁《おうにん》の乱」という大戦争以降全国各地で戦乱が相次ぎ、いわゆる戦国時代が到来。このため刀匠が落ち着いて日本刀を打てる環境が少なくなっていた。その点、関のある美濃国は比較的戦乱が少なく、日本刀を作るために必要な、上質な木炭や焼刃土《やきばつち》が豊富に確保できた。また鉄についても、美濃国や北の飛《ひ》騨国《だのくに》から供給される砂鉄と、日本一の製鉄地帯である出雲国《いずものくに》（現在の島根県東部）から運ばれてくる玉鋼《たまはがね》を、関のすぐそばを流れる長良川の水運で受け取ることができる。そして大量生産された日本刀も、この水運を利用して名古屋へ、近畿へと輸出できるメリットまである。つまるところ関は、平和で、材料が豊富な、交通の要所であり、刀匠の本拠地としてこれ以上ない立地条件を備えていたのだ。

関の刀匠には大和国（現在の奈良県）から移住してきた刀匠が多いため、作風は大和伝に近く、地味だが実用的なものである。刃文については、直線的な「直刃《すぐは》」以外の刃文を焼く場合は、刃文が尖り気味の模様になるのが特徴と言える。また、美濃伝のなかでも特に知名度が高い室町時代後期の刀は、「刀身の表と裏で刃文がぴったりとあう」という特徴がある。通常、日本刀の刃文は、焼き入れの前に刀身に盛りつける粘土「焼刃土」の量と形によって決まるので、手作業で盛りつけると表裏で刃文が変わるはずなのである。つまり関の刀匠は、焼刃土を盛るときに、木製の定規などを使うことで作業を簡単に手早く行えるようにしており、この定規のために表裏の刃文が自動的にあうようになっていたと考えられるのだ。手作りの味にこだわらない関鍛冶の刀は、大名が持つ美術品のような刀ではなく、戦場で激しく斬りあい、消耗品として使い潰すことを前提とした実用品なのである。

ただしこれは、関鍛冶の刀が粗悪品だという意味ではない。むしろ外見の華やかさにこだわらない代わりに切れ味はすさまじく、実用的な刀として戦国武将や侍たちに広く愛用されていた。関の刀匠には名前に「兼」の字がつく者が多く、特に「孫六《まごろく》」の異名で知られる兼元《かねもと》と、兼定《かねさだ》という刀匠の二代目が名高い。七四ページで紹介した歌仙兼定は後者の作である。

江戸時代になると、関の刀匠のなかには全国各地に新設された「藩」のお抱え鍛冶として移住する者も多かった。例えば幕末の治安維持組織「新撰組《しんせんぐみ》」の副長、土《ひじ》方歳三《かたとしぞう》の刀を鍛えた「**和泉守《いずみのかみ》兼定**」は、関の刀匠兼定の一派が、徳川家の一族である松平家の会津藩（現在の福島県西部）でお抱え刀工になったものだった。

その後の関では、日本刀の需要が少なくなるにつれて、刀匠は日本刀だけでなく包丁などの生活用刃物を作るようになった。現在でも関にはカミソリ、包丁などの世界的刃物会社がひしめき、「西はドイツのゾーリンゲン、東は日本のセキ」と呼ばれるほどの世界的な刃物の産地となったのだ。

一六六ページからの記事では、この関鍛冶の流れを受け継いでる、現代の関の刀匠さんに全面協力してもらって、関の作刀法をいろいろ教えてもらいましたよ。ぜひ読んでくださいね～!!

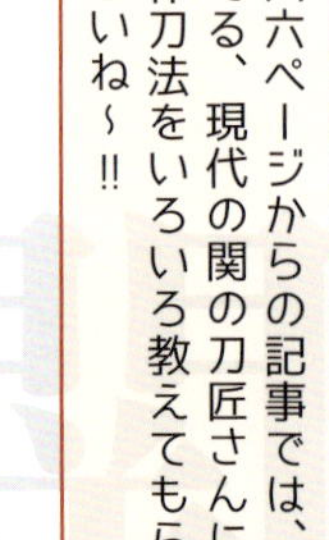

イラストテーマ：土方歳三の和泉守兼定　Illustrated by Genyaky

関の孫六、三本杉

孫六兼元【まごろくかねもと】

正式名称／刀　銘　兼元作【かたな　めい　かねもとさく】

《関市指定
重要文化財》
全長／ー
刃長／80.6cm
反り／2.1cm
元幅／ー
先幅／ー
造込み／鎬造り
樋／なし
関市　蔵

卓越した切れ味で「最上大業物」と評価された三本杉の刃文が美しい名刀

関の刀匠のなかで特に名匠として名高いのが「兼元《かねもと》」と「兼定《かねさだ》」というふたつの刀匠一家である。その兼元の代々のなかでもっとも優れた刀匠だと有名なのが、兼元一家の二代目で、「孫六兼元」という通称で知られている。下の写真は岐阜県関市の重要文化財に指定されている、孫六兼元作の刀である。

孫六兼元の名声は、ふたつの理由によって広く世間に知られることになった。ひとつは、江戸時代の刀剣解説書『懐宝剣尺《かいほうけんじゃく》』によるものだ。この本は、名匠として知られる刀匠の作品を、切れ味に応じて四段階に分類し、孫六兼元を一二人しかいない最高ランク「最《さい》上大業物《じょうおおわざもの》」に認定している。この本は江戸幕府で罪人の処刑を担当していた山田浅右衛門《やまだあさえもん》という一族が、無数の刀で人体を斬ってきた経験を基に書かれたもので、人間に対する切れ味の評価としてはもっとも信頼できるものである。

もうひとつの理由は、孫六兼元が発明した「刃文」である。下の写真を見ると、尖った山が無数に連なるような刃文を見ることができる。この刃文は「三本杉」といって、兼元一家の代名詞として知られるようになった。「関の孫六、三本杉」というフレーズは全国的に有名になり、現在でも関に本拠地を置く刃物メーカー「貝印《かいじるし》」が、関孫六というブランドの包丁を生産している。

関に代々続く「兼定」の三代目

兼定（ヒキサダ）【かねさだ（ひきさだ）】

正式名称／刀　銘　兼定【かたな　めい　かねさだ】

《重要刀剣》
全長／ー
刃長／75.7cm
反り／2.1cm
元幅／ー
先幅／ー
造込み／鎬造り
樋／なし
関市　蔵

室町時代から幕末まで続く「和泉守藤原兼定」三代目の作

関で兼元と並び称される「兼定」の一族は、兼元と同様に二代目がもっとも高く評価されている。兼定の二代目は、刀に「定」の銘を切るときに、うかんむりの下に「之《ノ》」と切るため「ノサダ」の異名で知られていた。ノサダの刀は孫六兼元と同様に「最上大業物」と評価されていた。

そのノサダの息子または弟子だとされる三代目兼定も、先代には及ばないまでも優れた刀匠だった。三代目以降の兼定は、父とは異なり「定」の銘を切るときに、うかんむりの下に「疋《ヒキ》」と切ったため「ヒキサダ」の異名で知られている。

この刀は関市が所蔵し、同市の「関鍛冶伝承館」に展示されているもので、銘がヒキサダであるため、三代目兼定、あるいはそれ以降の兼定の作品だ。兼定の特徴である大きく波打つ「互《ぐ》の目乱れ」の刃文がくっきりと描かれている。地鉄の模様は、美濃伝の特徴である、材料の鉄を縦横に折りたたみながら層を重ねていく「十文字《じゅうもんじ》鍛《ぎた》え」によって生まれる「板目肌《いためはだ》」になっている。

なお、ノサダの子孫は美濃だけでなく会津地方（現在の福島県西部）にも残っており、「和泉守兼定」の名前で代々作刀を続けた。新撰組副長の土方歳三《ひじかたとしぞう》の愛刀は、この会津の一一代和泉守兼定の作品であり、現在は東京の土方歳三資料館に保管されている。

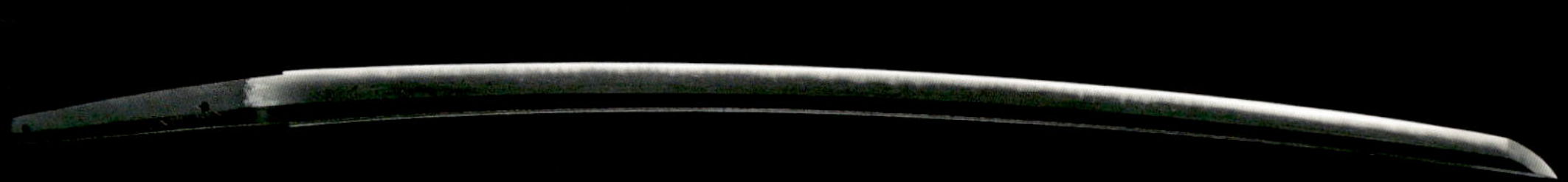

日本刀の〝磨《す》り上《あ》げ〟

カグヤよ。もしおまえが、姉からよい服のお下がりをもらったものの、丈が長すぎてそのまま着るのは難しかったらどうする？
……ふむ、そのとおり。
丈を詰めて体にあわせるであろう。
日本刀も同じだ。刀は使用者の体格や用途にあわせて、より短く改造されることがあるのだ。このように刀の茎を加工し、刀身を短くする改造のことを「磨り上げ」と呼んでおる。

磨り上げとは、日本刀の刀身を短くする改造です。日本刀の鋒《きっさき》の構造は精密なので（⬇一七九ページ）、刀を短くするときは、刀の茎《なかご》の部分を切り落とすことで刀身を短縮します。

以前の茎の形にあわせて、茎の余分な部分を切り落とし、それにあわせて目釘穴を新しくあければ、磨り上げの工程は完了となります。

日本刀の磨り上げかた

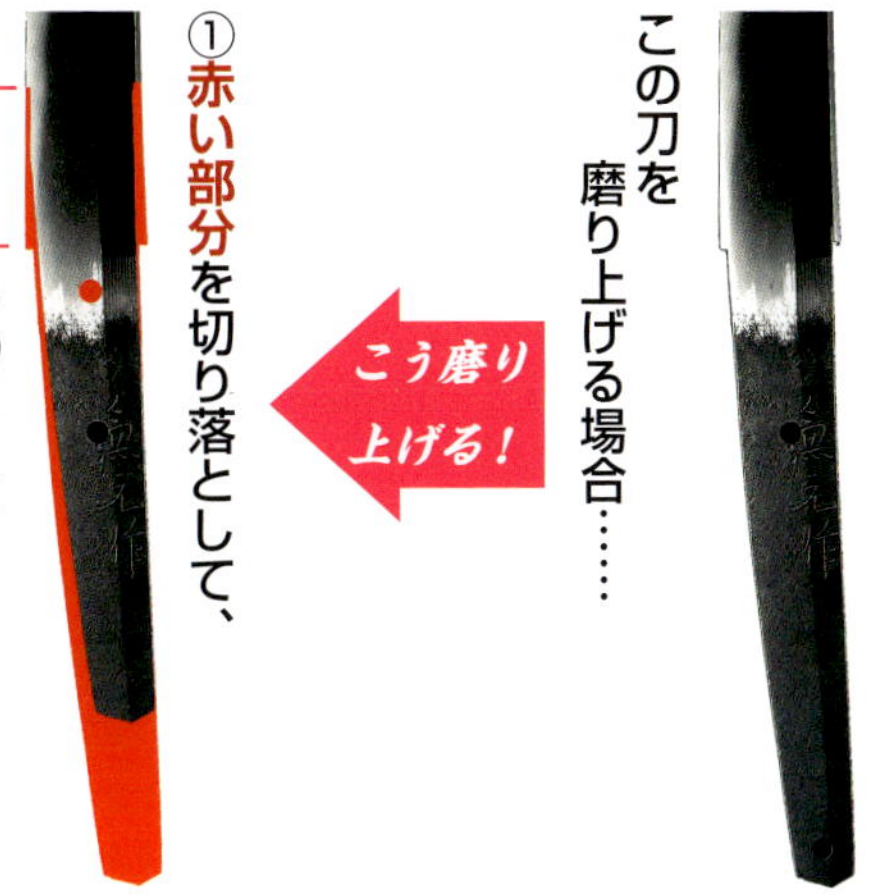
この刀を磨り上げる場合……
こう磨り上げる！
①赤い部分を切り落として、
➡②ここに新しい目釘穴をあけると
③このぶんだけ短くなる！

どんなときに〝磨り上げ〟をするの？

新しい日本刀を手に入れた人は、左のような動機から磨り上げを行います。

太刀を打刀《うちがたな》に変える

太刀は馬上から地面に立つ敵を切り下ろしやすいよう、少し長めに作られています。戦国時代には武士が地上で戦うようになったので、長すぎる太刀を打刀のサイズに縮める改造が盛んに行われました。

持ち主の体格にあわせる

長い日本刀を鞘から抜くためには、刀の長さに見あった体格、具体的には手の長さが必要になります。そのため小柄な体格の人物が長い刀を手に入れると、刀を磨り上げて自分が抜きやすい長さに作り替えることがあります。その代表格が、小柄だったことで知られる豊臣秀吉です。

脇指《わきざし》に作り替える

一般的に、城の内部は「帯刀禁止《たいとうきんし》」であり、武士が身につける大小の刀のうち大きい方「打刀」を身につけることができません。ですがより小さい方、脇指を身につけることは許されているため、城にあがるような身分の高い武士は、長い刀を磨り上げて脇指に変え、身につけることがあります。

ちょっともったいない気もしますけれど、刀があくまで「道具」だった時代ですから、改造して使いやすくするのはしかたありませんね。

徳川家に仇なす妖刀を生んだ刀匠

村正【むらまさ】

活躍した時代／室町中期～江戸時代
おもな鍛刀地／伊勢国桑名（三重県桑名市）
五箇伝流派／相州伝、美濃伝

伊勢国桑名の売れっ子刀匠は 妖刀の作り手として後世に名を残す

日本刀にあまりくわしくない人でも、一一八ページで紹介した刀匠「正宗」と、この「村正」の名前は聞いたことがあるはずだ。だが正宗が日本屈指の名匠として、のちに国宝、重要文化財に指定される刀を多数残しているのに対し、村正には国宝や重要文化財に指定された刀はなく、美術的、文化的には評価の高い刀匠ではない。それでも世間に村正の名前が知れ渡っているのは、この刀匠の刀に「妖刀」というイメージがついているからだ。

村正は、もともと美濃国《みののくに》（現在の岐阜県南部）関の刀匠だったが、関に流れる長《なが》良川《らがわ》の河口に位置する「伊勢国桑名《いせのくにくわな》」（現在の三重県北東部、桑名市）に移住。以降三世代にわたって「村正」の刀匠名を名乗った。村正の刀の特徴は、「直刃《すぐは》」に近い刃文と、茎《なかご》の部分が「タナゴ腹」という魚の腹部のような形をしていることだ。

村正の刀の美術的評価が高くないのは、村正が「数打ち」と呼ばれる、量産性重視の刀を作る刀匠だったからである。彼が活躍した一五～一六世紀は戦乱の時代であり、大名たちは一本でも多くの刀を安く確保しようとした。村正の量産刀は時代のニーズにあった商品だったのだ。

あくまで量産品なので個別の逸話も生まれにくく、村正には号がある刀が少ない。数少ない例が、村正晩年の作であり、刀身に妙法蓮華経の文字が彫られた重要美術品「**妙法村正**《みょうほうむらまさ》」である。この刀は九州の小城藩《おぎはん》藩主「鍋島元茂《なべしまもとしげ》」が父から拝領して以来、小城鍋島家に代々伝わっていたが、現在は同家を出ている。

問題は、なぜ村正に「妖刀」というイメージがついているのか、ということだ。これは、江戸幕府を開いた徳川家の関係者が、村正によって傷を負ったり、村正の刀で命を落とす例があまりに多かったためである。

徳川家康の祖父を討ち取ったのは村正の刀だった。家康の父親も村正の脇指《わきざし》で暗殺されかかったことがある。家康の長男が織田信長の命令で切腹させられたときは、介錯として村正の刀で首を落とされた。そして家康自身も、敵からぶんどった村正の槍を鑑賞しようとしたとき、不注意で指を切ってしまっている。のちに家康は、息子の首を落とした刀が村正の作品だったことを知り、徳川家の武器の管理人に、村正の刀をすべて捨てるように命じたという。

江戸時代にはこれらの話が世間にも広まった結果、武士だけでなく庶民にいたるまで「村正は徳川家に祟る妖刀」だという認識が広まった。そして、歌舞伎や講談などで、「妖刀村正」にふさわしい物語が次々と捏造されていったのだ。

こうした風潮から、江戸に住む武士たちは、村正の刀を差すことを自粛する風潮が生まれ、ついには「村正の刀を差すことは禁止されている」という誤解が広まることになってしまった。これに困ったのは当の刀匠村正本人である。初代以来三代にわたって村正の名で刀を打ってきた彼らだったが、世間の風評のせいで「村正」の名前では商売が成り立たなくなってしまった。そこで四代目以降の村正は、初代の自称である「千子村正」からとって「千子」と切るようになった。千子とは、多くの人を救うために多数の手を持つ仏教の仏「千手観音《せんじゅかんのん》」のことであり、自分が千手観音の申し子だという意味が込められているという。

日本には「天下三名槍《てんかさんめいそう》」という三本の槍があるが、そのひとつ「蜻蛉切《とんぼぎり》」は村正の弟子、藤原正真《ふじわらまさざね》の作品だ。たまにこの槍を「村正の作品」と書くものがあるが、間違いなので気をつけるように。

明治維新を導いた脇指

有栖川親王の村正【ありすがわしんのうのむらまさ】

正式名称／刀 銘 村正【かたな めい むらまさ】

全長／ー
刃長／62.3cm
反り／ー
元幅／ー
先幅／ー
造込み／鎬造り
樋／なし
刀剣博物館 蔵

徳川幕府征討の誓いをかけて“妖刀”が明治の時代を斬り開く

右のページで紹介したように、村正の刀は徳川家に仇なす刀だと信じられていたため、幕府に敵意を燃やす藩の武士たちは、こぞって村正の刀を買い集めたという。この刀はそういった村正のなかでも、特にドラマチックに使われたものである。

この刀の持ち主は、有栖川宮《ありすがわのみや》熾仁親王《たるひとしんのう》といい、天皇家にきわめて近く、皇位継承権を持つ「世襲親王家《せしゅうしんのうけ》」の当主である。ドラマ《大奥》で、徳川一四代将軍の家茂《いえもち》と結婚した「和宮親子内親王《かずのみやちかこないしんのう》」の本来の婚約者といえば、ピンとくる方もいるのではないだろうか。

幕末の動乱期に、熾仁親王は一貫して幕府打倒を主張した政治運動を行い、明治新政府の総裁に就任して徳川討伐軍の総司令官「東《とう》征大総督《せいだいそうとく》」となった。このとき熾仁親王が腰刀として身につけていたのが、この村正の刀なのである。

前述したとおり、村正は美術品としては評価の高くない刀であり、親王家の当主が身につける刀としては、あまりに格が不足しすぎている。あえて格を無視し、徳川家に仇なすという村正の刀を選んだ熾仁親王の倒幕への決意が感じられる逸話である。

この刀は新政府軍の勝利後も有栖川宮家に伝来していたが、美術刀剣保存協会に寄贈され、今では刀剣博物館で定期的に行われる館蔵名刀展で、誰でもその姿を見ることができる。

村正が「徳川家に徒なす刀」になった、ごくごく当たり前の理由

さて、このように村正は、現在でも「徳川家に徒なす妖刀」だと信じられておるわけだ。実際、徳川家が四代にわたって村正の害を受けたとあらば、「確率的に偶然ではあり得ない、やはり呪いなのだ」と信じてしまうのも無理はないが……のうカグヤ、実は「確率的にありえる話だ」と言ったらどう思うかね。

地図を見ながら話すとしよう。徳川家康の故郷である岡崎は、愛知県東部にある。そして村正の工房があった三重県桑名市は、そこからたった五〇キロしか離れておらんのだ。しかもその間にある伊勢湾というのは、波が穏やかで古くから海運が盛んと来ている。そんなところに安くてよく斬れる刀を大量生産する刀匠がいたら……みな村正の刀を買うに決まっておろう。

実際に村正の弟子には、家康の出身地である三河国に移住して刀を打った者が多い。需要がなければ刀匠が移住などするわけもなかろうよ。

つまり家康のまわりには、昔から「石を投げれば村正に当たる」というくらい、村正の数打ち刀があふれておった。祖父殿が村正で切られたのも、父君が村正で暗殺されかかったのも、息子殿の介錯が村正で行われたのも、三河国での村正の売れ行きを想像すれば、まったく不思議なことではないな。売れすぎたせいで妖刀の汚名をかぶらされてしまったとは、村正も災難なことよのう。

こんなに近い、村正の工房と松平氏の支配地域
伊勢国桑名
（村正の工房）
この間、
わずか50km!
岡崎城
（松平氏の居城）
こんなにご近所さんなら
人気も出ますよね～。

イラストテーマ：妙法村正　Illustrated by 天領寺セナ

江戸の武士をとりこにした遅咲きの刀匠

虎徹【こてつ】

活躍した時代／江戸時代前期
おもな鍛刀地／武蔵国江戸（東京都）
五箇伝流派／相州伝

江戸新刀でもっともよく斬れる元鎧職人の華麗なる転身

虎徹《こてつ》といえば、誰でも名前ぐらいは聞いたことがあるだろう、非常に有名な刀匠だ。特に、新撰組局長《しんせんぐみきょくちょう》、近藤勇《こんどういさみ》の愛刀として名高い。

虎徹の刀匠としてのフルネームは、長曽根興里入道虎徹《ながそねおきさとにゅうどうこてつ》という。もともとは近江国《おうみのくに》（現在の滋賀県）の甲冑師《かっちゅうし》だったという異色の経歴の持ち主である。江戸時代に太平の世が到来して甲冑の需要がなくなったため、武士の装身具として依然として需要があった刀を作るべく江戸で修行して、五〇才という年齢で刀匠デビューを果たしている。甲冑のことを知り尽くした虎徹の刀は、切れ味がよく美しいとたちまち大評判になった。

彼はもともと、古い釘などの鉄を使って製品を作るのが得意だからと「古鉄入道《こてつにゅうどう》」と名乗っていた。だがその後、

「ある武将が、草むらに虎を見つけてとっさに矢を命中させた。実は虎だと思ったものは石だったが、虎だと思い込んで射た矢は深々と突き刺さっていた」すなわち「一心不乱に努力すれば、一念によって石をも貫ける」

という中国の故事を知った彼は、一念発起して名刀を作り出そうと決意し、名前をこの故事から取って「虎徹」に改めたという。

愛刀家にとっては残念なことに、虎徹の刀には偽物がきわめて多い。そのため「虎徹を見たら偽物と思え」という格言が存在するほどだ。前述した近藤勇は、幕府への反乱をたくらむ武士を討ち取った「池田屋事件」で奮戦し、故郷に「拙者の刀は虎徹ゆえ、無事に御座候」と知らせたというが、このとき近藤が使った虎徹も偽造品だと思われる。この時代、本物の虎徹はあまりに高価で、浪人が買えるようなものではないからだ。近藤は生涯に三振りの虎徹を持ったというが、そのうち本物の可能性があるのは、大商人の鴻池家から贈られた一振りのみだという。

刀匠虎徹、晩年の作品

長曽根興里作【ながそねおきさとさく】

正式名称／刀《かたな》 銘《めい》 住東叡山忍岡辺《すみとうえいざんしのぶがおかのほとり》 長曽祢興里作《ながそねおきさとさく》／延宝二年六月吉祥日《えんぽうにねんろくがつきっしょうび》

全長／ー
刃長／ 69.2cm
反り／
元幅／ー
先幅／ー
造込み／鎬造り
樋／なし
刀剣博物館　蔵

反りのわずかな剣形は日本の剣術の変化を雄弁に語る

虎徹の銘にはいくつかの種類がある。「虎徹」の文字を使わないもの、虎徹の虎の字を虎の尾のようにS字状にはねさせたもの（ハネ虎）、虎の略字体である「乕」の字を使って「乕徹」と切るもの（角虎）である。本刀は虎徹銘の字を使わない一振りだ。

この刀は、刀剣愛好家、藤沢乙安《ふじさわおとやす》のコレクションから美術刀剣保存協会に寄贈された。延宝二年（一六七四年）の銘があり、虎徹が七八才のときの作品とわかる。この老年でこれだけのみごとな刀を打つのであるから脱帽するほかない。虎徹の刀は「どの刀も優秀な切れ味を示す刀匠」のみに贈られる「最上大業物《さいじょうおおわざもの》」と評価されており、それは晩年の作品であっても変わらないのだ。

虎徹の刃文は数珠刃《じゅずば》といい、数珠を連ねたような波打つ刃文を焼くことが多い。この刀はまっすぐな直刃《すぐは》調だが、随所に数珠刃があらわれる。反りが浅いのは虎徹と同時期の刀匠全体に見られる特徴である。この時代は、剣術の訓練が実戦剣術から竹刀を使った道場剣術に変化しつつある時期だった。竹刀には構造上反りをつけることができないので、普段練習に使う竹刀と同じ感覚で使えるように、真剣のほうも反りが小さいものが求められた。こういった日本刀の姿の転換は江戸時代の開始から六〇年後、寛文の時代に本格化したため、この形は「寛文新刀《かんぶんしんとう》」と呼ばれている。

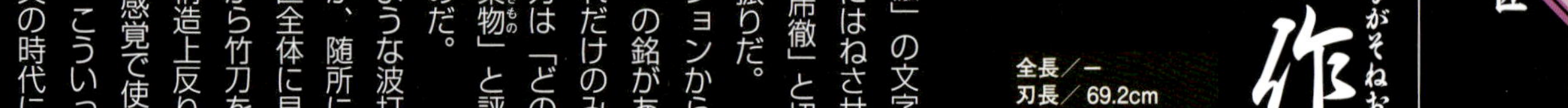

イラストテーマ：虎徹　Illustrated by 祀花よう子

天下五剣「童子切安綱」を打った伝説の刀工

伯耆安綱

【ほうきやすつな】

活躍した時代／平安時代後期
おもな鍛刀地／伯耆国大原（鳥取県米子市）
五箇伝流派／なし

安綱は、古くから鉄の製造が盛んな土地であった伯耆国《ほうきのくに》の大原（現在の鳥取県伯耆町周辺）に住んでいた刀匠で、通称は三郎太夫《さぶろうだゆう》など多数あるが、伯耆安綱、大原安綱《おおはらやすつな》と呼ばれることが多い。

安綱が有名である理由は、出来映えのよさだけでなく、日本最初期の刀匠であることと、「天下五剣」に数えられている刀で、源頼光の酒呑童子退治のとき、その首を落としたという伝説の残る業物「童子切安綱《どうじきりやすつな》」（⬇一八ページ）の存在が大きいだろう。

最初期の刀匠ということもあり、現存する作品こそ一〇振に満たないのだが、そのほとんどに共通する作風として、元幅に比べて先幅が細く、弓のように反った「踏ん張りの強い」刀身と、細い鋒《きっさき》、板目肌（⬇九〇ページ）の地肌があげられる。そして茎《なかご》に切られる銘は「安綱」の二文字である。安綱の後継者として、安綱の子と伝わる大原真守《おおはらさねもり》、安家《やすいえ》、有綱《ありつな》などがあげられる。

下の写真は、アメリカの日本美術研究家ウィリアム・ビゲローの収集品としてアメリカのボストン美術館に収蔵されている、安綱の数少ない在銘品である。平安、鎌倉時代特有の荒さの見られる地鉄に、細くてまっすぐな刃文が焼かれ、反りは平安時代の太刀としてはやや抑え気味である。一八ページの童子切と比較すると、同一作者でも作風にかなりの違いが出ることがよくわかるだろう。

代表刀剣名称／太刀　銘　安綱
【たち　めい　やすつな】

《重要文化財》
全長／ー
刃長／ー
反り／ー
元幅／ー
先幅／ー
造込み／鎬造り
樋／なし
ボストン美術館　蔵

筑前の名品「左」一文字

左文字

【さもじ】

活躍した時代／鎌倉後期～江戸末期
おもな鍛刀地／筑前国（福岡県西部）
五箇伝流派／備前伝、山城伝

銘を「一」と切る刀匠が「一文字」なら、銘を「左」と切る刀匠は「左文字」である。刀匠一派「左文字」は、筑前国《ちくぜんのくに》（現在の福岡県北部）で鎌倉時代後期ごろから活躍した。創始者は左安吉《さのやすよし》という刀匠で、名匠正宗の弟子だったという伝説のある人物だ。

室町時代の刀剣資料『能阿弥本《のうあみぼん》』の逸話によれば、左文字の刀は地肌がきれいだったので、一時期師匠の正宗よりも左安吉への注文が多かったという。正宗はこれに嫉妬して安吉を追放した。安吉はその後もこっそり鍛刀を続けていたが、正宗を恐れて刀に銘を切らず、刃文も正宗に教わった相州伝《そうしゅうでん》ではなく、備前風《びぜんふう》、山城風《やましろふう》に焼いたという。こうして逃亡しながらの作刀生活を続け、最終的に九州に腰を落ち着けたのだ。この逸話が真実かどうかはわからないが、江戸時代の銘刀解説書『享保名物帳《きょうほうめいぶっちょう》』では一九振りの「左文字」の刀が紹介されていることから、左文字が正宗にそう負けない名人であったことは疑う余地がない。

下の写真は二代目左安吉の作品で、一柳直盛《いちやなぎなおもり》という武将の愛刀だったことから名前がつけられている。初代安吉の場合は、表に「左」、裏に「筑州住《ちくしゅうじゅう》」と切るのが普通である。なお左文字の後継者には筑後国から移住した者も多く、その場合は表に「左」、裏に「●●住」と切るのが一般的である。

代表刀剣名称／短刀　銘左安吉（名物一柳安吉）
【たんとう　めいさのやすよし　めいぶつひとつやなぎやすよし】

《重要文化財》
全長／ー
刃長／32.0cm
反り／0.2cm
元幅／ー
先幅／ー
造込み／平造り
樋／刀樋
東京国立博物館　蔵

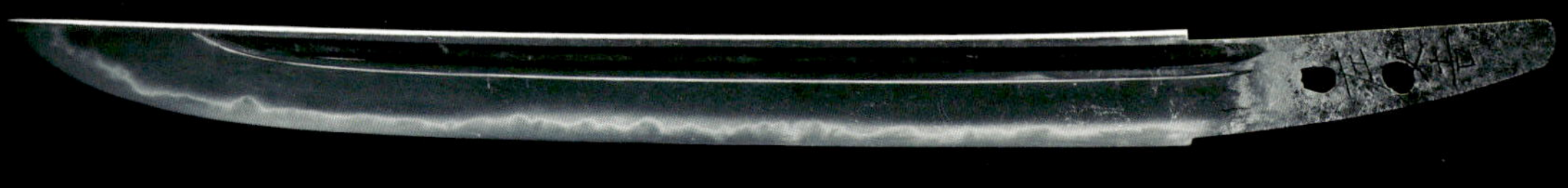

刀工一派「古備前派」の祖

備前友成【びぜんともなり】

活躍した時代／平安時代後期
おもな鍛刀地／備前国（岡山県南東部）
五箇伝流派／備前伝

京の三条宗近《さんじょうむねちか》、伯耆《ほうき》の安綱《やすつな》と並んで、日本最古の三名匠「三作」のひとりに挙げられる友成は、同じく刀匠で父でもある備前実成《さねなり》とともに一条天皇《いちじょうてんのう》の勅命によって召されたという、当時の天皇家お抱えの名匠である。友成の銘のある刀は多数現存しており、歴史に名を残す名刀はもちろん、国宝や重要文化財、重要美術品に指定されている作品も多いのだが、それぞれの銘振りがやや異なっているところから、平安時代後期から鎌倉時代にかけて、同じ「友成」の銘を持つ、同じく腕のよい刀匠が複数いたと考えられている。

友成を祖とする「古備前派」は、平安時代から鎌倉時代まで続き、その後は一文字派（⬇一二八ページ）や長船派（⬇一三〇ページ）などの流派へと派生している。また、古備前派の技術は「備前伝」と呼ばれ、新々刀時代までその技法が伝えられていた。

ここで紹介している「太刀　銘　友成作」は、嚴島神社《いつくしまじんじゃ》の社伝によれば、平家の武士、平教経《たいらののりつね》が同社に寄贈したものとされているが、他にも平宗盛《たいらのむねもり》が奉納したものである、という説も存在している。どの説が正しいのかは今となっては不明であるが、平家の武士の寄贈品であることは間違いない。本刀は古い時代に奉納されて以来、大切に保管されていただけのことはあり、専門家からは「保存がよく、地刃の出来が優れている」と高い評価を受けている。

代表刀剣名称／太刀　銘　友成作【たち　めい　ともなりさく】

《国宝》
全長／79.4cm
刃長／59.7cm
反り／3.0cm
元幅／3.0cm
先幅／1.9cm
造込み／鎬造り
樋／あり
嚴島神社　蔵

写真提供　株式会社便利堂

数多くの贋作と伝説が残る謎多き名匠

郷義弘【ごうのよしひろ】

活躍した時代／南北朝時代
おもな鍛刀地／越中国松倉郷（富山県魚津市）
五箇伝流派／相州伝

天下人・豊臣秀吉は名刀の蒐集家《しゅうしゅうか》であり、なかでも京の吉光、鎌倉の正宗、そして越中《えっちゅう》の義弘、通称「郷義弘」の刀をこよなく愛し、この三者の作品はのちに「天下三作《てんかさんさく》」と呼ばれた。

だが、今に伝わる郷義弘の作品はそもそも数が少なく、そのすべてが、刀剣の専門家“本阿弥家《ほんあみけ》”が「この刀は郷義弘の作品である」ときわめた（鑑定した）無銘の刀のみであり、確実に郷義弘が手掛けたと証明できる刀はひとつも現存していないのだ。

だが、郷義弘と認められた刀が本阿弥家お墨付きの逸品であることに間違いはなく、大名や武家たちはこぞって郷義弘を求めた。当然、需要と供給が釣りあうわけもなく、正宗と同じように、何でもない無銘の刀に義弘の銘を入れただけの偽物が大量に出回る、という事態が起きてしまっている。この現存作の少なさと偽物の多さは「江《ごう》（郷義弘の刀）と化け物は見たことがない」という言い回しで揶揄《やゆ》されるほどであった。

そもそも、郷義弘自身に謎が多い。名前や出生、その生涯にも諸説ある上、生没年、作刀数、郷義弘とされる刀は本当に義弘によるものなのか、不明瞭な点があまりにも多すぎるのだ。だが名だたる名匠たちがこぞって「義弘の作品」を参考に刀を打ったことも事実であり、本阿弥家が義弘作と定めた刀が、江戸時代の名匠をも魅了した業物ぞろいであることだけには間違いがない。

代表刀剣名称／刀　金象嵌銘義弘本阿（花押）／本多美濃守所持【かたな　きんぞうがんめいよしひろほんあかおう　ほんだみののかみしょじ】

《重要文化財》
号／桑名江（くわなごう）
全長／ー
刃長／69.4cm
反り／2.4cm
元幅／ー
先幅／ー
造込み／鎬造り
樋／なし
京都国立博物館 蔵

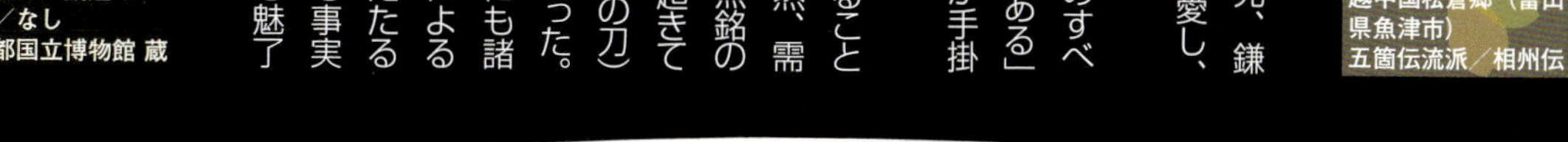

数多くの名刀を生み出した刀匠一族

来派【らいは】

活躍した時代／鎌倉中期〜大正時代
おもな鍛刀地／山城国（京都府南部）
五箇伝流派／山城伝

来派は鎌倉時代中期から栄えた一派で、山城国（現在の京都府南部周辺）に居を構えた。その祖は名匠「国行《くにゆき》」で、他に著名な一派に来国俊《らいくにとし》、来国光《らいくにみつ》、来国次《らいくにつぐ》などがいる。

「来」の由来については諸説あり、先祖が高麗《こうらい》から来たから来である、朝廷の守護兵「来目部《くめべ》」から来であるなどさまざまだが、現在もっとも有力視されているのは「来国行は異国から来た職人なので、朝廷より来という姓を賜った」という説である。

また、来国俊の子である了戒《りょうかい》から派生した九州の筑紫《つくし》了戒や、のちに信国派の祖となる、了戒の弟子である筑紫信国は来派の系統である。それら流派のなかにはかなりの近代まで続いたものもあり、日本刀の歴史のなかで来派の技術は長く伝えられることとなった。

下写真の太刀を作ったのは「来国光」という鎌倉時代末期の名匠であり、現存作は太刀から短刀まで幅広くかつ数も多い。また、本太刀は「磨《す》り上げ」という、茎《なかご》の部分を切り詰めて刀身を短くする改造がなされているため、作られた当時よりも短くなっている。

一般的に、磨り上げを行った刀は見栄えが悪くなったり、銘が途切れるなどの弊害を受けてしまうのだが、来国光の打ったこの刀はそれでも出来がよく、「磨り上げながらも健全無比の完全さである」という評を得ている。

代表刀剣名称／太刀　銘　来国光【たち　めい　らいくにみつ】

《国宝》
全長／80.6cm
刃長／59.4cm
反り／3.3cm
元幅／3.0cm
先幅／2.2cm
造込み／鎬造り
樋／あり
九州国立博物館　蔵

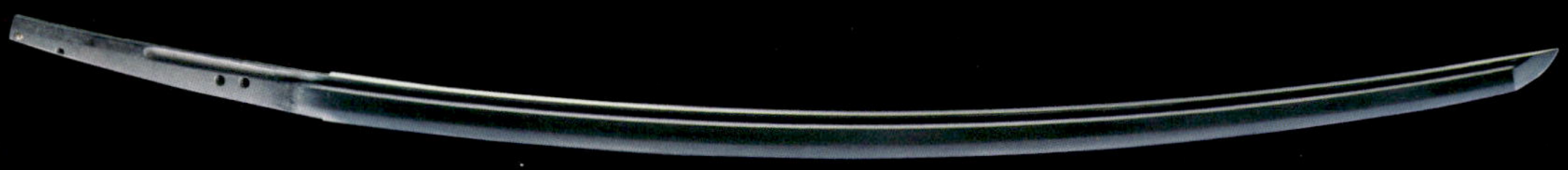

「折れず曲がらず」を地で行く剛刀

同田貫【どうたぬき】

活躍した時代／室町末期〜明治時代
おもな鍛刀地／肥後国菊池郡（熊本県菊池郡）
五箇伝流派／備前伝、山城伝

同田貫派は肥後国《ひごのくに》（現在の熊本県）に居を構えた、来派（上参照）を祖とする刀匠「延寿《えんじゅ》」から派生した刀匠一族である。初代は下の写真の刀を作った正国《まさくに》（のち上野介）で、朝鮮遠征で虎と戦った逸話で有名な「加藤清正《かとうきよまさ》」に召し上げられてお抱え刀匠となり、さらに同田貫が熊本城の常備刀とされたこともあって、現代まで数多くの作刀が残されている。だが、加藤家が改易（取りつぶし）となり、代わりに細川忠利《ほそかわただとし》が入国したあとはその勢力を衰退させていき、一時は鍛刀技術自体が失われるまでにおちいった。

これを再興したのが同田貫派九代目の正勝で、彼は名匠・薩州正《さっしゅうまさ》幸《ゆき》から鍛刀の術を習得し、初代とは作風こそ違うものの新々刀の時代に同田貫派を復活、一〇代宗広《むねひろ》、一一代宗春《むねはる》に至り同田貫を繁栄させたのである。初代正国以後でもっとも有名なのは一〇代目の宗広で、通称を寿太郎、または延寿太郎と称していた。

同田貫の刀は、残念ながら美術品としての評価は高くないが、これは装飾をまったく加えないためだ。見た目にはこだわらず、「剛健にして折れず曲がらず」という実用本位が同田貫の特徴である。明治時代初期には、榊原鍵吉《さかきばらけんきち》という剣豪が、鉄兜を割る演武をするためにわざわざこの刀を用意し、みごとに折れずに兜を貫通した。同田貫の圧倒的な強度と鋭い切れ味を象徴するエピソードだ。

代表刀剣名称／刀　銘　九州肥後同田貫上野介【かたな　めい　きゅうしゅうひごどうたぬきこうづけのすけ】

全長／ー
刃長／71.1cm
反り／中反り　2.3cm
元幅／ー
先幅／ー
造込み／鎬造り
樋／なし
玉名市立歴史博物館こころピア　蔵

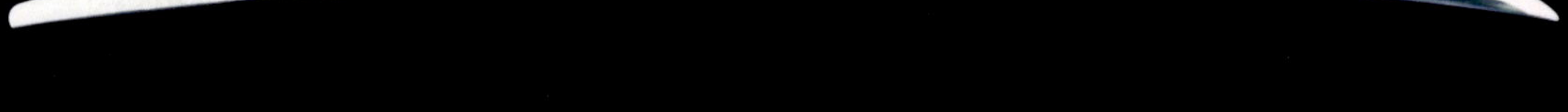

在銘稀少な幻の名匠

三池典太光世【みいけてんたみつよ】

活躍した時代／平安末期～南北朝時代
おもな鍛刀地／筑後国三池（福岡県大牟田市）
五箇伝流派／大和伝

平安時代末期に生まれ、南北朝時代まで六代続いた「三池派」の初代である「三池典太光世」。筑後国《ちくごのくに》三池（現在の福岡県大牟田市周辺）に居を構え、六代とも全員が「光世」の同銘である。各代にはそれぞれ異なる通称があったという説があるのだが、光世の刀の銘に通称まで切られているものは非常に稀であるため、この区別にはほとんど意味がない。

光世の刀は、手元で大きく反り、切先は猪首《いのくび》状（幅広くずんぐり太い）。日本刀のすらりと細長いイメージとは異なる、切先までの全身が太いところが特徴である。ほか、幅の広く浅い樋《ひ》は「三池の打ち樋」と呼ばれており、これは彫るのではなく、頭の丸く小さい鎚で叩いて作ったもの、と考えられている。

天下五剣のひとつ「大典太光世」（⬇二〇ページ）と称される国宝の名刀とともに広くその名を知られている光世だが、その知名度とは裏腹に、三池六代のいずれかが確実に手掛けた作品とされるのは、先述の大典太と、このページで紹介している本妙寺宝物館の「短刀　銘光世」のわずか二振りのみである。

光世の刀に邪気を払う力がある、妖怪を退けた、などの神秘的な逸話が数多く伝わっているのは、現存する刀の数が少ないことも理由のひとつにあるのかもしれない。

代表刀剣名称／短刀　銘光世【たんとう　めいみつよ】

《重要文化財》
全長／ー
刃長／26.7cm
反り／なし
元幅／2.6cm
先幅／1.9cm
造込み／平造り
樋／打ち樋
本妙寺　蔵

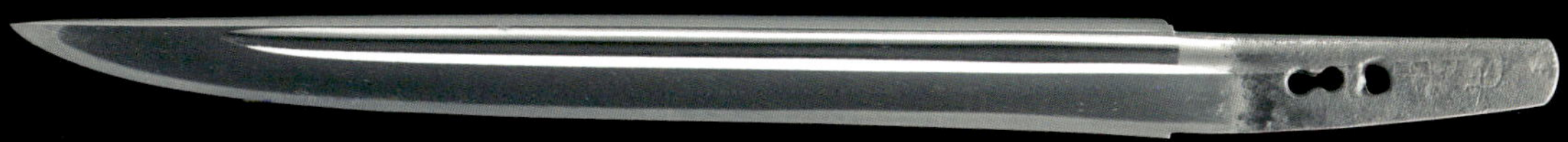

新刀屈指の巨匠

津田越前守助広【つだえちぜんのかみすけひろ】

活躍した時代／江戸時代前期
おもな鍛刀地／摂津国大坂（大阪府大阪市）
五箇伝流派／相州伝、新刀特伝

江戸時代初期、のちに「新刀」と呼ばれる作刀が盛んになったころ、日本を代表する刀匠とされた三人のうちのひとり（のこりのふたりは「虎徹《こてつ》」（⬇一四二ページ）と「井上真改《いのうえしんかい》」（⬇一四八ページ）である）。若干一七才にして銘ありの作刀を許された早熟の天才で、大坂城代のお抱え刀工として取り立てられた。四七才で亡くなるまでに一七〇〇あまりの刀を打ったという多作な刀匠であった。

助広が新刀の代表と呼ばれるのは、後世に大きな影響を与えた新しい刃文を開発したことが大きい。これは「濤瀾乱《とうらんみだ》れ」といって、「互の目乱れ」の一種だが、より大きく刃文が動き、荒波のように見える刃文である。日本刀の刃の模様と聞いて、真っ先にイメージするであろうこの模様こそが助広が発明した濤瀾乱れで、日本人の常識となるほど広く定着した刃文なのである。下の写真の刀も典型的な「濤瀾乱れ」の刃文になっている。

助広は作刀時期によって三種類の銘を切り分けている。初期は単に「越前守助広」などと切っていたが、一六六七年、三一才になってから楷書体で「津田越前守助広」と切るようになった。一六七二年からは、津田の田の字を四角い楷書体ではなく、〇（丸）の中に十を切る崩し字に変えたため、前者を「角津田《かくつだ》」、晩年期の崩した銘を「丸津田《まるつだ》」と呼んで区別している。

代表刀剣名称／刀　銘　津田越前守助広／延宝五年八月日【かたな　めい　つだえちぜんのかみすけひろ　えんぽうごねんはちがつひ】

全長／ー
刃長／69.7cm
反り／ー
元幅／ー
先幅／ー
造込み／鎬造り
樋／棒樋
東京国立博物館　蔵

十六葉菊花紋《じゅうろくようきっかもん》を許された朝廷お墨付きの名匠

井上真改【いのうえしんかい】

活躍した時代／江戸時代前期
おもな鍛刀地／摂津国大坂（大阪府大阪市）
五箇伝流派／相州伝、新刀特伝

江戸時代前期に摂津国《せっつのくに》（現在の大阪府）で活動した井上真改《いのうえしんかい》は、江戸時代に作られた刀を指す新刀《しんとう》を代表する刀工であり、俗に「大《おお》阪正宗《さかまさむね》」と呼ばれる豪華な作風の名匠である。同銘《どうめい》を切った父と区別するため、真改の作は「真改国貞《しんかいくにさだ》」とも呼ばれる。

彼は父の死後に二代目「国貞」の名を襲名し、また藩主の命で「和泉守《いずみかみ》」を受領したため「井上和泉守国貞《いのうえいずみのかみくにさだ》」の銘を切っていた。その腕前は朝廷にも認められており、献上した刀の出来を朝廷から賞賛された彼は、刀に通常の銘に加えて、天皇家の御紋である十六《じゅうろく》葉菊花紋《ようきっかもん》を切ることを許された。下の刀の裏面にもこの菊花紋があり、彼の名声が高まったあとの作品であることを示している。

だがある日のこと、国貞は儒教《じゅきょう》を研究する儒学者の熊沢蕃山《くまざわばんざん》から「たかが刀鍛冶ごときが一国の太守《たいしゅ》（和泉守）を名乗るとは分不相《ぶんふそう》応《おう》ではないか」と諭《さと》された。国貞はそれに同意し、蕃山に新しい名前をつけてほしいと頼み「井上真改」に改名。刀の銘も井上真改と切るようになったのだ。

ただし国貞が井上真改に改名するのと前後して、彼は藩主の許可がなければ刀を作れない「御留鍛治《おとめかじ》」になったため、井上真改と銘を切った刀は、それ以前とくらべて稀少なものになっている。

代表刀剣名称／刀　銘　井上和泉守国貞／菊紋
寛文五年八月日【かたな　めい　いのうえいずみもりくにさだ　きくもん　かんぶんごねんはちがつにち】

全長／76.2cm
刃長／ー
反り／1.2cm
元幅／3.26cm
先幅／2.31cm
造込み／ー
樋／なし
倉敷刀剣美術館　蔵

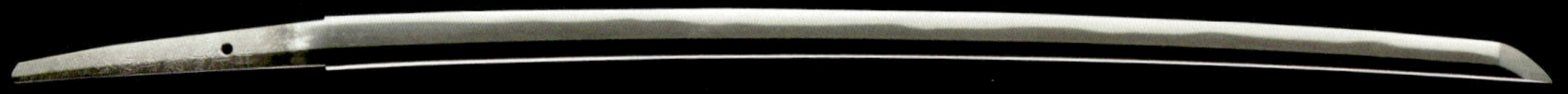

鍛刀技術の衰退に一石を投じた新々刀の祖

水心子正秀【すいしんしまさひで】

活躍した時代／江戸時代後期
おもな鍛刀地／武蔵国江戸（東京都）
五箇伝流派／大和伝、備前伝、相州伝、新刀特伝

江戸時代後期に活躍した刀匠《とうしょう》、水心子正秀《すいしんしまさひで》は、少年のころからさまざまな刀匠《とうしょう》の元で鍛刀の技術を学んだ後、山形藩《やまがたはん》（現在の山形県）藩主である秋元永朝《あきもとつねとも》に召し抱えられた。

彼は刀匠である以上に、泰平《たいへい》の世における日本刀の衰退《すいたい》に強い危《き》惧《ぐ》を感じ、古き良き日本刀の技術を復活させようとさまざまな活動を行ったことで知られている。古刀の研究を続けながら、歴史に名を残す数々の名匠の子孫たちに教えを請い、特に正宗《まさむね》の子孫に関しては弟子入りまで行い、秘伝書を授けられるほどであった。また、刀匠を目指す者に弟子入りを乞われれば快《こころよ》く応じ、さらにはその鍛刀技術を数十冊の本にまとめて惜しみなく公開したのである。

こうして開眼したのが、古刀復興を目指す「新々刀《しんしんとう》」と呼ばれる作風である。だが、あまりにも「昔の刀のほうが優秀である」という考えにとらわれ過ぎていた所があり、実際に古刀《ことう》と同じやり方で玉鋼《たまはがね》を作り、それで刀を作ってみたものの、できあがった刀は新刀と変わらないどころか、むしろそれよりも劣ってしまっていた。ただし、強い刀を取り戻そうという信念によって行われたこの行動は決して無駄なものではなく、弟子たちやその後の鍛刀技術に大きな影響を与えている。

代表刀剣名称／刀　銘　水心子正秀
出硎閃々光芒如花　二腰両腕一割若瓜【かたな　めい　すいしんしまさひで　とぎだせばせんせんたるこうぼうはなのごとし　ふたこしりょうわんいっかつすることうりのごとし】

全長／ー
刃長／69.4cm
反り／1.3cm
やや反高
元幅／ー
先幅／ー
造込み／鎬造り
樋／ー
刀剣博物館　蔵

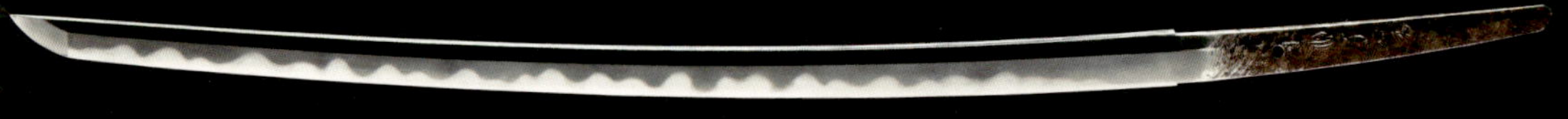

日本刀文化入門

お師匠様、カグヤはやりとげました！
由緒ある名刀を知り、日本刀の歴史を知り、天下の名匠を学びました。
こんどこそカナヤゴ様のお名前をつぐことができるでしょうか？

何を言っておる。お前は日本中の鍛冶にたずさわる人間の信仰を集めなければいけないのだぞ。まだまだ勉強と修行が足りんよ。

ううっ、鍛冶神への道は、こんなにも奥深く険しいのですね……。
わかりました。お師匠様、カグヤは覚悟を決めました！　あとは何を身につければいいのでしょうか？
教えてくださいっ！

うむ、よい返事だ。最後にお前に教えるのは、日本刀そのものや、日本刀の過去の話ではなく、いま現在生きている日本刀という文化だ。
どんな人が刀を作り、刀を愛しているのか、生きた文化である日本刀を学びなさい。

はい、わかりましたお師匠様！
ぜひともご教授お願いします!!

この章はどう楽しめばいいの？

みんなー？　またまた登場、日本の主神、アマテラスお姉さんだよ～！

ヒノカグ兄さんとカグヤちゃんは「鍛冶神カナヤゴの名跡をつぐために」日本刀の文化をぜーんぶまとめて身につけることにしたみたいだけど、みんなはそこまで肩肘張って全部やろうとしなくていいからね？

日本刀は、我が国が誇る芸術であり文化なんだ。刀剣の文化を受け継いできた人たち、刀剣を愛好している人たちに対する敬意の心を忘れなければ、どんな楽しみ方をするのも自由だよ！

お姉さんがおすすめするのは、まずは鑑賞から始めることかな。日本刀に対する知識が増えて、興味が深くなっていったら、もっと進んだことにも手を出してみるといいと思うよ！

以上、アマテラスお姉さんからの提案でしたっ！

日本刀のいろんな楽しみ方！

日本人とは幸せな国民だな、この美しい日本刀をいちばん間近で楽しむことができるのだから。
もっとも、ひとことで楽しむといってもいろいろな形があるが。

「いろいろな形」って、どんなものでしょうか？
お師匠様！　カグヤに日本刀の楽しみ方を教えてください！

日本刀の3つの楽しみ方

刀匠になる！

日本刀を作る職人「刀匠」は、現在日本に約300人ほど。あなたも修行を積み、知識と技術を身につければ、日本文化の担い手である刀匠になることができるのです！

172ページへ！

手に入れる！

日本刀を自分の財産にするのに、特別な免許などは不要です。誰でもあなただけの愛刀を手に入れることができます。ここでは自分の日本刀を購入する方法を紹介します。

160ページへ！

見て楽しむ！

日本刀は、その美しさを楽しむ美術品です。日本には、実物の日本刀を鑑賞できる場所がいくつもあります。日本刀を鑑賞するために必要な基礎知識を紹介します！

151ページへ！

すごいですお師匠様！　展示されている日本刀を見るだけだと思っていたら、ほかにもいろんな楽しみ方があるのですね！
こうなったら全部やってみたいです、お師匠様、カグヤに教えてください！

日本刀を見に行こう！

よいかカグヤ。鍛冶の女神カナヤゴを襲名するなら、日本刀についての豊富な知識が求められる。まずは一振りでも多くの刀を見てくるのだ。どの刀にも独特の個性があるから、その違いをたっぷりと楽しんできなさい。

はい、お師匠様！　どんな日本刀に出会えるのか、とても楽しみです！
ところでお師匠様、日本刀はどこに行けば鑑賞できるんでしょうか？

うむ。ワシが勧めるのはふたつある。
日本刀を展示している博物館に行くことと、刀剣関連の団体などが主催している「刀剣鑑賞会」に参加することだ。

日本刀を見るなら「博物館」か「刀剣鑑賞会」で！

日本刀を鑑賞する方法は、大きく分けて２種類あります。ひとつは、刀剣を所有している博物館に行くことです。博物館のなかには「常設展示」といって、保有している日本刀を、休館日以外毎日欠かさず展示しているところがあります。こういった博物館なら、訪問すればいつでも日本刀を鑑賞できます。

刀剣鑑賞会は、刀剣関連団体などが主催している集まりで、団体が保有する、あるいは一時的に借りた刀剣を、手に持って鑑賞しようという集まりです。参加するためには事前の申し込みが必要ですが、複数の日本刀を間近で見て、触れられる貴重な機会となっています。

博物館はここがイイ！

有名な名刀を鑑賞できる！

「国宝」や「重要文化財」のような、普通の刀剣ファンには手が届かないような名刀も、博物館でならたっぷり鑑賞することができます！

いつでも見られる！

刀剣鑑賞会は毎日やっているわけではありませんが、博物館なら時間が取れたら、いつでも見に行けます。日時を問わない気軽さがポイントです！

刀剣鑑賞会はここがイイ！

手にとって見られる！

江戸時代や室町時代に作られた、長い歴史を持つ日本刀を実際に手にとって見ることができるのが、刀剣鑑賞会の最大の魅力です！

刀剣仲間ができるかも！

同じ趣味を持つ友達の存在は、誰にとってもうれしいもの。刀剣好きばかりが集まる鑑賞会なら、一緒に日本刀を楽しむ仲間ができるかも？

日本刀のことを深く知るには、できるだけ多くの刀を鑑賞することが唯一の早道よ。日本国内で公開されている刀を鑑賞するための、ふたつの方法を伝授しようではないか。

日本刀を見に行こう！

その① 博物館に行こう

日本国内には、日本刀を展示している博物館が何十館とある。なかには日本刀だけを展示する博物館もあるほどだ。こういった博物館で日本刀を楽しむ方法を教えよう。

博物館ってどんなところ？

東京にある「刀剣博物館」に来ています！この博物館は、日本刀の保存活動、鑑定書の発行などを行っている「公益財団法人　日本美術刀剣保存協会」さんが運営している、日本刀専門の博物館なんですって～！

博物館での鑑賞のポイント！

①刀剣への敬意を忘れずに！

展示されている日本刀は、数百年、あるいは千年の時を越えて受け継がれてきた貴重な文化遺産だ。刀にはそれを守ってきた日本人の思いが詰まっておる。それを大事にしている周囲の人たちに配慮し、刀剣への敬意を持って接することが大切だ。

②博物館のルールを確認

刀剣を展示している博物館にかぎったことではないが、博物館には鑑賞のためのルールが定めてあるから、入館時にそれをよく読んでおくようにな。特に館内での会話、写真撮影の可否などはしっかり確認しておくべきだろう。

③刃文や地鉄を鑑賞しよう

日本刀の美しさは「刃文《はもん》」や「地鉄《じがね》」に特に目立ってあらわれる。博物館では照明位置が固定されているので、見る側が位置を工夫して、刃文や地鉄がよく見える角度を見つけるとよいだろう。

刀剣を見るには角度がコツ！

日本刀の刃文や地鉄の模様（➡九〇ページ）は、ただ見るだけでははっきり見ることができません。特定の角度から光を当てたときだけ見えるのです。具体的な角度は一五四ページで紹介している「刀剣鑑賞会」でも教わることができます。

日本の伝統技術がぎっしり！

日本刀の魅力は刀身だけではないぞ。鞘や金具、柄などにも、美しい日本の伝統技術がふんだんに盛り込まれておるのだ。
博物館で日本刀を鑑賞するときは、これらの拵えにも目を向けることを勧めよう。

組紐《くみひも》

組紐とは、色鮮やかに染められた絹や木綿の糸を編むことで色つきの紐を作り、さらにそれを編むことで美しい模様つきの紐を作る技術です。日本刀の柄は、多くの場合、鮫皮《さめかわ》と呼ばれる「エイ」の革の上に、この組紐を巻きつけて作られています。

漆《うるし》

英語で「Japan」といえば、漆塗りの木の器をさすくらい、日本の漆技術は高く評価されています。この高い技術を使い、日本刀の鞘はほとんどのものが漆塗りの木材で作られています。

この鞘の表面には「蒔絵《まきえ》」という技法が使われています。これは漆塗りの表面にさらに漆で絵を描き、そこに金粉や銀粉をふりかけて磨くことによって、美しい金色の絵を描き出す技法です。

石川県の伝統工芸である輪島塗の器。

彫金《ちょうきん》

鐔《つば》や目貫《めぬき》などの金具類は、鉄の素材をたがねで彫って加工する「彫金」の技術で加工されます。表面には鍍金（メッキ）や象嵌《ぞうがん》（別の素材の金属をはめこむ加工）で、金や銀の装飾がほどこされる場合があります。

螺鈿《らでん》

この美しい光沢は「螺鈿」という技法で作られています。貝殻の内側にある色つきの真珠のような光沢がある部分を切り出し、周囲を漆で埋め、最後に漆ごと削り出すことでこのような美しい模様が生まれます。

うわぁ、すごいですね！
まるで日本の伝統工芸がぜんぶ詰まった宝箱みたいです！
日本刀って、こんなにたくさん見どころがある美術品なんですね！

日本刀を見に行こう！

その② 刀剣鑑賞会に行こう！

次は「刀剣鑑賞会」について話すとしよう。刀剣鑑賞会とは、日本刀を直接手に持って鑑賞できる会合のことだ。
せっかくの機会だ、カグヤもこの機会にしっかり鑑賞していきなさい。

刀剣鑑賞会ってどんなところ？

うわぁ、ずらりと日本刀が並んでいます！
これ、全部手にとって見ていいんですか⁉
どれから見るか迷ってしまいます～♪

これ、カグヤ、うれしいのはわかったから落ち着きなさい。
ここに並んでいるのはすべて刃の付いた真剣なのだぞ。万が一にも怪我などしないように、慎重に、敬意を持って取り扱うのだ。

刀剣鑑賞会のここがイイ！①

手にとって鑑賞できる！

日本刀を実際に手に持って鑑賞できるのが、刀剣鑑賞会の最大の魅力です。日本刀の重さ、鋭さ、輝きなどを、目だけではなく五感で楽しむことができるのです。

また、刀の特徴である地鉄《じがね》や刃文《はもん》を鑑賞するには、狙った角度で光に当てる必要があります。博物館では難しい角度調整を、手に持てる刀剣鑑賞会では簡単に行えます。

刀剣鑑賞会のここがイイ！②

解説が充実！

刀剣鑑賞会は刀剣の専門団体が主催している場合がほとんどです。そのため参加者が手に取っている刀がどんな刀なのか、どういう特徴があるのかなどを、主催者側のスタッフが非常に丁寧に解説してくれます。

日本刀についての知識を深めたいのなら、刀剣鑑賞会に参加して解説を聞くのは非常に有意義な体験だと言えます。

日本刀を見に行こう!

「マナー講座」を受講しよう!

うーん、お師匠様、いざ直接日本刀を持てるとなると、だんだん怖くなってきました。持ち損ねて落としちゃったらどうしましょう? それに日本刀って文化財ですよね? もしかしたら汚してしまうかもしれないですし……。

ふむ、不安に思う気持ちはわかる。それではその不安を取り除くために「刀剣鑑賞マナー講座」を受講するとよかろう。刀剣の鑑賞マナーを教えてくれるところはいくつかあるが、今回は日本刀の保存と文化振興を行っている「公益財団法人 日本美術刀剣保存協会」のマナー講座を受講させてもらおうか。

「刀剣鑑賞マナー講座」って何?

公益財団法人 日本《にほん》美術《びじゅつ》刀剣《とうけん》保存協会《ほぞんきょうかい》が行っている「刀剣鑑賞マナー講座」は、日本刀を鑑賞するときに気をつけるべきマナーを教える有料の講習会です。安全に刀を見る方法、鑑賞する刀を傷つけないための注意点などを教えています。

同協会が主催する刀剣鑑賞会に参加するためには、この講座（要事前申込）を修了する必要があります（別の組織の鑑賞会には必要ありません）。マナー講座の終了後はすぐに「刀剣鑑賞会」が始まるので、続けて参加することをおすすめします。

美術刀剣保存協会の学芸員殿いわく、日本刀は「きわめて安全な美術品」なのだという。なぜなら「誰もが危険な刃物だと理解しているから、慎重に扱うので、扱いを間違えて怪我することはめったにないから」だそうだ。気を抜かなければ安全に鑑賞できるから安心するといい。

刀剣鑑賞会を主催している団体

このページでは東京の「公益財団法人 日本美術刀剣保存協会」での刀剣鑑賞会を説明したが、刀剣鑑賞会はここだけでなく、日本中の刀剣関連組織で行われておる。同協会の下部組織や、刀剣を展示している博物館などが主催していることが多いようだな。

「日本刀 鑑賞会 ○○（お主の住む県名）」で検索を行えば、お主の近所で行っている鑑賞会が見つかるだろう。左に刀剣鑑賞会を主催している団体の一部を一覧にして紹介するので、最寄りの団体を見つけて問いあわせてみるのもよいだろう。

インターネット上で、刀剣鑑賞会の参加者を募集している団体

県名	団体名
秋田	日本美術刀剣保存協会秋田県支部
山形	日本美術刀剣保存協会庄内支部
栃木	日本美術刀剣保存協会栃木県支部
茨城	土浦亀城刀剣会
東京	日本美術刀剣保存協会
東京	日本刀文化振興協会
東京	全日本刀匠会関東支部
東京	日本美術刀剣保存協会東京都支部
東京	日本美術刀剣保存協会東京多摩支部
神奈川	日本美術刀剣保存協会鎌倉支部
千葉	日本美術刀剣保存協会千葉県東部支部
新潟	日本美術刀剣保存協会新潟支部
静岡	日本美術刀剣保存協会静岡県支部
愛知	日本美術刀剣保存協会名古屋支部
岐阜	日本美術刀剣保存協会岐阜県支部
兵庫	篠山刀剣会
岡山	日本美術刀剣保存協会岡山県支部
岡山	倉敷刀剣美術館
広島	三慶会
香川	日本美術刀剣保存協会四国讃岐支部
徳島	日本美術刀剣保存協会徳島県支部
福岡	福岡美術刀剣振興会
鹿児島	日本美術刀剣保存協会鹿児島県支部

日本刀が見られる博物館！

はーいみんなー？　また会ったね、アマテラスお姉さんだよ～♪
博物館で日本刀を見てみたいけど、
どこに日本刀があるのかわかんない！
そんなキミのために、いつでも日本刀を鑑賞できる博物館を、日本のあっちこっちから集めてきたよ。君が住んでいるところから一番近い博物館に遊びに行ってみようね♪
おっと、休館日や展示内容の変更には気をつけるんだよ～？

このページでは、日本国内に多数存在する「日本刀を所蔵している博物館」のなかから、北は東北から南は九州まで 11 館の博物館を紹介します。

紹介する博物館は、どれも「刀剣の常設展示」を行っており、開館日に足を運べばかならず日本刀を見ることができます。このページで紹介した博物館のほかにも、不定期で日本刀の展示イベントを行っている博物館、美術館は多数あります。ぜひとも自分が足を運びやすい博物館、美術館を見つけてください。

刀剣博物館《とうけんはくぶつかん》

渋谷区内の静かな市街地に立つ「刀剣博物館」は、日本刀を後世に伝えるために設立された「公益財団法人 日本美術刀剣保存協会」、通称「日刀保」が運営している博物館です。

この博物館は、日本刀を初めて鑑賞する関東地方在住の方に、特におすすめしたい施設です。所蔵刀剣は平安時代末期から現代刀に至るまでの代表作がくまなく網羅されているため、日本刀がどのように変化、発展してきたのかを知ることができます。さらに、毎月一回（八・十二月は除く）の頻度で「刀剣鑑賞マナー講座」が開催されているのも魅力です。この講座を受講して修了すれば、博物館でケース越しに鑑賞するだけでなく、直接刀を手にとって鑑賞するイベントに参加しやすくなります。

刀剣の名産地、備前の名刀ばかりを集めた「備前刀剣王国」の企画展の様子。刀剣専門の博物館だけあって、照明は刀の刃文や地鉄を鑑賞するのに最適なものが選ばれている。美しい刃文を楽しみたい。

展示室の上の階にある講堂では、初心者向けの刀剣鑑賞マナー講座や、実際に刀剣を手に持って鑑賞する「定例鑑賞会」が月に一度のペースで開催されています（参加費有料）。

アクセス

小田急線　参宮橋駅　徒歩約七分
京王新線　初台駅　徒歩約七分

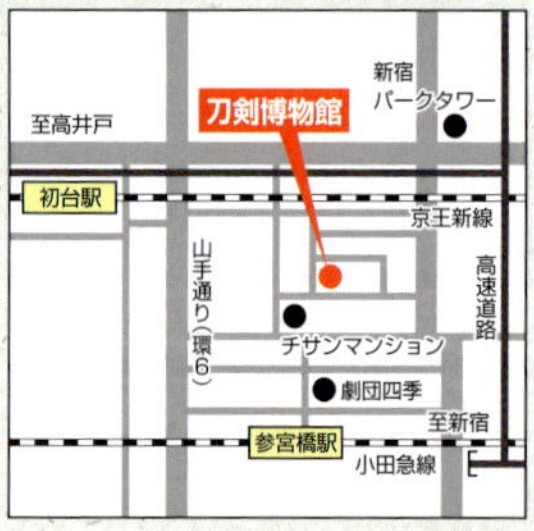

情報

住所：東京都渋谷区代々木四丁目二十五－十
電話：〇三－三三七九－一三八六
休館日：月曜日

関《せき》鍛冶《かじ》伝承館《でんしょうかん》

室町時代初期から続く「五箇伝」のひとつ「美濃伝」の作刀技術を現代に継承している岐阜県関市には、関の刃物作りを紹介する博物館があります。館内には美濃伝の代表的刀匠である孫六兼元や兼定（➡一三六ページ）をはじめ、関市ゆかりの刀剣、さらには刃物の町である関ならではの展示として、現代のカミソリやハサミ、カスタムナイフなどの「関の刃物」が展示されています。

また、本館には日本刀鍛錬場や技能実演場が併設されており、月に一回程度、古式日本刀鍛錬および外装技能師の実演が行われています。刀匠の呼吸の音まで聞こえるような近距離で、火花の飛び散る生の鍛刀を見学できる、日本でも数少ない博物館のひとつです。

鍛刀場と見学席は透明なアクリル板で仕切られており、仕切り板まで火花が飛んでくる迫力の鍛刀風景を鑑賞できます。実演の日程は伝承館にお問いあわせください。

白銀師、鞘師、研師など（➡一八一ページ）の職人の実演中は、作業の内容を職人自身が解説してくれます。美濃伝の歴史を支えた技術をくわしく知るよい機会です。

アクセス

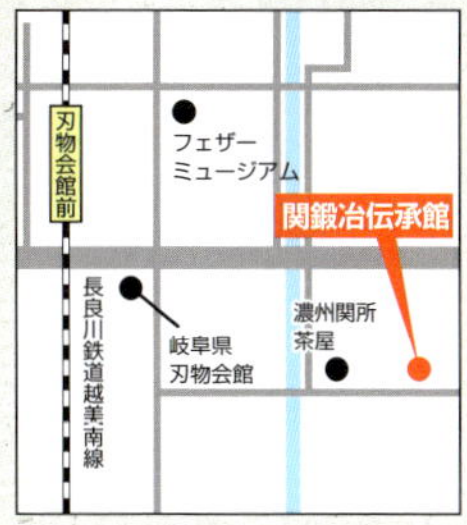

長良川鉄道　刃物会館前駅から徒歩約五分
東海北陸自動車道　関インターから車で約十分
東海環状自動車道　富加関インターから車で約十五分

情報

住所：岐阜県関市南春日町九ー一
電話：〇五七五ー二三ー三八二五
休館日：火曜日・祝日の翌日（いずれも休日を除く）

備前《びぜん》長船《おさふね》刀剣《とうけん》博物館《はくぶつかん》

室町時代以前の「古刀期」にもっとも多くの刀を世に送り出した「備前伝」の本場、岡山県瀬戸内市長船にある日本最大の刀剣専門博物館です。敷地内はただの博物館ではなく、現役の刀匠や刀職者（刀身以外を作る職人）の作業場を兼ねています。そのためこの博物館では、日本刀の職人の「展示用ではない」実際の作業を、毎日いつでも見ることができるのです。

日本刀製作技術を使った小刀などの制作体験、日本刀の手入れ法の講座など体験プログラム、そして博物館が所有する刀剣や刃物の販売スペースなどもあります。ここは、ただの博物館を大きく越えた、いわば日本刀の総合テーマパークです。

多くの実演、体験プログラムがあるのも大きな特徴です。

工房は、岡山県重要無形文化財であった故・今泉俊光刀匠が使用していたものの復元です。工房のみならず、今泉刀匠の愛用品や鍛冶道具、衣装なども公開されています。

備前の技術で鍛刀された備前小刀や彫刻刀、備前焼、漆工芸品などの長船町の伝統美術作品が常時展示販売されています。見るだけでは終わらないのが本館の特徴です。

アクセス

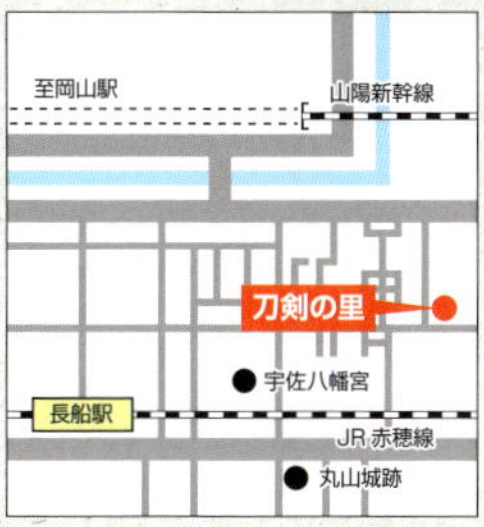

JR赤穂線長船駅　車七分
岡山ブルーライン瀬戸内IC　車十五分

情報

住所：岡山県瀬戸内市長船町長船九六六
電話：〇八六九ー六六ー七七六七
休館日：月曜日（祝日の場合はその翌日）、祝日の翌日、十二月二十八日～一月四日（年末年始）

一関市博物館《いちのせきしはくぶつかん》

現存例が非常に少ないとされている「舞草」の名がある刀など、舞草鍛冶ゆかりの日本刀が多数展示されています。

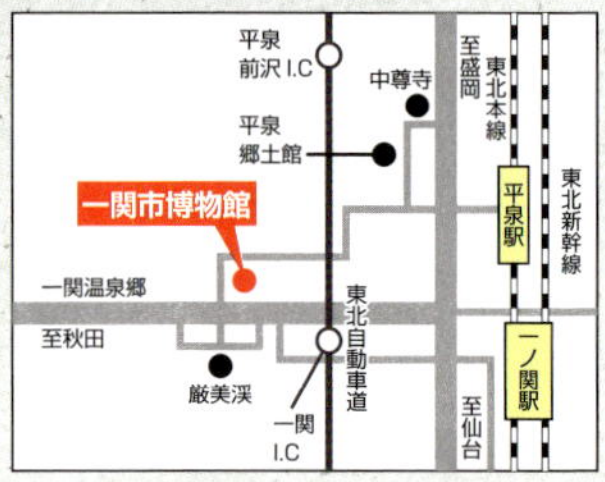

アクセス
東北新幹線・東北本線・大船渡線一関駅下車　タクシー一〇分
東北自動車道一関ＩＣ下車　七分
一関駅から岩手県交通バス「厳美渓方面」行き・「厳美渓」バス停下車　徒歩二分

本館の見どころは、もっとも古い鍛冶集団のひとつである舞草鍛冶（➡一二三ページ）と、日本刀の基礎になったとされる「舞草刀」に関連する展示です。日本刀が東北の蝦夷との戦いのなかで発案されたという説を採るなら、その流れをくむ舞草刀は、日本刀の成立と発展を知るうえで無視することができません。

また、江戸時代の一関周辺を領有していた、伊達政宗を祖とする「仙台藩《せんだいはん》」と「一関藩《いちのせきはん》」の刀匠たちの作品も展示されています。

情報
住所：岩手県一関市厳美町字沖野々二二五ー一
電話：〇一九一ー二九ー三一八〇
休館日：毎週月曜日（祝日の場合は翌日）

東京国立博物館《とうきょうこくりつはくぶつかん》

収蔵されている日本刀は定期的に入れ替えられるため、お目当ての刀がある場合は、現在の展示内容を確認しましょう。

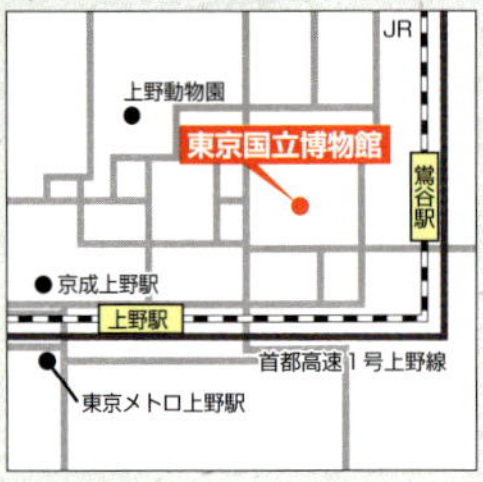

アクセス
JR上野駅公園口、または鶯谷駅南口下車　徒歩十分
東京メトロ　銀座線・日比谷線上野駅、千代田線根津駅下車　徒歩十五分
京成電鉄　京成上野駅下車　徒歩十五分
首都高速道路　上野線　上野出口五分

上野の森に広大な敷地を持つ、日本最大の博物館です。国内のあらゆる文化財、美術品が集まる本館は、もちろん日本刀についてもほかの博物館の追随を許しません。天下五剣のうち童子切安綱、三日月宗近、童子切安綱、三日月宗近の二口など、日本を代表する刀の多くが、この東京国立博物館に収蔵されているのです。関東地方に住んでいるなら一度は見ておくべき博物館といえます。

情報
住所：東京都台東区上野公園十三ー九
電話：〇三ー五七七七ー八六〇〇（ハローダイヤル）
休館日：月曜日（ただし月曜日が祝日または休日の場合は開館し、翌火曜日に休館）、年末年始

鹿島神宮宝物館《かしまじんぐうほうもつかん》

ここに収蔵されている師霊剣は、刃長二二四センチという巨大さゆえに、四分割した刀身をあとからつなぎあわせて作られたといいます。

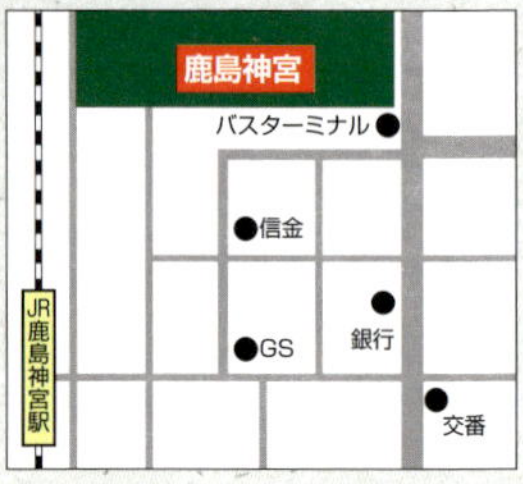

アクセス
JR鹿島神宮駅下車　徒歩一〇分
JR東京駅より高速バスかしま号鹿島神宮停留所下車

日本刀と信仰の関係を語るうえで決して外すことのできない神社、鹿島神宮が所蔵する宝を展示する施設です。日本神話の武勇の神であるタケミカヅチを主祭神とし、古くから武神の神社として武家の信仰対象になってきました。

宝物館の見どころは、神社に奉納された各時代の名刀と、国宝の直刀「師霊剣《ふつのみたまのつるぎ》」です。この刀は刀身が奈良時代、拵えは平安時代に作られた日本最古の直刀であり、日本刀の原型のひとつといえます。

情報
住所：茨城県鹿嶋市宮中二三〇六ー一
電話：〇二九九ー八二ー一二〇九
休館日：年中無休

京都国立博物館《きょうとこくりつはくぶつかん》

安家、波平行安、利恒など、名だたる名刀が数多く収蔵されており、それらは随時入れ替えて展示されています。撮影：北嶋俊治

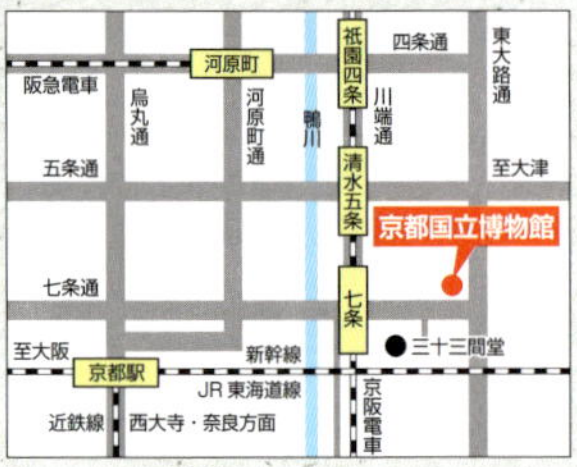

アクセス
JR京都駅下車　市バスD2のりばから二〇六・二〇八号系統にて博物館・三十三間堂前下車、徒歩すぐ
京阪電車七条駅下車　徒歩七分

東日本最大の博物館が東京国立博物館なら、西の「最大」は京都国立博物館です。収蔵されている刀剣の数こそ約五〇振りと控えめですが、国宝や重要文化財に指定された刀剣の割合で見れば、東京国立博物館にも引けを取りません。

なかでも「郷と化け物は見たことがない」とされる郷義弘（➡一四五ページ）の名刀「桑名江《くわなごう》」を収蔵しているのは特筆すべき点です。

情報
住所：京都市東山区茶屋町五二七
電話：〇七五ー五二五ー二四七三
休館日：毎週月曜日、年末年始など
※ただし、月曜日が祝日・休日となる場合は開館し、翌火曜日を休館とします。

倉敷刀剣美術館《くらしきとうけんびじゅつかん》

一階は古刀、二階は新刀や新々刀の展示スペースとなっています。施設内では刀剣の鑑定や買い取りも行っています。

ここまで紹介してきた公共性の強い博物館とは違い、倉敷刀剣美術館は私立の施設です。博物館、美術館としての機能は有しつつも、展示されている刀剣のほとんどを実際に購入することができるのです。

それでいて、収蔵されている刀は古刀から現代刀まで幅広いラインナップであり、およそ一五〇振りの日本刀を展示、販売しています。なかでも備前、備中の長船や青江の刀が多いのは、岡山の倉敷ならではといえるでしょう。

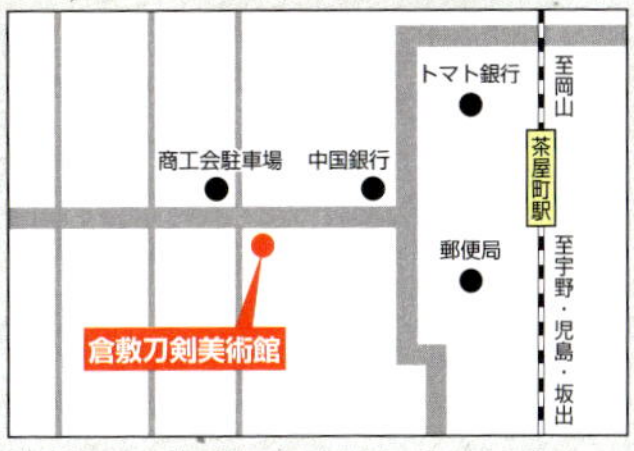

アクセス

JR西日本 瀬戸大橋線「茶屋町駅」西口より徒歩四分

情報

住所：岡山県倉敷市茶屋町一七三
電話：〇八六－四二〇－〇〇六六
休館日：月曜日 但し月曜が祝・祭日の場合は翌日休館

和鋼博物館《わこうはくぶつかん》

和式の鋼とその歴史を展示する博物館なので「和鋼博物館」。日本の製鉄の歴史を学べる貴重な資料が多数展示されています。

日本刀の材料は「たたら吹き」という技術で砂鉄から作られる「玉《たま》鋼《はがね》」という鋼鉄です。和鋼博物館は、古来より砂鉄の産地として日本全国に玉鋼を輸出していた島根県に位置し、たたら製鉄の歴史や実物のたたら炉など、日本の製鋼文化の関連物品を展示しています。

もちろん日本刀の展示もあり、伯《ほう》耆《き》安綱《やすつな》、石見直綱《いしみなおつな》の太刀や、古墳時代の刀である素《そ》環頭《かんとう》大刀《たち》の復元刀、甲冑などを鑑賞できます。

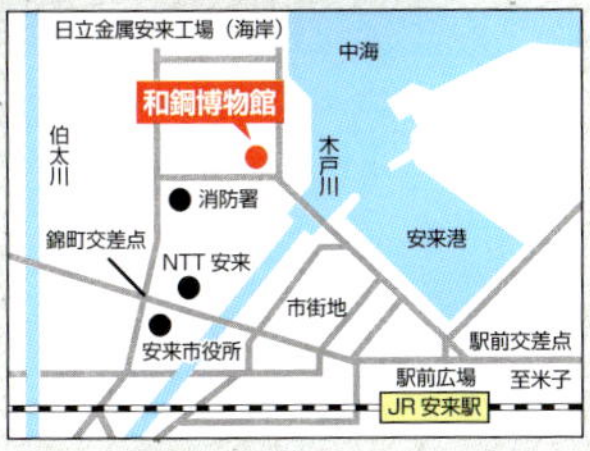

アクセス

JR安来駅下車 徒歩十五分
山陰道安来ＩＣ下車 車で十分

情報

住所：島根県安来市安来町一〇五八
電話：〇八五四－二三－二五〇〇
休館日：水曜日（祝日と重なった場合は翌日）年末年始（十二月二十九日から一月三日まで）

大山祇神社《おおやまつみじんじゃ》

源義経、木曽義仲、武蔵坊弁慶など、教科書に登場する人物の奉納品が、館内に展示しきれないほど収められています。

大山祇神社が建つ大三島は「国宝の島」と呼ばれています。それは大山祇神社の宝物殿に、国宝・重要文化財指定の甲冑の大半が収蔵されているのが理由です。この神社は平安時代の源氏の武士から篤い信仰を集め、奉納された多くの武具を現在に至るまで保管し続けています。

じっくり見ようと思えば丸一日欲しくなるほどの収蔵量が魅力です。大三島までの移動も簡単ではないので、余裕を持ったスケジュールでの訪問をおすすめします。

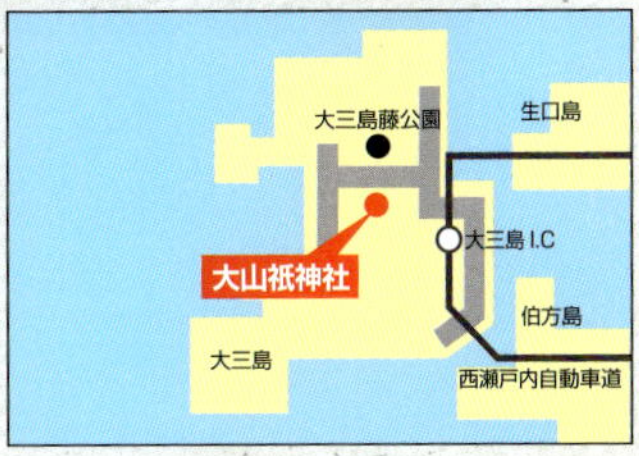

アクセス

フェリー 宮浦港下船 徒歩約十五分
しまなみ海道大三島ＩＣ下車 車で十分

情報

住所：愛媛県今治市大三島町宮浦三三二七
電話：〇八九七－八二－〇〇三二
休館日：なし

佐賀県立博物館《さがけんりつはくぶつかん》

二〇一五年夏現在、当館は隣接する美術館の改装などの影響で、日本刀の展示が不定期開催になっています。常設展は近年再開予定ですが、博物館に予定を確認して訪問しましょう。

九州方面では数少ない、日本刀が常時展示されている施設です。

佐賀県の前身「肥前国《ひぜんのくに》」は、江戸時代の刀剣書で、もっとも切れ味のよい一二名の刀匠「最上大業物《さいじょうおおわざもの》」に三名も選ばれた名匠の一族「肥前鍛冶」を輩出した地なのです。本館では肥前鍛冶の初代、肥前忠吉《ただよし》の刀をはじめとする肥前の刀剣類を鑑賞することができます。また、佐賀県の歴史と文化にまつわる豊富な展示があるのも特色です。

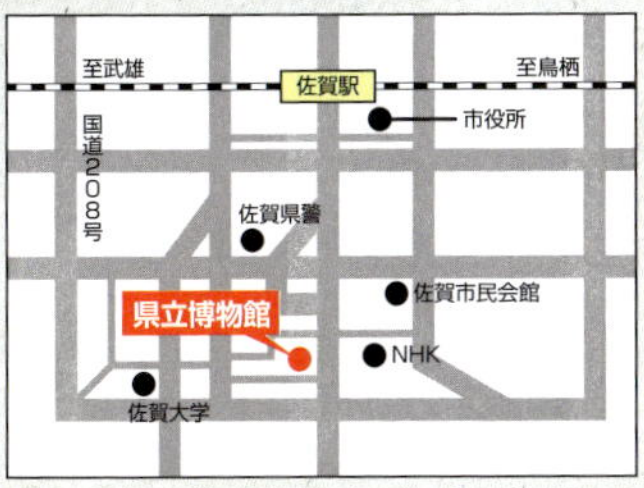

アクセス

JR佐賀駅から佐賀市営バス 約十五分
JR佐賀駅からタクシー 約十分
長崎自動車道 佐賀大和ＩＣから二十五分

情報

住所：佐賀県佐賀市城内一－一五－二三
電話：〇九五二－二四－三九四七
休館日：月曜日（月曜日が祝休日の場合はその翌平日）年末十二月二十九日～三十一日休館

日本刀を手に入れよう！

日本刀は武器ではなく〝美術品〟だ。つまり個人が所有したり売買することも、法律上許されているのだ。鍛冶の神を名乗るのであれば、日本刀の一本くらい私有していなければ格好がつくまい。自分の日本刀を手に入れるための方法を教えてやるとしようか。

わかりました、お師匠様！自分の日本刀を手に入れるってはじめてです。なんだかドキドキしますね！きょうもご教授よろしくお願いします！

日本刀へのよくある誤解に「日本刀を持つためには免許が必要だ」というものがあります。ですがこれは間違いです。実際には、日本刀を個人所有するためには一切の免許は必要ありません。

日本刀を購入した人は、刀のありかを報告し適切な管理をすれば、自由に刀剣を所有できるのです。

まずはあなたが欲しい刀を調べるため、どのような方法で刀剣を買えばいいのか、下のチャートで分析してみましょう。

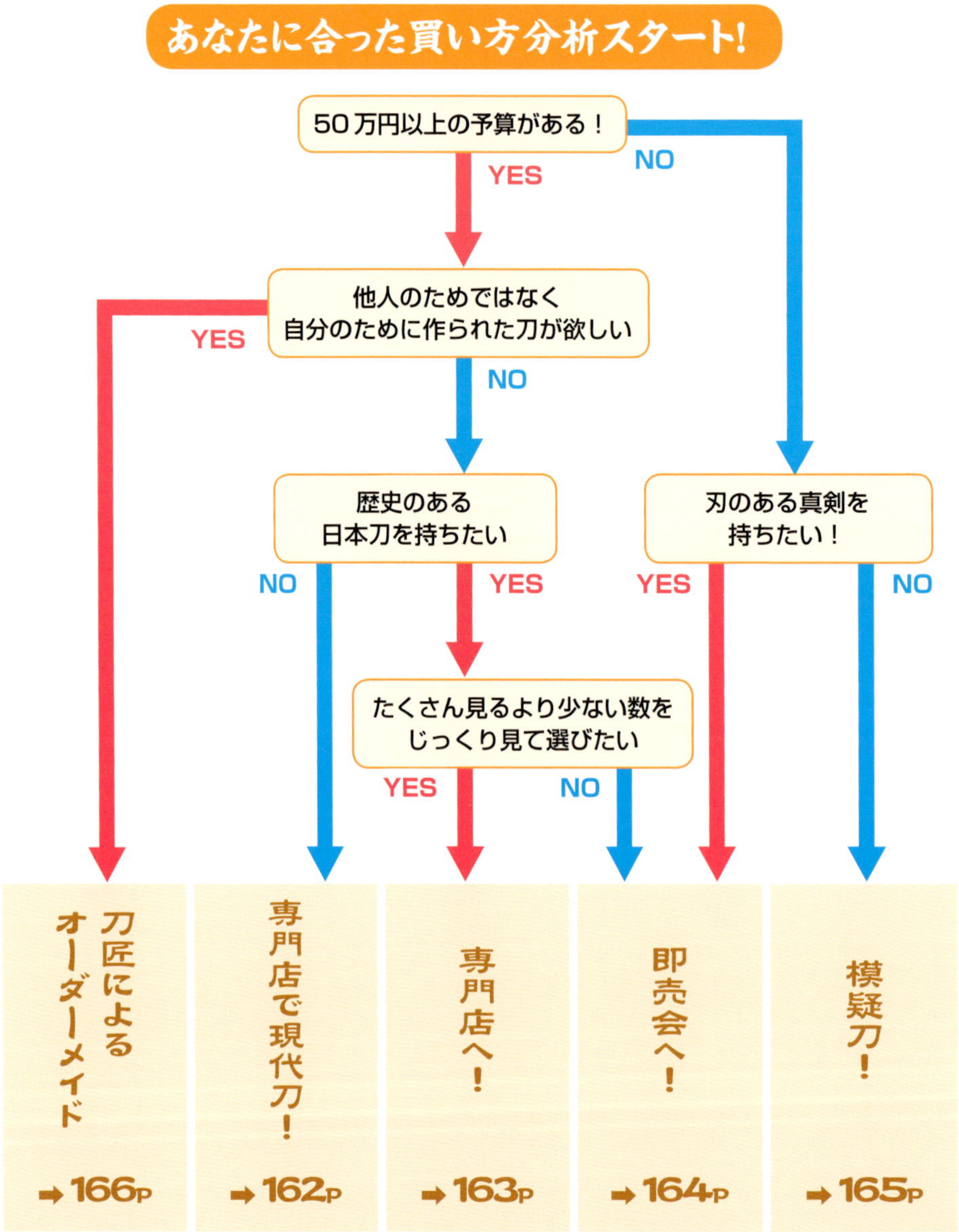

あなたに合った買い方分析スタート！
50万円以上の予算がある！
YES
NO
他人のためではなく
自分のために作られた刀が欲しい
YES
NO
歴史のある
日本刀を持ちたい
刃のある真剣を
持ちたい！
NO
YES
YES
NO
たくさん見るより少ない数を
じっくり見て選びたい
YES
NO
刀匠によるオーダーメイド ➡166p
専門店で現代刀！ ➡162p
専門店へ！ ➡163p
即売会へ！ ➡164p
模疑刀！ ➡165p

日本刀を買うには？

ふふふ、知り合いからいい刀を譲ってもらったワン！
この刃文、この姿、これぞ名刀と呼ぶにふさわしいワン。

あの～、綱吉様？　その刀の届け出は済ませましたか？
刀を買ったら「所有者変更」を届けないと、怒られちゃいますよ～！

刀を買ったら「所有者変更届出書」を出そう！

ハッ
ハッ
ハッ

① 前の持ち主から登録証を受け取ろう

日本刀には、かならず「銃砲刀剣類登録証」というものがついています。まずはこれを、前の持ち主さんから受け取ってください。

窓口

② 教育委員会に所有者変更届出書を出そう

「所有者変更届出書」を書き、「登録証」のコピーを添えて、日本刀を買ってから20日以内に最寄りの都道府県の教育委員会に提出します。郵送でもオッケーですよ！

これであなたが
正式な所有者！

③ 所有者変更完了！

しばらく待つと、教育委員会から、新しくなった「銃砲刀剣類登録証」が送られてきます。これにて所有者変更届の手続きは修了です！

「登録証」のない刀が見つかったら？

例えば古い蔵や旧家の天井裏など、戦前からそのままの場所には、登録証のない日本刀が眠っている場合がある。もしそんな刀を見つけてしまったら、教育委員会ではなく警察に電話をするのだ。警察の指示に従って刀剣を警察署に持参し、「この刀剣を所持したい」と伝えれば「刀剣類発見届出済証」を発行してもらえよう。

この証明書をもとに最寄りの教育委員会に電話で連絡すれば、教育委員会が日本刀の審査を行ってくれる。審査に合格すれば「銃砲刀剣類登録証」が発行され、晴れて刀はお主のものとなるわけだ。

日本刀を手に入れよう！

その① 刀剣専門店で買う！

想定予算：五〇万円～

お師匠様からおこづかいももらいましたし、天気もいいし、はじめて日本刀を買うにはほんとうにいい日ですね♪ ところでお師匠様、日本刀ってどこで買えばいいんですか？

ふむ。買う方法はいろいろあるが……まずは基本的なところから抑えていくことにして、日本刀の専門店に行ってみるとしよう。こちらが東京の銀座にある刀剣専門店、誠友堂様だ。

わあ、ここが日本刀の専門店さんなんですね！ ……お師匠様、なんといいますか、すご一く立派なお店で、ことなく「入りにくい」感じがするのですけど……。

どうして「専門店」は入りにくいの？

銀座《ぎんざ》誠友堂《せいゆうどう》、店主の生野《しょうの》正《ただし》と申します。実は刀剣専門店は、意図的にお店を「入りにくく」しています。理由は防犯と安全のためなんですね。店内には本物の刃の付いた日本刀が多数陳列されています。ふらっと入ったお客様が、無断で刀を抜いて振り回す、などということがあってはいけませんから、入店時にはかならず店員に声をかけていただくようにしています。「一見さんお断り」や「くわしい人以外お断り」というわけではありませんので、ぜひともご来店ください。日本刀や刀匠に敬意を払って接してくださるお客様なら、どんな方でも歓迎いたします。

店内では、**刀身を見ながらしゃべらないこと、刀を鞘に収めるときは店員に任せること**を注意してください。人間の唾液は、ほんの小さなしぶきでも錆《さ》びの原因になります。また、日本刀の刀身は柔らかいので、鞘にこすると傷が付いてしまうんです。

刀剣専門店で買う！

①お店に入る

お店に入るときは、玄関のところで店員さんに声をかけ、来店を伝えましょう。黙って入るのはNGです。

②希望を伝える

どのような大きさの刀が欲しいのか、予算はどのくらいかなどを伝えると、店員さんが条件にあう刀を持ってきてくれます。

③商品を見せてもらおう！

持ってきた刀を順番に見せてもらいましょう。刀身を手でさわったり、しゃべってツバを刀身につけてしまわないよう注意してください。

生野店主に聞く！

日本刀の賢い買い方！

古い刀を買うときは？

この本に名前が載っているような名匠の刀には、一振りで一〇〇〇万円以上するような高価なものもあります。もしこれらの刀を買うときは、鑑定書がついているかどうかを確認しましょう。鑑定書の銘と刀の銘が確かに同じものかどうかを確認してください。

また、無理に有名な刀匠に手を出さないのも、いい刀を見つけるコツです。世間の評判はさほどでもない刀匠の刀、銘がない刀などは、出来映えのわりに値段が安いのです。むしろ最初に買う刀は、このような手頃な刀にするのがいいと思います。

短い刀からはじめましょう

はじめて購入する日本刀は、短刀や脇指《わきざし》のような短いものをおすすめします。どうしても刀を買うというと大きな刀を欲しがる方が多いのですが、大きな刀は慣れるまで取り回しが難しく、周囲にぶつけたり、鞘に収めるのを失敗して傷をつけてしまうことがあります。まずは短くて扱いやすい刀で、刀の取り扱いに慣れるべきだと思いますね。刀にくらべ、短刀や脇指は価格もお手頃です。

インターネットオークションでの購入はおすすめできません。日本刀は高価な買い物なのですから、現物をじっくり鑑賞して、買うかどうかを決めるべきです。現物を見ないで買い物するのは危険ですよ。

④目移りする？

欲しい刀をすぐに決める必要はありません。気になる刀があったら遠慮せずに見せてもらいましょう。

⑤買う刀を決める！

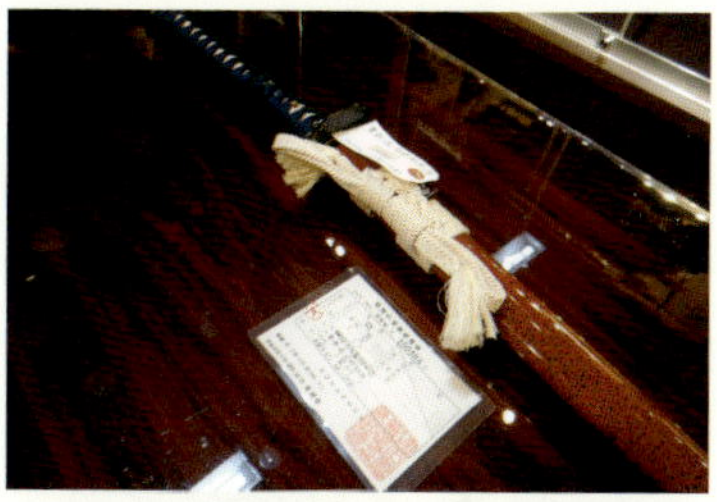

買う刀が決まったら代金を払います。この「豊前住河野国光作」の刀は、拵えとセットで50万円でした！ お買い得！

⑥登録変更届を提出

購入した刀の所有者が変わることを、地元の教育委員会に報告するハガキを書いて、お店の人に投函してもらいます。

⑦これで刀はあなたのもの！

購入した刀は、梱包してすぐに持ち帰ることができます。大切にしましょう！

お店紹介 銀座 誠友堂

ご来店をお待ちしています！

住所：〒104-0061
東京都中央区銀座5-1
銀座ファイブ2階
電話：03-3558-8001
FAX：03-3558-8868
アクセス：JR有楽町駅　徒歩4分
東京メトロ銀座駅　C1出口
徒歩1分
東京メトロ日比谷駅　阪急口
徒歩2分
営業時間：10時〜19時
定休日：毎月15日

日本刀を手に入れよう！

その② 展示即売会へ行こう！

想定予算：一〇万円～

お師匠様！「展示即売会」ってどんなところなのでしょうか？ 展示即売会という文字から見て、日本刀を展示して、すぐに売る集まりだろうということはわかるのですが。

ほう、よくわかったの。そのとおり、展示即売会は、刀剣専門店などが持っている日本刀を会場に展示し、その場で販売もするというイベントだ。ひとつの専門店が行う小規模なものもあれば、複数の専門店が共同開催する大規模なものもある。

これは、毎年秋に開かれる、日本でもっとも大きな展示即売会「大刀剣市」の会場写真だ。日本刀を出品する専門店ひとつごとにこのようなブースが割り当てられるのだが、二〇一四年は合計七四もの専門店が参加したと聞く。さすがは全国の刀剣商が加盟する「全国刀剣商業協同組合」主催の展示即売会だけはあるな、日本中の刀剣商が集まっていると言っても、言い過ぎではあるまいよ。

おお～!! 日本刀がずらりと並んでます！ しかもこれ、ショーケースの中に入っていない刀もありますよ！ もしかして手に持ってみてもいいんですか？ わくわくです～！

展示即売会の楽しみ方！

0 鑑賞マナーを身につけておこう

展示即売会では、刀を直接手にとって見ることができます。売り物を傷つけない、汚さないように、あらかじめ刀剣鑑賞のマナーを身につけておきましょう。

1 会場で刀を見せてもらおう

入場時に、刀を見るときのルールを確認しておき、それに従って展示されている刀剣を見せてもらいましょう。お値段的に手が出ない刀も、勉強させてもらうという意識で、敬意を持って鑑賞しましょう。

2 気に入った刀があれば……。

好みの日本刀が見つかったら、刀の名前、登録証の番号、取り扱い店名を控えておきます。目立つ場所で展示されている刀だけでなく、特売品のコーナーを見るのもよい手です。

後日、お店に行って、じっくり見せてもらおう！
162ページへ！

刀剣には相場というものがある。この刀が高いのか安いのか、状態がよいのか悪いのか……価値を判断できる玄人であればその場で買うのもよいが、刀剣を学びはじめたばかりの者は、後悔しないようにじっくり考えるべきであろう。だから展示即売会は刀を買う場ではなく、新しい刀に出会う場だと考えるとよい。

もっと手軽に日本刀を楽しむ為に！

模《も》擬《ぎ》刀《とう》のススメ

お師匠様、やっぱり日本刀って高いですね。きれいなものを買おうとすれば最低でも五〇万円はしますし。特売品なら手頃なお値段のものもありますけど、高いお金を出すのですからいいものがほしいです。

ふむ、たしかに本物の日本刀は、お小遣いで買うには少々お高い買い物だ。少ない予算で日本刀を楽しみたいなら、まずは「模擬刀」から入ってみるのはどうだ？　これならば手頃な価格で美しい刀が手に入るぞ。

模擬刀とは、外見や形を日本刀に似せて作られた金属製品です。日本刀と違って刃はついておらず、鋼製ではなく合金製です。そのかわり、刃物ではないので「登録」（⬇一六一ページ）の必要がないというメリットがあります。

模擬刀は別名を居合刀《いあいとう》ともいい、真剣と同じように振ることができます。模擬刀のなかには「模造刀《もぞうとう》」と呼ばれるものもありますが、こちらは観賞用であり、十分な強度がないため振ることはできません。

日本刀と模擬刀と模造刀の違い

種類	素材	刃の有無	強度	価格
真剣	玉鋼	刃あり	本物	五〇万円～
模擬刀（居合刀）	合金	刃なし	本物同然	五万円～
模造刀（美術刀）	合金	刃なし	振れない	五〇〇〇円～

模擬刀は「居合刀」と呼ばれることもある。これは模擬刀が、日本刀を扱う武道「居合道」の練習用に使えるように作られているからだ。物を斬ることこそできないが、模擬刀は日本刀と同様に扱うことができる頑丈なものなのだ。

つまり模擬刀は、形も見た目も本物そっくりだっていうことですね。でも、日本刀を買う話をしていたのに、なんで武道を始める話になってるんでしょうか？　あんまり関係ない気がするのですが……。

刀を抜いたふたりが戦うことを「立ち合い」といいます。これに対して、まだ刀を抜いていない状況から戦闘に移る技術を「居ながらにして合う」すなわち居《い》合《あい》と呼んでいます。居合道は、この居合の技術と礼儀作法を学ぶ武道です。

居合道の技（＝形）は、刀が鞘におさめられた状態から、体捌《たいさば》きと抜刀《ばっとう》の技術で刀を素早く抜き、そのまま斬りつけるものです。この「形」を学ぶために居合道では、実際に鞘から抜くことができる居合刀（模擬刀）を使用します。

本書が居合道の修得をおすすめするのは、日本刀のことを頭と体の両方で知るためには、居合道がもっとも近道と考えるからです。日本刀の鑑賞や手入れのしかたは、刀剣専門店や各刀匠、公共の団体などが教えてくれますが、心構えのような精神的な面については、武道を通してしか身につけることができません。

自分用の居合刀（模擬刀）をあつらえることも、居合道の大きな魅力の一つです。指導者や先輩もしくは専門店に、自分の体格や筋力に合った刀の長さや重さを相談し、そのうえで気に入った外見の居合刀を購入するとよいでしょう。

また流派にもよりますが、居合道の中には、段位が上がると真剣を使用した訓練をするところもあります。真剣を振ることのできる希少な機会ではありますが、くれぐれも指導者の指示に従って日本刀に触れるようにしてください。

居合道を学ぶことは、博物館などで日本刀を鑑賞したときに、その手触りを想像したり、実際に活躍した場面を思い浮かべたり、また刀を製作した職人のこだわりをより深く実感する一助になるはずです。日本刀をより深く知り、より幅広く楽しむため、居合道の門を叩いてみるのもよいのではないでしょうか。

日本刀を手に入れよう！

その③ オーダーメイドする

想定予算：一〇〇万円～

すばらしい日本刀をたくさん見せていただきましたけど、いいものばかり見ていると、だんだん特別なものが欲しくなってきますね……お師匠様、「誰のおさがりでもない、自分だけの日本刀」とか、できませんか？

ほう、知識が増えて欲が出てきたか？ よい傾向だぞカグヤ。自分だけの刀が欲しいのなら、作ってもらえばよいのだ。日本には、日本刀の製作を請け負っている「刀匠」が、全国に数百人活動している。刀匠に依頼して、自分だけの日本刀を作ってもらいなさい。

オーダーメイドのポイント

Point! 予算を用意しておこう

刀匠にオーダーメイドを相談するときは、先に購入予算を用意しておくのがマナーだ。打刀なら 100 万円以上が目安になるな。

Point! 直接通って相談しよう

日本刀は高いお買い物なので、納得できるものを作ってもらうのが大事ですね。刀匠さんのところに通ってお話ししましょう！

Point! 人生のパートナーにしよう

はーいみんなー！ 日本刀はちゃんと手入れすれば、一生楽しめる最高の宝物になるよ！ 一生つきあえる刀を注文しようね♪

藤原兼房流 オーダーメイドの手順

ここでは、岐阜県関市の刀匠「二十五代藤原兼房《ふじわらかねふさ》」様に日本刀を注文する場合、どのような手順が必要なのかを解説していきます。

① 注文する刀匠を決める

まずはどの刀匠に刀を注文するのかを決めましょう。この記事では藤原兼房様にお願いしますが、「全日本刀匠会」のホームページで刀匠の電話番号を調べて相談の電話をかけたり、刀匠のホームページからメールを送って新規の日本刀発注を相談してみましょう。

② 刀匠の工房へ行く！

日時を相談して、刀匠の工房にお邪魔します。工房には何度か行くことになるので、自宅から遠くない場所に工房を構えている刀匠にお願いするのが便利です。

ただし「この人にお願いしたい！」という刀匠がいるなら、距離にこだわるべきではありません。一生つきあう物を注文するのですから、後悔しない選択をしましょう。

③日本刀の仕様を相談

藤原兼房鍛刀場では、なぜ日本刀が欲しいのか、日本刀のどこが好きなのか、などの会話を通して、あなたにぴったりの刀を藤原兼房様から提案する形をとっています。

これはあくまで一例なので、刀の仕様について購入者から提案を求める刀匠もいます。どのような刀が欲しいのか、ある程度イメージしておくのがよいでしょう。

④代金は先払い！

刀匠にオーダーする日本刀の仕様が固まったら、正式に製作を依頼することになります。依頼時には、全額または半額の代金をあらかじめ前金として支払うのが一般的です。

日本刀は、高価な鉄（玉鋼《たまはがね》）と大量の炭を消費して生まれる芸術品なので、製作にはかなりの費用がかかります。その製作費用確保のため、先払いが必要なのです。

⑤最初の一槌《ひとつち》で魂を注入！

日本刀の製作は、材料である玉鋼の固まりを、ハンマーで熱して薄くのばす「玉へし」の作業から始まります。藤原兼房鍛刀場では、日本刀製作の最初の一歩であるこの「玉へし」作業の、最初の一槌を発注者であるあなたに打たせてくれます。

こうして日本刀にあなたの魂が注入され、真の意味であなただけのために作られた刀になるのです。

⑥刀匠が刀を作る

刀匠が、日本固有の鍛冶技法を用いて、あなたがオーダーした日本刀の刀身を作っていきます。一振りの刀身が完成するまでには、おおむね半年から一年の期間がかかります。

なお、日本刀の拵えもあわせて発注している場合、拵えの製作は刀身がほぼ完成してから始まるので、早くても一年、特に凝った物だと三年ほどかかることもあります。

次のページへ！

⑦受け取った刀をあなたの名義に！

日本刀ができあがったら、刀匠と一緒に仕上がりを確認し、代金が分納だった場合は残りの代金を支払います。

日本刀は、完成した時点では書類上は「刀匠の所有物」になっているので、所有者を購入した人に変えるため、登録証を発行した都道府県の教育委員会に「所有者変更届出書」を提出します（➡一六一ページ）。

これであなただけの日本刀に！

おめでとう。これでお主のために作られた、お主だけの刀が手に入った。日本刀は、大事に手入れを続ければ1000年の時を越えてその美しさを保ち続けるものだ。子孫代々に伝わるよう、大事にするとよいぞ。

そろえる！ 育てる！ オーダーメイドは完成後も楽しめる！

はーいみんなー？ みんながオーダーメイドした刀、刀身を作っただけで満足しちゃってない？ せっかく君だけの刀なんだから、刀身以外の部品もオーダーメイドしたり、出来のいい骨董品を使って着飾っちゃおう！
君の思いのままに刀を育てていいんだよ♪

鞘《さや》

刀身のみを発注した場合、刀は「白鞘《しろさや》」という無塗装の木製鞘におさめられます。刀を身につけるときの鞘は「化粧鞘《けしょうさや》」といい、黒い漆で塗られたシンプルなものから、金銀の模様や貝殻などがあしらわれた豪華なものまでさまざまです。

鐔《つば》、目貫《めぬき》など

刀身を飾る鐔や目貫などの金属部品は、刀剣の重要なおしゃれのポイントです。精緻な彫刻が施され、金銀で飾られた鐔は、高い物なら骨董品でも新規製作でも200万～300万円する場合があります。

日本刀のお手入れ

日本刀の刀身は、世界中の刀剣のなかでも「長期間錆びずに残されている」ことにかけては特筆すべきものがあります。それは日本刀が鉄製品のなかでは比較的錆びにくい構造になっていることと、なにより、刀身をお手入れする方法が確立されているためです。

日本刀の刀身は、純木製の「白鞘」で保管されます。鞘のなかで刀身は、木材に触れることなく空中に浮いており、刀身には油の被膜が塗られて、錆の原因となる空気との接触を防いでいます。

それでも刀身に塗られた油は時間とともに劣化していくので、年に一～二回のペースで、刀身を掃除し、新しい油を引き直す手入れをする必要があります。

下の写真に出ているのは、この「刀身の手入れ」をするときに使用する一般的な道具です。お手入れ道具は、刀剣専門店などで一式三〇〇〇円～六〇〇〇円程度で販売しているので、刀を買ったら一緒にそろえましょう。

打ち粉

粉末状になった砥石「打ち粉」を布で包み、棒をつけたものです。刀身にこの粉をふりかけてからぬぐい去ることで、打ち粉と一緒に、ついた汚れを落とすことができます。

拭《ぬぐ》い紙《がみ》／油布《あぶらぬの》

刀身から余分な油や「打ち粉」を拭き取るのが拭い紙、油を刀身に塗るのが油布です。硬い紙で刀身を触ると傷が付くので、和紙をよく揉んで作った専用紙、高級で柔らかいティシュペーパー、ネル織の布などを使います。

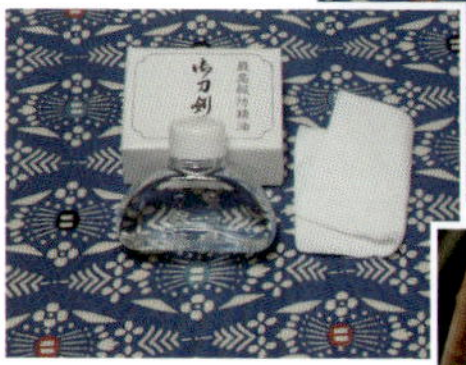

丁字油の原料である丁字（クローブ）のつぼみ。90ページで紹介した刃文「丁字乱れ」は、模様がこの丁字のつぼみが連なる形に似ていることからついた名前です。

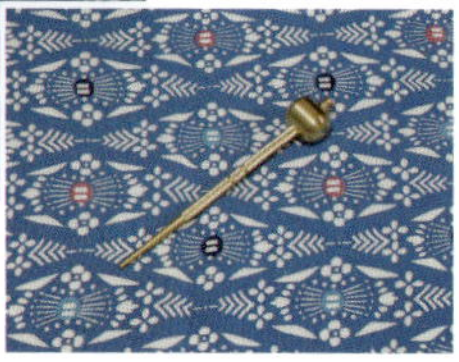

丁字油《ちょうじあぶら》

西洋料理でスパイスとして使う「クローブ（丁字）」の実から搾った油は、日本刀の保護に最適で、汚れを吸着する特性があることから人気があります。時間をおいても変質しない鉱物油を使う場合もあります。

目釘抜《めくぎぬ》き

柄と刀身を固定する木の棒「目釘」を抜くための道具で、ハンマーの部分で目釘を叩いてゆるめ、棒の部分で目釘を押し出します。

日本刀を長持ちさせるためには、定期的な手入れをすることが絶対条件だワン。やりかたは簡単だから、刀を売ってくれた人に教わるといいワン！

よく時代劇で、侍や浪人が口に紙をくわえ、上の「打ち粉」で刀身をポンポンと叩いているシーンを見たことがあろう。あれは砥石の粉を振って、汚れと一緒に余分な油をぬぐい去っているのだ。
口に紙をくわえているのも意味がある。手入れ中に、刀身に唾液のしぶきがつくと、そこだけに錆ができてしまう。それを防ぐために、紙をくわえ、口を開かないようにしているというわけだ。

インタビュー

刀匠　二十五代藤原兼房《ふじわらかねふさ》

—魂を響かせる刀鍛冶—

現代に続く日本刀制作の本場、関を代表する刀匠のひとり「加藤賀津雄」氏は、岐阜県関市で日本刀を打ち続けてきた刀匠一家「藤原兼房」の二十五代目である。「発注者ただひとりのため」の刀作りをモットーとする兼房刀匠は、どのように日本刀と向き合っているのか。兼房刀匠の日本刀に込めた思いと、日本刀文化継承への思いをうかがった。

——藤原兼房様は、国内だけでなく海外でも公演を行うなど、積極的な国際活動を進めておられます。どのような国の方が兼房様に刀を注文されるのですか?

本当にどこからでも来ますよ。アメリカもそうですし、ヨーロッパ、中東、中国、ロシア……二〇〇八年にヨルダンのフセイン国王に刀を納めてからは、中東の王族の方々から注文が来るようになりましたね。フセイン国王のお話を聞いた方が、自分も日本刀が欲しいと注文をされてくるようです。

——海外からの注文に特徴はありますか?

海外からの注文は、「拵え」までひとそろえでの注文がほとんどです。ほぼ一〇〇%かな? 日本人には「白鞘《しろさや》」という飾りのない鞘に、刀身と鎺《はばき》をつけたものを持つ文化もありますが、海外の人は違いますね。鞘や鐔がついているのが日本刀と考えるようです。

それから、海外から注文される方は、拵えまで含めて「このような刀が欲しいのだ」ということをはっきり伝えてこられます。

——なぜそのような違いがあるのでしょうか?

海外から日本刀を注文される方は、日本刀というものに、ただの刃物にはない神秘的なものを感じられている方が多いようです。要するに自分自身や家族ひとりひとりにとってのお守りになるんですよ。

これは本来、日本でも変わりません。「お守り刀」といって、生まれた子供を見えない災難から守るために短刀を贈るという習慣があります。いまでも皇室でお子様が生まれると、宮内庁から全日本刀匠会に「お守り刀」の製作が依頼されていますよ。

日本刀というものはね、昔から特別なものなんです。ですから自分が刀を打つときは、注文してくれた方の人となりや、どんな思いで日本刀を注文されたのかをよくお聞きして、その思いを表現する刀をご提案しています。そして日本刀の材料を鍛える最初の一槌を、お客さん自身の手で打ってもらいます。

——自分自身で一槌入れることができるんですか!

もしお客さんが希望する場合は、一槌といわずもっとたくさん打ってもらうこともありますよ。こうやって魂を入れるからこそ「自分を守ってくれる刀」になると思っていますね。

こうやって作った刀には「神が来る」んですよ。鍛刀場を見ていただければわかると思いますが、鍛刀場には鍛冶の神を祀る神棚があり、神聖な縄で結界をはって邪気が入らないようにしています。

——聞いていると私も自分の刀が欲しくなりますが、刀を買う場合、予算はどのくらいになりますか?、

一振り一〇〇万円から、有名な刀匠さんにお願いするともっとかかります。今だと最高で五〇〇万円くら

いになるでしょうか。ただし、これは刀身と鎺《はばき》と白鞘だけ、いちばん基本の金額です。拵えもそろえればさらにお値段がかかりますね。

　ですから若い人が日本刀を求める場合、まず刀身だけを購入される方が多いですね。そのあと、お仕事をしながらお金をためて、化粧鞘《けしょうさや》、鐔《つば》、目貫《めぬき》、金具、小物といった具合に、拵えをひとつずつそろえていくわけですよ。刀を買うというよりは、時間をかけて育てていく感じですね。日本刀には、買って見て終わりではなく、育てる楽しみもあるんです。

■弟子の育成～日本刀文化継承のために～

――藤原兼房様は、これまでに五人の弟子を育て、今は六人目のお弟子さんを育てておられます。お弟子さんとして迎えるのはどのような人なのですか？

　弟子のとりかたには各刀匠さんでスタンスがありますから、あくまで私の場合で話しますが、ひとりの人生を預かるわけですから、とにかく入り口を厳しくして、「絶対にやりたい」という熱意と、なにより純真さを持った子だけを弟子にしています。

――弟子として修行をはじめた人のうち、どのくらいの人が実際に免許をとれるのでしょうか。

　これも刀匠さんの弟子の取り方によって大きく違うのですよね。うちはとにかく入り口を狭くしているので免許の取得率は高いですが、「門戸を広く、とにかくやらせてみる」というスタンスの刀匠さんの場合は、途中でやめてしまう子は多いそうですよ。

――指導はどのような方針で行っていますか？

　技術面の指導以外にも、精神面や心構え、道具へ敬意を払うことなどを厳しく教えています。昔はかなり厳しく指導していましたよ。弟子がいい加減なことをやったときは激しく怒って、怖い師匠と見られていたのですが、最近はすっかり優しくなったと周囲に驚かれています（笑）。

　弟子が自分の息子より一〇～一五才も年下だと、完全にお爺ちゃん感覚になってしまって、厳しくできないですね。それもあって最近は、指導の多くは息子（二十六代藤原兼房氏、左上写真手前）に任せています。

――刀匠として大成する人の条件を教えてください。

　とにかく刀が好き、ぜひ学ばせてほしいという熱意と純粋さを持っている真面目な子が伸びます。また、修行生活と独立のためには、ご両親の理解と協力があることも重要です。

　それから社会経験は少ない方がよいですね、刀匠の世界は一般社会とかなり違うので、あまり社会の常識に染まっていないほうが、刀匠の世界の常識をすんなりと飲み込んで純粋に学ぶことができます。世間には三〇才過ぎてから刀匠になるすごい方もいますが、私の弟子はみな二〇才になるまでに修行をはじめました。本気で刀匠を目指すなら、この世界に飛び込むのは早いほうがいいと思いますよ。

PROFILE

二十五代藤原兼房（ふじわらかねふさ）

岐阜県関市出身。現代の関を代表する刀匠のひとり。二十四代藤原兼房の次男として生まれ、人間国宝、月山貞一氏に師事したのち父の指導を受ける。一九八四年に藤原兼房鍛刀場を開設、近年は国内外での講演や日本刀普及活動を行い、日本刀の伝道師として国際的に活動している。

刀匠《とうしょう》になるには？

この章では、日本刀を作る職人「刀匠」になるために必要な準備や、刀匠の仕事内容、刀匠に求められるものなどを紹介します。

日本刀文化入門

藤原兼房さんの日本刀づくり、すごい迫力でしたねお師匠様！　私も鍛冶神のはしくれとして刺激を受けてしまいました。藤原兼房様の日本刀に負けない刀、私もつくってみたいです！

うむ、よい心がけだぞカグヤよ。鍛冶の女神カナヤゴの名跡を継ぐのだから、日本の鍛冶技術の集大成、日本刀を作れなければ格好がつかんというものだ。

了解しました、それではさっそく刀づくりの準備しますね！　工房をお借りして、材料も集めなきゃ。お師匠様！　まずは炭と玉鋼を買いに行ってきまーす！

いや待て待て！　カグヤよ、そうあせるでない。そもそもお前、このまま日本刀づくりをはじめてしまったら、人間界の法律に触れて、犯罪者になってしまうぞ。

ええっ!?　犯罪なんですかぁ!?　じゃ、じゃあ、どうして刀匠の皆さんは、つかまらずに日本刀を作ることができるんでしょう？

これカグヤ、落ち着きなさい。人間界の刀匠たちがどのようなルールで日本刀を作っているのか、簡単に教えてあげよう。

そもそも「刀匠」って？

刀匠とは、日本刀を作る鍛冶師《かじし》に対する尊称のひとつです。誰もが刀匠という言葉を使うわけではなく、刀工、刀《かたな》鍛冶《かじ》など、さまざまな呼び方があります。

現代では、日本刀を作ることができるのは、国から承認された鍛冶師だけです。なぜなら日本には「銃砲刀剣類所持等取締法」、通称〝銃刀法〟という法律があり、刃渡り一五センチ以上の刀を所持、製作することが禁じられているからです。

ただしこの法律には特例があり、「日本の伝統的な鍛冶技術を使って、美術品として制作されたもの」ならば作ることができます。そのために必要な「日本の伝統的な鍛冶技術」を身につけていると、日本政府の省庁である「文化庁」に認められた鍛冶職人が、一般的に「刀匠」「刀工」などと呼ばれています。

つまり現代において、刀匠とは国家資格の一種なのです。

なるほど、つまり技術を身につけて、文化庁様に「このカグヤという者は、美術品として日本刀を作るための技術を身につけていますよ」と認めていただければいいのですね！　……お師匠様、どうすれば認めてもらえるのでしょうか？

そう不安げな顔で見るでない。「日本刀を作る技術」の認定については、文化庁がきちんとルールを定めておる。要は試験に合格すればいいのだ。

試験ですか……わかりました、それに合格すれば、私が日本刀を作っても警察さんに怒られずに済みますよね。ええ、なんとしても合格してみせますっ！

「資格」を手に入れる方法

はーい、みんなー？　またまたアマテラスお姉さんだよ～♪　ヒノカグ兄さんが「日本刀を作る技術の認定」って言ってたけど、刀匠の世界ではこれを「作刀承認」って呼んでるんだ。作刀承認を手に入れるためには、こんなキビシイ試練が待ってるぞ～！

作刀承認を得るまでの流れ

匠
刀匠に入門！
修業期間（4年間）
刀
TEST!
不合格だと…また来年！
作刀実地研修会（年1回開催）
修了すれば……
匠
作刀承認GET!

最大の難関は弟子入り！

日本刀製作の許可である「作刀承認《さくとうしょうにん》」を得るための最大の難関は、刀匠に弟子として受け入れてもらうことです。なぜなら、刀匠にとって弟子を受け入れることは、経済的に大きな負担になるからです。

刀匠は、ほとんどの場合弟子に指導料を求めることはありません。そのため刀匠が弟子を取ると、弟子が修行をするための木炭の代金、未熟な技術で駄目にしてしまった材料の鉄の代金などが、刀匠の収益を大きく悪化させます。反面、現代の刀匠の作業はひとりで行うものがほとんどで、弟子の労働力に依存する部分がほとんどありません。つまり、刀匠が弟子を取ると、単純に収入が減ってしまうのです。

そのため、弟子を取ってくれるのは、経済的に余裕がある刀匠だけに限られますし「きちんと勉強し、音《ね》をあげて途中でやめたりしない」と思えるような相手しか弟子にしようとしません。

刀匠への弟子入りを目指す人は、十分な熱意と真面目さを示し、師匠の技術を真剣に学べる人間であることを示さなければいけないのです。

ふむ、どうやらカグヤは、無事に「作刀承認」を持っている刀匠に弟子入りすることが叶ったようだの。こうして晴れて弟子入りできたのはいいが……刀匠の修行は、入門すればまず間違いなく卒業できる学校教育とはわけが違うぞ？　次は実際の修行風景を見てみようではないか。

カグヤたち弟子の修行風景は次のページで！

見習いの修行生活

今日は、岐阜県関市の刀匠、二十五代藤《ふじ》原兼房《わらかねふさ》殿の工房にお邪魔しておる。藤原兼房殿のお弟子さんの一日を追ってみようではないか。

藤原兼房鍛刀場《ふじわらかねふさたんとうじょう》の弟子、上野泰輝《うえのたいき》さんの一日

関の刀匠、藤原兼房さんの鍛刀場にきています！
今回密着取材させていただくのは、「藤原兼房鍛刀場」で修行中のお弟子さん、上野泰輝さん。
今回は、私も上野さんの修行を体験させていただきます！

翌朝に響かないように休みます。技術習得と練習に真面目に時間を使うと、趣味や娯楽に割ける時間はほとんどなくなってしまいます。

藤原兼房鍛刀場の始業時間は朝８時。弟子は始業の一時間前に工房に早出して、工房の掃除や材料の準備などを行います。

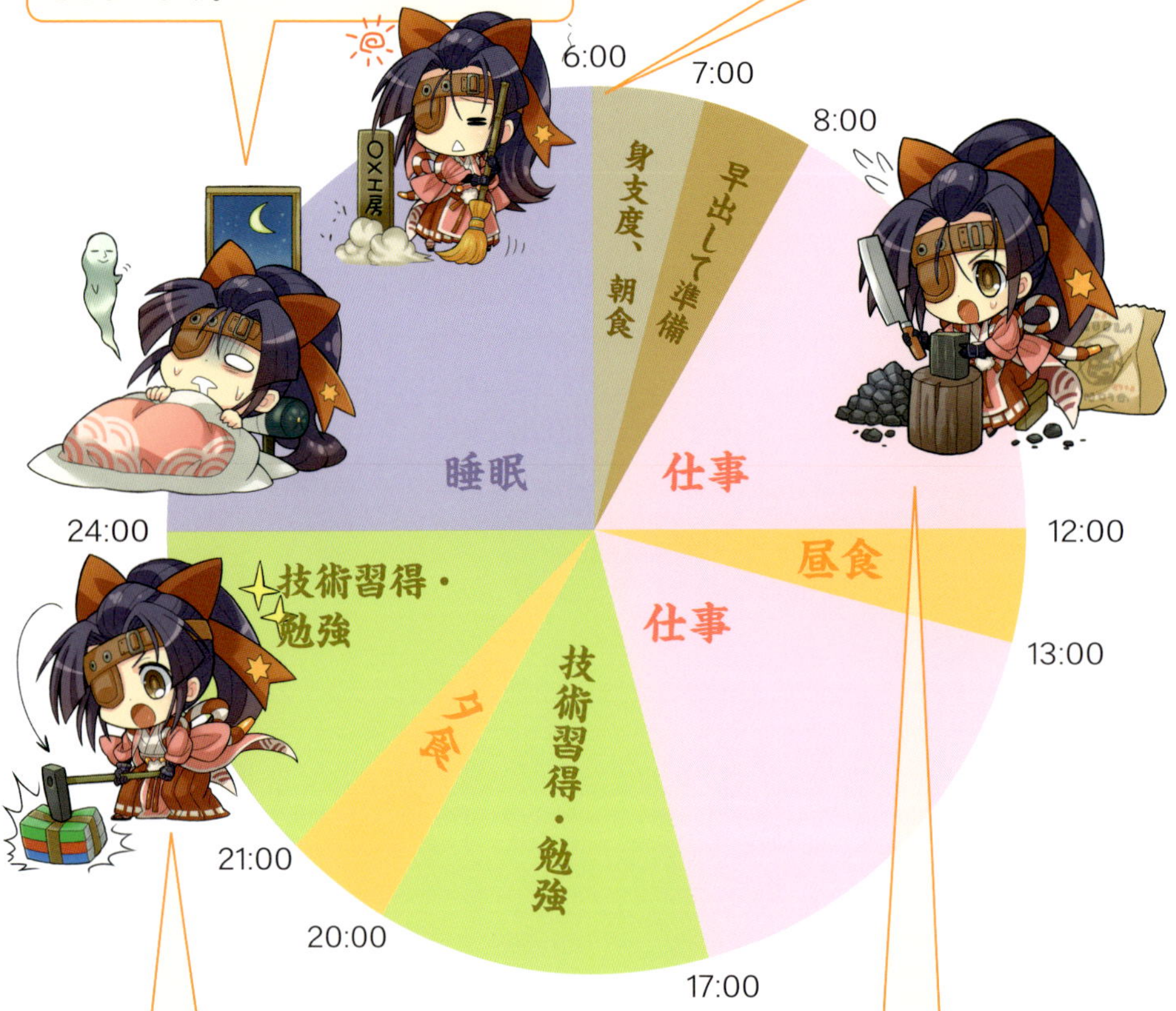
6:00
7:00
8:00
12:00
13:00
17:00
20:00
21:00
24:00
身支度、朝食
早出して準備
仕事
昼食
仕事
技術習得・勉強
夕食
技術習得・勉強
睡眠
〇×工房

終業後の時間は、技術の習得と勉強に費やします。「大槌《おおづち》」の正しい振り下ろし方や、鍛冶技術や鉄の性質に関する知識を身につけるのも弟子の重要な仕事です。

弟子のおもな仕事は、大量の木炭を、炉に入れるのに適したサイズに切りそろえる「炭切り」の作業です。そのほかにも多くの雑務をしながら、師匠や兄弟子の作業を見て技術を学びます。

ふう……一日だけ体験させていただきましたけど、予想外に大変でした。
……あら？　お師匠様……上野さん、一日中修行と勉強だけしているようなのですが……生活費は、収入はどうされているんでしょうか？

うむ、藤原兼房刀匠にうかがったのだが、藤原兼房鍛刀場では、将来のために最初の１年はアルバイト禁止なのだそうだ。２年目になってアルバイトを許可されるまでは、それまでの貯金や両親の仕送りで暮らさなければいかん。

特別インタビュー 刀匠への道

とにかく「ものづくり」は楽しいんです

―刀鍛冶の弟子 上野泰輝《うえのたいき》―

刀匠の修行はどんなものなのか、経験者の感想を聞くため、藤原兼房鍛刀場の弟子で、修行二年目に突入したばかりの上野泰輝様にお話をうかがった。

――いつから刀匠の修行を始めたのでしょうか?

二〇一四年の四月一六日から、藤原兼房鍛刀場でお世話になっています。もうすぐ一年になりますね。（インタビュー収録は二〇一五年三月）

――刀匠になろうと思った動機は?

高校在学中、機械整備部という部活に入っていました。もともとモノづくりに興味があって、NHKの「ロボコン（ロボットコンテスト競技）」などにも参加していたのですが、機械整備部の活動で、金属を叩いて成型する「鍛造《たんぞう》」に興味を持つようになりました。

これを職業にするにはどうすればいいかと思っていたところ、叔父が地元の刀匠、松永源六郎《まつながげんろくろう》さんを紹介してくれました。松永先生の知識と人柄に惚れて、弟子入りしたいと思いましたが、いまは弟子を育てる余裕がないということで……そのあとも三人の方にお断りを受けて、その次にお願いした藤原兼房先生が弟子入りを許してくださったんです。

――毎日忙しく働いて勉強して大変そうですが、修行生活にキツイところはありますか?

肉体的にいちばんキツイ仕事は、やはり「大槌」という金槌を打ち下ろす作業でした。一見そんなに重くないように見えるのですが、最初のうちは一〇回持ち上げるだけでヘトヘトになってしまいます。ですが、やっているうちにすぐに慣れて、今では一〇〇回でも振れるようになりましたね。もちろんそれでも疲れるんですけど。

それと、とにかく火傷と切り傷が絶えない職場です。火花がどんどん飛び散りますから。……ですが、これも慣れてしまいます。最初のうちは手当なども普通にしていたんですが、そのうち火傷程度は怪我だと感じないようになってきます（笑）。

修行以外に時間がないのもきつい部分です。自分は「ファーストガンダム」が好きで、学生時代にお台場ガンダムのプラモデルを買ったんですが、いまだに手をつけられないまま積んであります（笑）。

――修行期間の資金面はどうしていましたか?

この鍛刀場では修行一年目はアルバイト禁止なので、アパートの家賃は親に出してもらい、生活費は事前にアルバイトで稼いでおいたお金を使ってまかなう体勢でした。……さすがに最後のほうは蓄えが底をついて大変でした。

特に最後の一ヶ月は本当にギリギリで、なぜあのときDVDをレンタルしてしまったのか！ なぜあの日はコンビニで買い物をしてしまったのか！ と、過去の数百円の出費を本気で後悔していました……もうリアル「一ヶ月一万円生活」ですよね（笑）。

――それは大変でしたね……自分だったら半年も持たないのではないかと思います。それでは、修行をしていて辛かったことや辞めたいと思ったことなどは……。

「辛いこと」ですか……いえ、正直なところ、ありませんでした。肉体的に大変なことや、時間の自由がないことは楽ではないですけど、辛くはありません。僕は今、この修行を楽しんでやっているので、まったく問題ないですね！

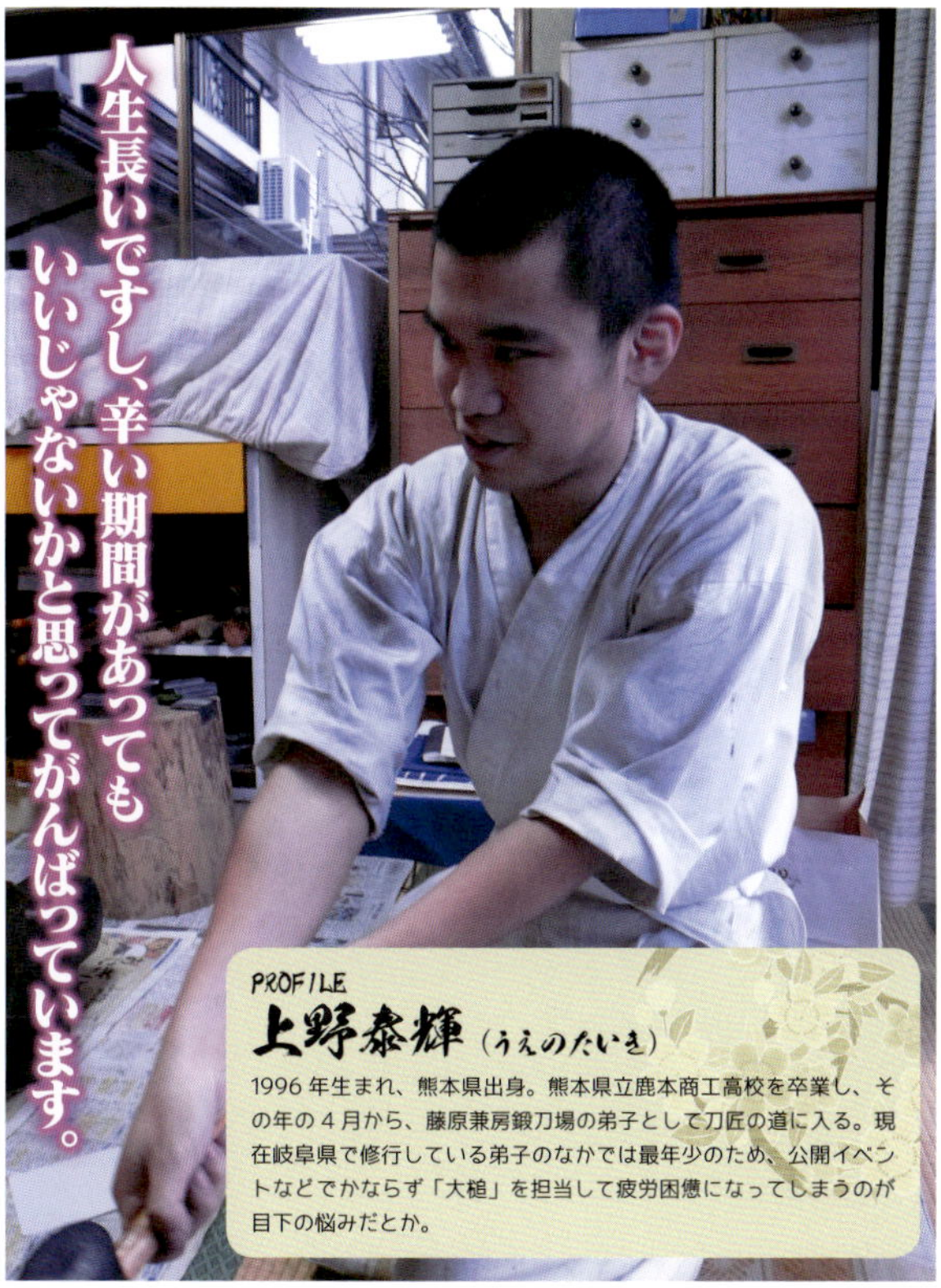

人生長いですし、辛い期間があってもいいじゃないかと思ってがんばっています。

PROFILE
上野泰輝（うえのたいき）
1996年生まれ、熊本県出身。熊本県立鹿本商工高校を卒業し、その年の４月から、藤原兼房鍛刀場の弟子として刀匠の道に入る。現在岐阜県で修行している弟子のなかでは最年少のため、公開イベントなどでかならず「大槌」を担当して疲労困憊になってしまうのが目下の悩みだとか。

「資格」を手に入れる方法

お師匠様～!!
見てください、ついにやりました！　「作刀実地研修会」に修了しましたよ！

馬鹿者。修了証をもらったくらいで浮かれるでない。刀匠の修行とは、修了証を受け取り、一人前の刀鍛冶になってからようやく始まるのだ。むしろいままでの修行は「本当の修行をするための下準備」にすぎん。真の刀匠は、まず独立するところから始まるものよ。

ええっ、四年も修行したのに、まだ修行しなきゃ駄目なんですかぁっ!?
一人前の刀匠になるだけでこれじゃあ、カナヤゴ様を襲名する前におばあちゃんになってしまいます～！

独立しなければ修行はできない！

文化庁から作刀承認を受け、正式に刀匠となっても、それだけでは一人前とはいえません。四年間の修行で弟子が学ぶのは、あくまで日本刀を製作するひととおりの手順と基本技術であって、刀の完成度を高めるためには、自分で一本の刀を最初から最後まで作り、その過程で技術を磨いていくしかないのです。これが弟子のままだと、師匠が製作する刀の製作作業にすべて関わることができないため、いつまでたっても技術を磨けないまま年月ばかりが過ぎてしまいます。

そこで新人刀匠は、独立するために自分の工房を建てることになります。用地の確保、内部構造の改造に加え、ひとりで刀を作るためには「エアハンマー」という、何百万円もする機械式のハンマーを導入しなければいけません。これまで無給で修行してきた新人の刀匠が、さらなる出費を求められる厳しい現実があります。

さて、工房の用地は確保できた、エアハンマーも先人のお古を譲ってもらえた、こうしてめでたく一人前の刀匠として独り立ちできたとする。
だが、こういった若い刀匠が日本刀製作の腕を磨いていくためには、もうひとつ大きなハードルが残っておるのだ。

一〇年間で黒字を目指せ！

自分の工房を手に入れ、日本刀を作る環境が手に入っても、新人刀匠の生活は依然として苦しいままです。なぜなら、キャリアが浅く、技術も未熟な刀匠に、高い料金を支払って日本刀を発注してくれる人は少ないからです。同じ値段で刀を買うなら、確かな技術を持ち、展覧会で賞を取るようなベテラン刀匠に刀を作って欲しいと思うのは当然のことでしょう。

そのため新人刀匠は、刀を作って経験を積むため、三つの選択を迫られます。

・刀の値段を下げ、儲けをゼロに近くして買ってもらう
・自分への援助として刀を買ってくれる後援者を見つける
・原材料費（鉄）を節約するため、完成した刀を潰してもう一度刀を作る

このようにして経験を積み、展覧会に自分の刀を出品して世間の評価を高め、同時に営業活動を行って自分の刀を買ってくれる人を見つける。刀匠はこれらの活動をすべて自力で行わなければいけません。

そのため刀匠の世界では、刀匠が成功するかどうかは、独立してから一〇年間が勝負だといわれています。一〇年のあいだに評価を高めて収益を出せるようにならなければ、経済的な理由から日本刀製作を続けられなくなってしまうからです。

一〇年のあいだに収益を黒字にできる刀匠になれば、あとは愛好家に刀を売りながら、落ち着いて技術の研究ができるようになります。弟子を取ることも可能になるでしょう。理想の刀を目指す刀匠の修行は、こうして一生続くのです。

むむむ、なんと高い壁でしょうか！　ですが、刀匠のみなさんが越えてきた壁を乗り越えられないようでは、カナヤゴ襲名なんて夢のまた夢です！　カグヤ、精一杯がんばります！

本当の意味で刀匠になれるかどうかは、試験に合格した後に決まるんです。

―若手刀匠　福留《ふくどめ》房幸《ふさゆき》―

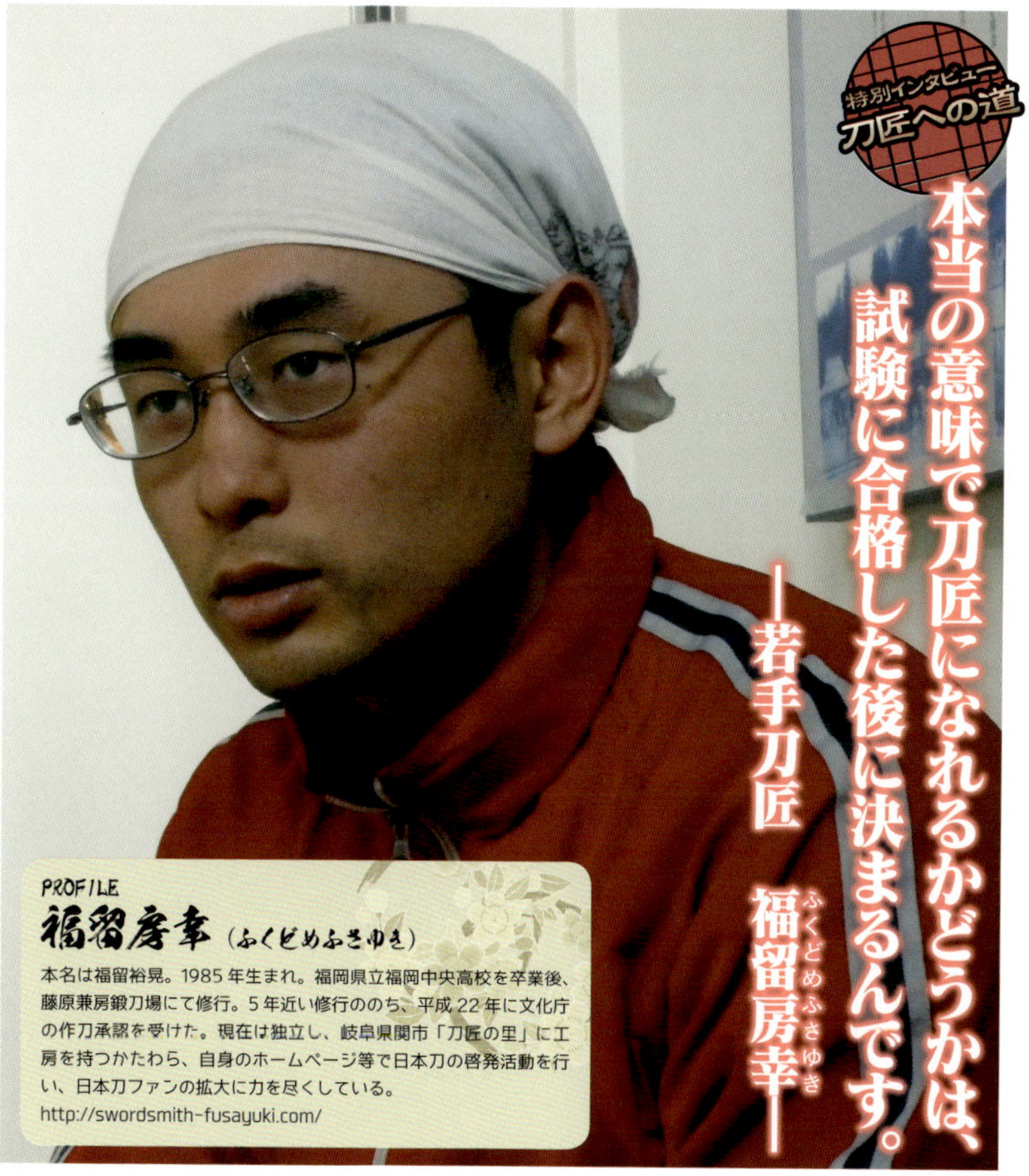

PROFILE
福留房幸（ふくどめふさゆき）
本名は福留裕晃。1985年生まれ。福岡県立福岡中央高校を卒業後、藤原兼房鍛刀場にて修行。5年近い修行ののち、平成22年に文化庁の作刀承認を受けた。現在は独立し、岐阜県関市「刀匠の里」に工房を持つかたわら、自身のホームページ等で日本刀の啓発活動を行い、日本刀ファンの拡大に力を尽くしている。
http://swordsmith-fusayuki.com/

――福留さんが刀匠を目指したきっかけは何ですか？

高校時代は写真部員だったのですが、その活動で「大庭《おおば》鍛冶《かじ》工場《こうじょう》」という工房に写真を撮りに行く機会がありました。それを通して「鍛冶屋というのはおもしろい仕事だ」と思ったのがきっかけですね。

ただ、高校を卒業してから刀匠さんに弟子入りするまでは非常に苦労しました。実際に中に入ってみるとわかるのですが、弟子を受け入れるというのは、師匠にとって経済的に大きな負担になります。師匠に受け入れていただけたのは本当にありがたかったと実感しました。

――修行生活の思い出を聞かせてください。

終わってみるとあっという間だった、というのが正直な感想です。刀匠の仕事のなかには、一年に一回しかやらないような仕事もあります。基本的に修行の最初の三年間は「刀匠の仕事の流れをつかむ」ので精いっぱいで、技術を学ぶのはそれからになります。

――福留さんは作刀承認を受けた後、一年と少しあとに独立されました。独立を決意したきっかけは？

作刀承認を得た弟子は、できるだけ早く独立しなければいけません。師匠にも負担になりますし、なにより弟子のままでは「一本の刀を作る工程」を、すべて自分で行うことができないからです。刀匠としての技術を磨くには、独立するしかないんですよ。

――なるほど、ですが独立となると場所も資金も必要になりますね。勝算はありましたか？

いえ、ありませんでした。ですが独立しないと技術を磨くことができませんから、赤字は覚悟です。刀匠の世界では「独立してから一〇年は赤字」だといわれています（前ページ参照）。

現状はまだまだ厳しいです。独立から四年たちましたが、まだ黒字には転換できていません。刀の売り上げは、年によってまちまちですが、打刀が年に数振り、短刀数振りという感じですね。

――では、あと六年間で黒字を目指すということになるのですね。どのような戦略を練っていますか？

私は、遠回りと思われるかもしれませんが、自分の刀が売れるためには、刀剣業界そのものを活性化させる必要があると考えているんです。そのためには、日本刀が好きな人をもっと増やさなければいけないと思っています。

ですから、鍛冶技術に興味のある学生さんと連携したり、さまざまなイベントに出席したりと、日本刀が好きな人を増やす活動に力を入れています。こうして日本刀を好きになった人が、いずれは私のお客さんになってくれれば……確実な方法とはいえませんが、これが私の刀匠としての、未来に向けた生存戦略、ということになります。

――最後に、刀匠を目指す読者にメッセージを。

日本刀が好き、かっこいいから、だけでやっていける世界ではありません。入り口はそこでよいのですが、もっと突き詰めて、自分は刀匠として何をしたいのかを考えてみてください。それから、誰もが刀匠になる必要はありません。刀剣愛好家の方々には、若いころに刀匠を志していた方も多いんです。一緒に刀剣界を盛り上げてもらえたらうれしいですね。

日本刀製作工程

日本刀の原材料「玉鋼」が、日本刀になるまでの製作工程を紹介しよう。なおここで紹介するのは、五箇伝のひとつ「美濃伝」の作刀技法だ。

日本刀製作スタート！

①水減《みずへ》しと積《つ》み沸《わ》かし

日本刀の原料「玉鋼《たまはがね》」は、部分ごとに成分が違うのが特徴です。狙い通りの成分の鋼を作るため、刀匠は玉鋼を薄くのばして水で冷やす「水減し」を行い、細かく砕き（小割《こわり》）ます。刀匠は欠片ごとの成分を肉眼で見きわめて、望みの割合になるよう組みあわせ、1300度に熱して一体化させる「積み沸かし」を行います。

原材料の玉鋼を……。

薄くのばして砕いた破片を……。

棒の上に積んで加熱！

溶かして
叩いて接着！

②折り返し鍛錬《たんれん》

積み沸かしで一体化した鉄を熱して叩くと、鉄に含まれる不純物が火花になって排出されます。こうして不純物「ノロ」を取り除きながら何度も折り返して叩くと、鉄の構造がパイ状に重なります。硬くてもろい鉄と、柔らかくて粘る鉄の積層構造により、強度のある刀身が生まれます。

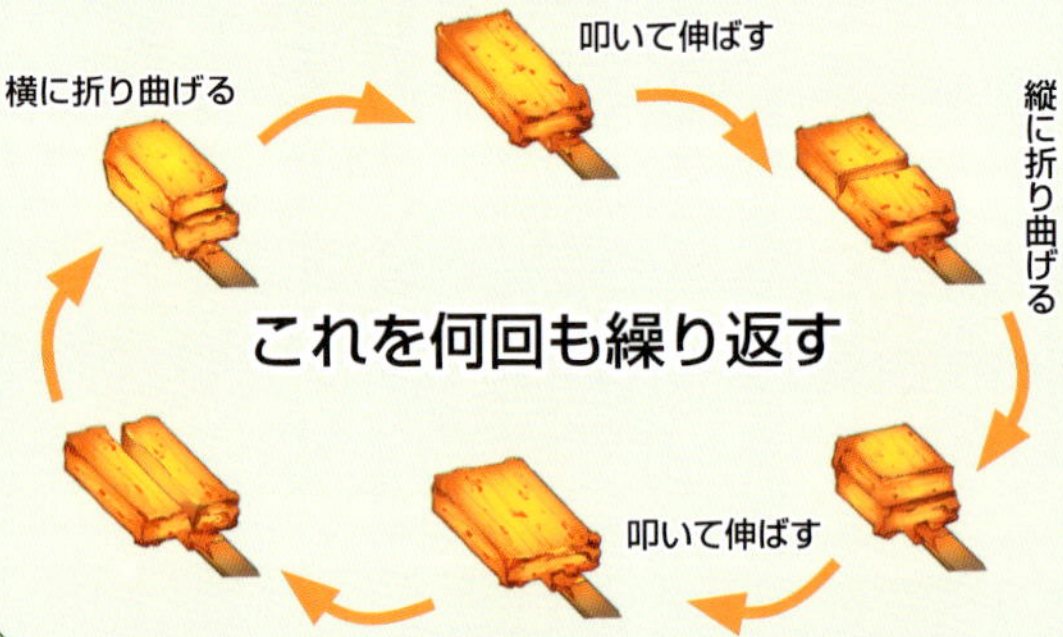
叩いて伸ばす
縦に折り曲げる
叩いて伸ばす
横に折り曲げる
これを何回も繰り返す

伝統的な「古式鍛錬《こしきたんれん》」では、人間が大槌を打ち下ろして折り返し鍛錬を行いますが、現代では作業の効率化のため「エアハンマー」という機械式のハンマーで鉄を叩く工房がほとんどです。

③造《つく》り込《こ》み

積み沸かしと折り返し鍛錬で作った、特性の違う鉄の棒を右のように組みあわせます。（この組みあわせは美濃伝特有のもので、ほかにも多数の組みあわせがあります）これを熱して叩いて接着すると、刀身の材料となる鉄のかたまりができあがります。

美濃伝の造り込み「四方詰め」の構造

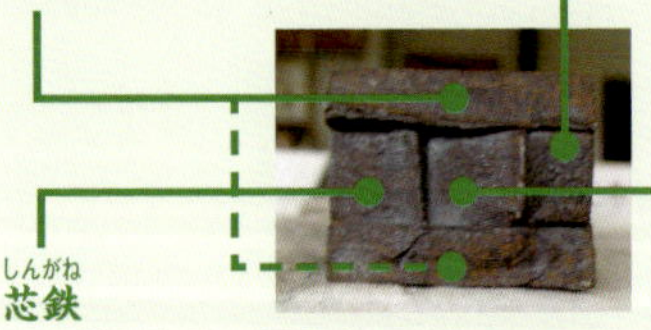

皮鉄《かわがね》
刀の側面になる。いちばん硬い。

刃鉄《はがね》
刃になる部分。
2番目に硬い。

棟鉄《むねがね》
棟になる部分。
3番目の硬さ。

芯鉄《しんがね》
刀の芯になる。柔らかい。

④素延《すの》べ

「造り込み」で組みあわせて接着した鉄を、熱して叩いて細長く伸ばしていきます。

この段階では、材料はまだ断面が四角形の細長い棒で、日本刀の形にはなっていません。

⑤火造《ひづく》り

素延べで伸ばした四角形の棒を叩いて、日本刀の刀身の形に整形していきます。この火造りで、「反り」以外の日本刀の形がほぼ決まります。

火造り前
整形
火造り後

⑥仕上げ

火造りで刀の形にした刀身をさらに整形します。ふたつの握りがついた分厚い刃物「せん鋤《すき》」で表面のでこぼこを削り、さらにヤスリで磨いて表面を平らにします。仕上げが終わった刀は、焼き入れの準備に入ります。

⑦土置《つちお》き

刀の表面に、「焼刃土《やきばつち》」と呼ばれる、粘土と炭を混ぜたものを塗ります。まずは刀身全体に薄く粘土を塗ったあと、必要な部分に厚く粘土を塗ります。この工程は、刀の上に土を置いていくという意味で「土置き」と呼ばれます。

鋒《きっさき》のつくりかた

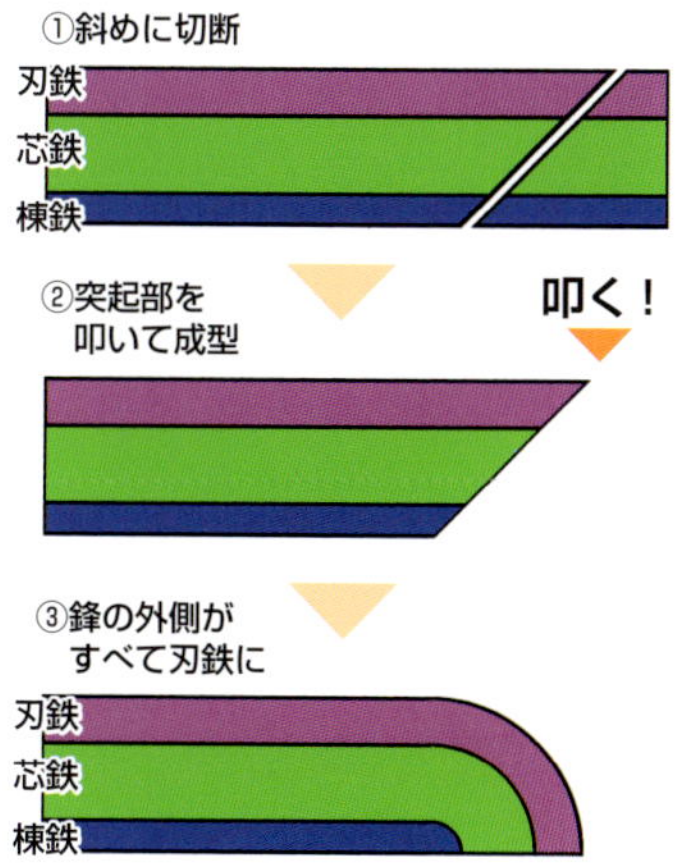

①斜めに切断
刃鉄
芯鉄
棟鉄
②突起部を叩いて成型
叩く！
③鋒の外側がすべて刃鉄に
刃鉄
芯鉄
棟鉄

日本刀の鋒は、物を斬るときにもっとも負荷がかかる部位だ。もしも刃の部分にきちんと刃金がついていないと、鋒は刃こぼれをおこしてしまうのだ。

美濃伝では、以下の方法で刃金を回り込ませておる。これで頑丈な鋒ができる、というわけだ。

土置きで刃文が決まる！

土置きの目的は、「焼き入れ」という工程で刀身が冷える速度を制御するためです。

鉄は、熱してから急に冷やすと固い材質に、ゆっくり冷やすと柔軟性がある材質に変わります。性質が違う鉄の境目が、刀身に「刃文《はもん》」となってあらわれます。刀匠はこの変化を「土置き」で制御し、美しい刃文を描くのです。

焼き入れすると……。

美しい刃文が出現！

次のページへ！

前ページのつづき!

⑧焼き入れ

粘土を載せた刀身を熱し、水中に沈めることで急激に冷やします。こうすると刀身が硬化・収縮し、刀身に刃文《はもん》があらわれます。また、まっすぐだった刀身には反りがつきます。焼き入れは温度管理が非常に難しく、刀剣製作の最大の難関です。

⑨研《と》ぎ

焼き上がった刀身を、まず刀匠自身が研ぎ刀の形を決めます。この刀匠による研ぎを「鍛《か》冶押《じお》し」といいます。
刀身を美しく研ぎ上げるのは刀匠ではなく、研ぎの専門家「研師」の仕事です。

⑩銘切《めいき》り

研ぎ上がった刀身が研ぎ師から帰ってきたら、鏨（たがね）というノミのような道具を使って、刀身の茎《なかご》の部分に、刀匠の名前、製作時期などを「銘」として刻み込みます。これで日本刀の「刀身」が完成します。

できあがり!

日本刀の神秘！「反り」は焼き入れで生まれる

火造りされた刀身には反りがなく、まっすぐに作られています。日本刀の反りは、焼き入れのときに発生する鉄の収縮によって生まれます。

鉄には、急に冷えるよりもゆっくり冷えたほうが強く縮む性質があります。そのため焼刃土が薄く塗られて急激に冷える刃よりも、焼刃土が厚くゆっくり冷える棟のほうが縮む力が強くなり、刀身は刃と反対側に反るのです。

焼き入れ時の刀の変形

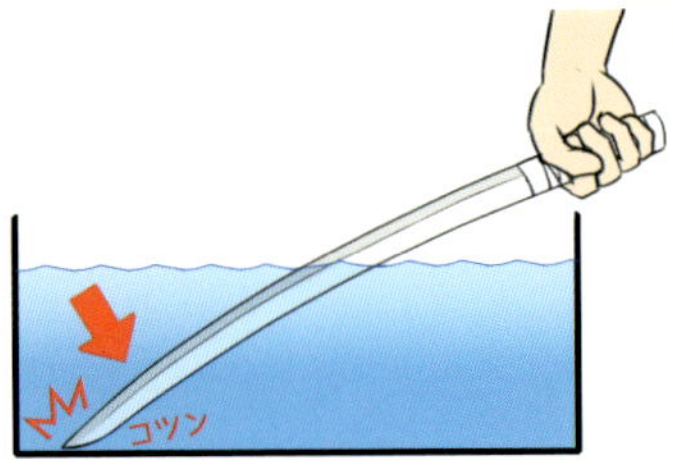

まず急速に冷える刃の側が収縮するため、刀は水の中で反対向きに反ります。刀匠のなかには、水の中で鋒が底に当たるのを感じ取る人もいます。

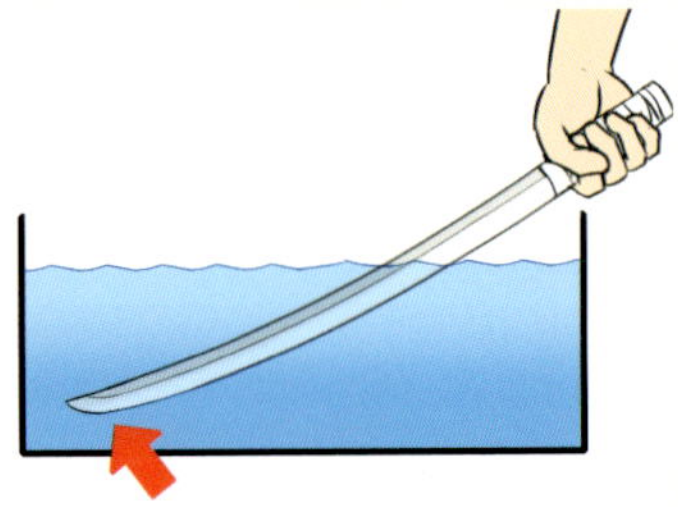

次にゆっくり冷える棟の側が強く収縮していき、刀は反対向きに反りかえります。

この「焼き入れの温度差で反る」という現象は実にやっかいでな。反りのないまっすぐな直刀を作ろうとしても勝手に反ってしまう。そのため奈良時代に使われていたような、本当にまっすぐな直刀がどう作られていたのか、いまだにわからんという。まっすぐな刀というのは、意外なほど高度な技術で作られておるのだ。

刀身だけじゃない！ チームで作る「日本刀」

我々鍛冶の神の仕事は刀身づくりで終わりだが、「日本刀の製作」の手順と考えると、刀身の完成はあくまで入り口に過ぎん。よいかカグヤ、お前が打った刀身に、こんなに多くの職人たちが部品を作り、完全な日本刀に仕上げてくれるのだぞ。

白銀師《しろがねし》

鞘のなかで刀身を固定するために装着する精密部品「鎺《はばき》」を作る、鎺専門の職人です。

関の白銀師、平田実

研師《とぎし》

刀身を磨き上げ、刃文や地鉄の模様を浮き上がらせるのが研師の仕事です。

関の研師、山田高義

柄巻師《つかまきし》

柄の部分に巻きつける組紐「柄巻」の職人。巻き方ひとつで持ちやすさが変わります。

岡山の柄巻師、橋本幸律

刀身彫刻師《とうしんちょうこくし》

刀身に文字や模様を彫刻する専門家。刀身に直接手を入れるため失敗は許されません。

岡山の刀身彫刻師、片山重恒
撮影：西岳海

装剣金工師《そうけんきんこうし》

日本刀の細部を彩る金具を作る職人。鐔《つば》や鐺《こじり》のほか、柄の中に隠れる目貫も作ります。

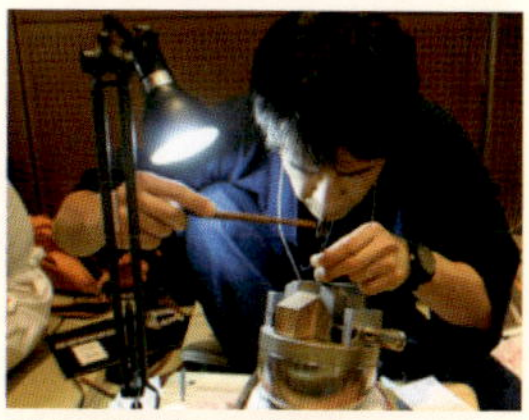

岡山の装剣金工師にして
刀身彫刻師、木下宗風

鞘師《さやし》

刀をおさめる鞘を作る木工職人。しばしば拵え全体のコーディネートも担当します。

関の鞘師、森隆浩

塗師《ぬりし》

鞘に漆を塗る職人。ただ塗るだけでなく、美しい模様を作るための細工も担当します。

岡山の塗師、岸野輝仁

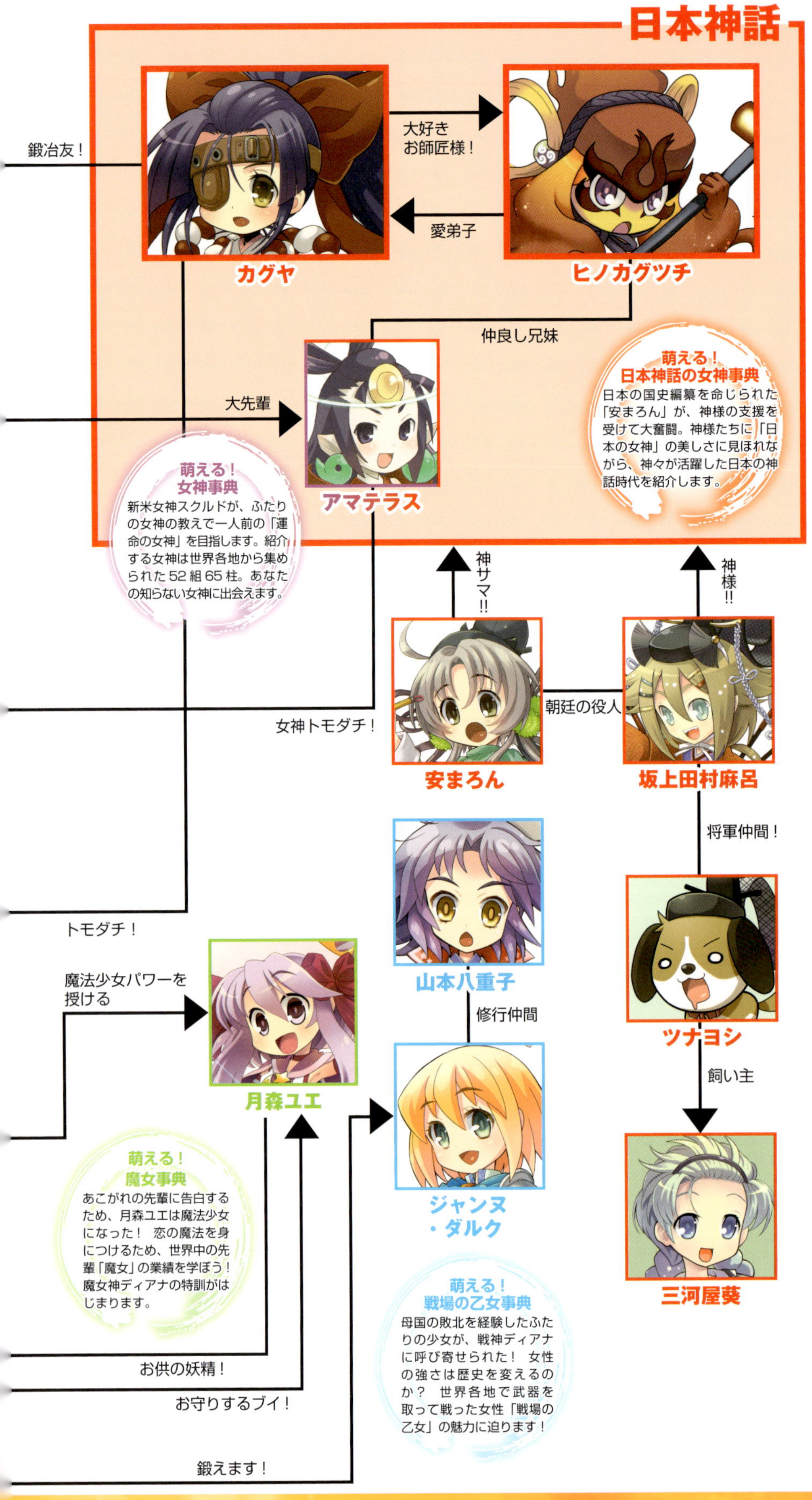
日本神話
カグヤ
ヒノカグツチ
大好き
お師匠様！
愛弟子
鍛冶友！
仲良し兄妹
大先輩
アマテラス
萌える！
日本神話の女神事典
日本の国史編纂を命じられた「安まろん」が、神様の支援を受けて大奮闘。神様たちに「日本の女神」の美しさに見ほれながら、神々が活躍した日本の神話時代を紹介します。
萌える！
女神事典
新米女神スクルドが、ふたりの女神の教えで一人前の「運命の女神」を目指します。紹介する女神は世界各地から集められた52組65柱。あなたの知らない女神に出会えます。
神サマ!!
神様!!
朝廷の役人
女神トモダチ！
安まろん
坂上田村麻呂
将軍仲間！
トモダチ！
山本八重子
修行仲間
ツナヨシ
飼い主
魔法少女パワーを
授ける
月森ユエ
ジャンヌ
・ダルク
三河屋葵
萌える！
魔女事典
あこがれの先輩に告白するため、月森ユエは魔法少女になった！ 恋の魔法を身につけるため、世界中の先輩「魔女」の業績を学ぼう！ 魔女神ディアナの特訓がはじまります。
萌える！
戦場の乙女事典
母国の敗北を経験したふたりの少女が、戦神ディアナに呼び寄せられた！ 女性の強さは歴史を変えるのか？ 世界各地で武器を取って戦った女性「戦場の乙女」の魅力に迫ります！
お供の妖精！
お守りするブイ！
鍛えます！

萌える！事典シリーズ キャラクター相関図

これまでの「萌える！事典シリーズ」の案内役をつとめたキャラクターのうち、本書の案内役「カグヤ」と「ヒノカグツチ」と関係の深いキャラクターの人物関係を紹介します。

また、このページで紹介したキャラクターが登場するシリーズ書籍についてもご紹介します。

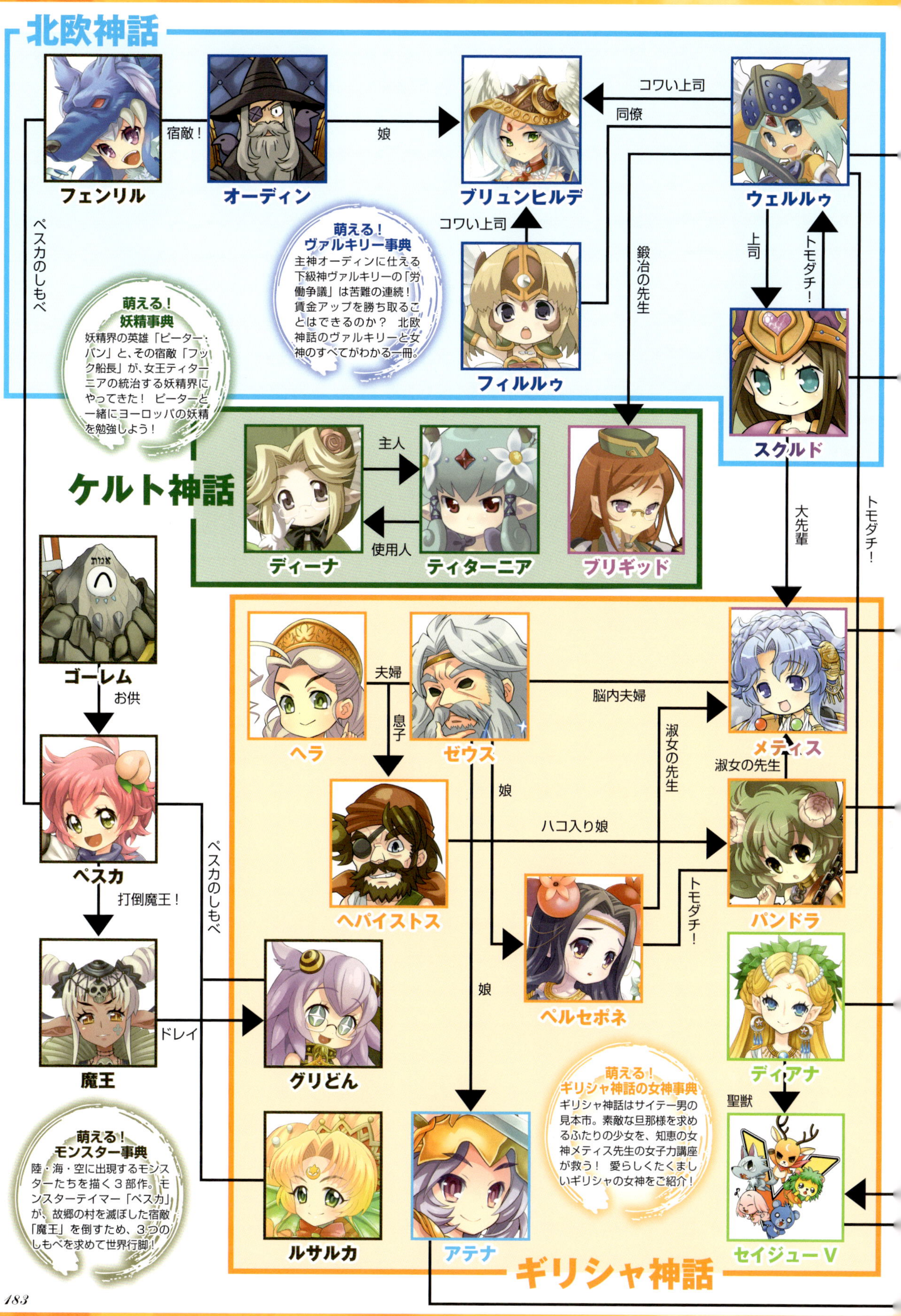

北欧神話
フェンリル
宿敵！
オーディン
娘
ブリュンヒルデ
コワい上司
同僚
ウェルルゥ
コワい上司
フィルルゥ
上司
トモダチ！
スクルド
鍛冶の先生
ペスカのしもべ
萌える！ヴァルキリー事典
主神オーディンに仕える下級神ヴァルキリーの「労働争議」は苦難の連続！賃金アップを勝ち取ることはできるのか？　北欧神話のヴァルキリーと女神のすべてがわかる一冊。
萌える！妖精事典
妖精界の英雄「ピーター・パン」と、その宿敵「フック船長」が、女王ティターニアの統治する妖精界にやってきた！　ピーターと一緒にヨーロッパの妖精を勉強しよう！
ケルト神話
ディーナ
主人
使用人
ティターニア
ブリギッド
大先輩
トモダチ！
ゴーレム
お供
ペスカ
打倒魔王！
魔王
ドレイ
ペスカのしもべ
グリどん
ルサルカ
ヘラ
夫婦
息子
ゼウス
脳内夫婦
メティス
淑女の先生
淑女の先生
ヘパイストス
ハコ入り娘
娘
ペルセポネ
トモダチ！
パンドラ
ディアナ
聖獣
セイジューV
娘
アテナ
萌える！ギリシャ神話の女神事典
ギリシャ神話はサイテー男の見本市。素敵な旦那様を求めるふたりの少女を、知恵の女神メティス先生の女子力講座が救う！　愛らしくたくましいギリシャの女神をご紹介！
萌える！モンスター事典
陸・海・空に出現するモンスターたちを描く３部作。モンスターテイマー「ペスカ」が、故郷の村を滅ぼした宿敵「魔王」を倒すため、３つのしもべを求めて世界行脚！
ギリシャ神話

今代《こんだい》「金屋子神《かなやごのかみ》」襲名《しゅうめい》の儀《ぎ》

「其琥珀兎無迦具夜比売命《そこはかとなくかぐやびめのみこと》よ、おまえを今代の金屋子神《かなやごのかみ》に任ず」……と、よくがんばったなカグヤよ。努力が高天原《たかまがはら》の神々に認められた、ということだ。これからはカグヤよ、おまえが「カナヤゴ様」になるのだ。……さて、これでワシも肩の荷が降りたというものだが……少々寂しくなるの。

あ……ありがとうございます、お師匠様!!
でも、刀匠のみなさんが「本当の意味で刀匠になれるかどうかは、試験に合格した後に決まる」とおっしゃってました。女神も同じだと思うんです。カグヤも、鍛治の女神としてみなさんにしっかり信仰していただけるよう、これからいっそうがんばります！
お師匠様、これからもご指導よろしくお願いします！

あとがき

――日本刀は、好きになりましたか？

本書の隠れた目的のひとつに「日本刀文化の担い手を増やす」ことがあります。

日本刀にかぎらず、文化というものは、生み出す人と楽しむ人がいなければ衰退してしまいます。日本刀を美術品として鑑賞する人がいなければ、博物館は日本刀を収集、展示しなくなります。日本刀を買う人がいなければ、刀匠は仕事がなくなり、代々続いてきた日本刀の製作技術は断絶してしまうでしょう。

多くの人が日本刀に目を向け続けることこそ、わが国が誇る日本刀文化の維持と発展につながります。この本を読んだみなさんが日本刀に興味を持ち、博物館で刀剣の美しさに感動したり、自分だけの日本刀を購入したり、はたまた一念発起して刀匠として日本刀を生みだす側に回ったり……それぞれの形で日本刀文化の担い手になってもらえたならば、それは我々にとってもこのうえない喜びです。

本書では、五八振りの実物写真を交え、多くの日本刀や刀匠を紹介しました。もしも気に入った刀、気になる刀があれば、まずは、ぜひ実物を見に行ってみてください。国宝に指定されているような名刀でも、博物館の企画展などで全国を回っていることが多いので、意外に早くお目当ての刀にめぐりあうことができるかもしれません。

願わくばその出会いが、あなたを刀剣の世界へ導く一歩目となることを願います。

二〇一五年七月吉日

萌える！日本刀事典　STAFF

著者　TEAS事務所
監修　寺田とものり
テキスト　岩田和義（TEAS事務所）
林マッカーサーズ（TEAS事務所）
朱鷺田祐介
牧山昌弘
内田保孝
たけしな竜美
協力　鷹海和秀
當山寛人
岩下宜史
駒瀬俊幸
寺田寛子
本文デザイン　株式会社ACQUA
前角亮太
カバーデザイン　筑城理江子

この本を作った「TEAS事務所」というものどもは、書籍と雑誌の執筆、編集を生業にしているそうだワン。

綱吉さん、これがその「TEAS事務所」のホームページと“ついったー”ですね？
ちょっと遊びに行ってみましょう！
http://www.otabeya.com/
https://twitter.com/studioTEAS

主要参考資料

『明烏後の正夢』為永春水　著（金泉堂）
『明烏后真夢（他）』藤根道雄　著（邦楽社）
『居合道 虎の巻　其の壱～四』
剣道日本編集部　編（SJ セレクトムック）
『磯馴帖　村雨篇』伊藤正義　監修（和泉書院）
『ヴィジュアル版日本の古典に親しむ 13　南総里見八犬伝』杉浦明平　著（世界文化社）
『上杉謙信・景勝と家中の武装』
竹村雅夫　著（宮帯出版社）
『越前守助広大鑑』飯田一雄　著（刀剣春秋新聞社）
『榎本武揚』加茂儀一　編・解説（新人物往来社）
『榎本武揚から世界史が見える』
臼井隆一郎　著（PHP 新書）
『大江戸死体考』氏家幹人　著（平凡社新書）
『大山祇神社』（大山祇神社神社社務所）
『織田信長事典』岡本良一、松田毅一、奥野高広、小和田哲男　編（新人物往来社）
『刀の値段史』（光芸出版）
『近代日本の万能人・榎本武揚』
榎本隆允、高成田亨　編（藤原書房）
『首切り浅衛門刀剣押型』福永酔剣　著（雄山閣）
『熊本県の不思議事典』
岩本税、水野公寿　編（新人物往来社）
『検証　本能寺の変』谷口克広　著（吉川弘文館）
『原色日本の美術 21　甲冑と刀剣』
尾崎元春、佐藤寒山　著（小学館）
『現代語で読む歴史文学　南総里見八犬伝　上下』
鈴木邑　訳／西沢正史　監修（勉誠出版）
『剣の達人 111 人データファイル』（新人物往来社）
『県別シリーズ 39 高知県郷土資料事典観光と旅』（人文社）
『皇室・将軍家・大名家刀剣目録』
福永酔剣　著（雄山閣）
『古今著聞集　上下』（新潮社）
『国民文庫 15 巻　源平盛衰記』
古谷知新　校訂（国民文庫刊行会）
『古事記』倉野憲司　著（岩波文庫）
『後鳥羽院のすべて』
鈴木彰、樋口州男　編（新人物往来社）
『坂上田村麻呂』高橋崇　著（吉川弘文社）
『坂上田村麻呂と阿弖流為　- 古代国家と東北 -』
新野直吉　著（吉川弘文館）
『作刀の伝統技法』鈴木卓夫　著（理工学社）
『史話日本の古代３　ヤマト王権のあけぼの』
上田正昭　編（作品社）
『写真で覚える日本刀の基礎知識』
全日本刀匠会　著（テレビせとうちクリエイト）
『週刊朝日百科　皇室の名宝 11 御物 1』（朝日新聞社）
『週刊神社紀行　大山祇神社　武将が崇めた瀬戸内の社』（学習研究社）
『酒呑童子異聞』佐竹昭広　著（岩波書店）
『趣味の日本刀』柴田光男　著（雄山閣）
『将門記を読む』川尻秋生　編（吉川弘文館）
『新撰組 100 話』鈴木亨　著（立風書房）
『信長公記の世界　信長戦記』
志村有弘　著（Newton Press）
『新潮日本古典集成　平家物語　上下』
水原一　著（新潮社）
『新定源平盛衰記　第一巻』
水原一　考定（新人物往来社）
『神道大系 神社編 31　日光・二荒山』
(神道大系編纂会)
『新日本古典文学大系　保元物語･平治物語･承久記』（岩波書店）
『新・日本刀 100 選』佐藤寒山　著（秋田書店）
『新版日本刀剣講座　1?10』
本間薫山、佐藤寒山監修（雄山閣）
『新編古典文学全集 41　将門記・陸奥話記・保元物語・平治物語』（小学館）
『新編古典文学全集 46　平家物語 2』（小学館）
『随筆 宮本武蔵』吉川英治　著（講談社）
『図解日本の刀剣』久保恭子　著（東京美術）
『図説学習日本の歴史 3　武士の活躍　鎌倉 - 室町時代』和歌森太郎　監修（旺文社）
『図説刀剣名物帳』辻本直男　著（雄山閣出版）
『生活叢書 16　刀鍛冶の生活』福永酔剣　著（雄山閣）
『関鍛冶の起源をさぐる』関鍛冶刀祖調査会　編（関市）
『関市の所有刀剣･拵え』（関市環境経済部商業観光課）
『全国諸藩　剣豪人名事典』
間島勲　著（信心物往来社）
『戦国人名辞典』（吉川弘文館）
『戦国人名辞典』
阿部猛、西村圭子　編（新人物往来社）
『戦国武将合戦事典』峰岸純夫、片桐昭彦　編（吉川弘文館）
『戦争の日本史 8　南北朝の動乱』
森茂暁（吉川弘文館）
『仙台業書 第 12 巻　復刻版』平重道　解題（宝文堂）
『増補日本刀図鑑』得能一男　著（光芸出版）
『鉄と日本刀』天田昭次　著（慶友社）
『刀剣鑑定読本』永山光幹　著（青雲書店）
『刀剣鑑定の基礎知識』柴田和夫　著（雄山閣）
『刀剣鑑定の決め手』柴田和夫　著（雄山閣）
『刀剣と歴史　500 号』刀剣保存会
『刀剣人物誌』辻本直男　著（宮帯出版社）
『刀剣のみかた　技術と流派』
広井雄一　著（第一法規出版株式社）
『刀工遺跡めぐり三三〇選』福永酔剣　著（雄山閣）
『刀工大鑑』得能一男　著（光芸出版）
『刀匠が教える日本刀の魅力　改訂版』
河内國平、真鍋昌生　著（里文出版）
『東北の田村語り』阿部幹男　著（三弥井書店）
『栃木県大百科事典』（栃木県大百科事典刊行会）
『直江兼続大事典』（新人物往来社）
『日光男体山 山頂遺跡発掘調査報告書』
喜田川清香　著／日光二荒山神社　編（名著出版）
『日本漢文学研究　第二号』Anshin Anatoliy　著／二松学舎大学日本漢文学研究編集委員会　編
『日本書紀』（岩波文庫）
『日本「神社」総覧最新版 別冊歴史読本 事典シリーズ』（新人物往来社）
『日本地名研究所編「地名と風土」叢書 2　金属と地名』谷川健一　著（三一書房）
『日本刀おもしろ話』福永酔剣　著（雄山閣）
『日本刀鑑定必携』福永酔剣　著（雄山閣）
『日本刀大百科事典　1?5』福永酔剣　著（雄山閣）
『日本刀試し斬りの真髄』中村泰三郎　著（講談社）
『日本刀・刀装事典』杉浦良幸　著（理文出版）
『日本刀の鑑賞基礎知識』小笠原信夫　著（至文堂）
『日本刀の偽銘』
犬塚徳太郎、福永酔剣　著（光芸出版）
『日本刀の教科書』
渡邉妙子、住麻紀　著（東京堂出版）
『日本刀は語る』佐藤寒山　著（青雲書院）
『日本刀名工伝』福永酔剣　著（雄山閣）
『日本刀物語』福永酔剣　著（雄山閣）
『日本刀物語』杉浦良幸　著（理文出版）
『日本の伝説　上』松谷みよ子　編（講談社）
『日本の甲冑武具事典』笹間良彦　著（柏書房）
『早わかり鎌倉･室町時代』河合敦（日本実業出版社）
『土方歳三写真集』
菊池明、伊東成郎　編（新人物往来社）
『土方歳三の生涯』菊池明　著（新人物往来社）
『福岡県百科事典　上下』（西日本新聞社）
『武将と名刀』佐藤寒山　著（新人物往来社）
『武将とその愛刀』佐藤寒山　著（新人物往来社）
『二荒山神社』（二荒山神社社務所）
『仏教辞典』（岩波書店）
『仏教用語事典』（新人物往来社）
『復刻叢書　刀装のすべて』小窪健一　著（光芸出版）
『豊後 大友一族』芥川龍男　著（新人物往来社）
『平家物語』永井一孝　校訂（有朋堂文庫）
『平家物語ハンドブック』小林保治　編（三省堂）
『別冊歴史読本　稀代の軍師黒田如水と一族』（新人物往来社）
『別冊歴史読本歴史図鑑シリーズ　日本名刀大図鑑』（新人物往来社）
『庖丁と砥石』（柴田書店）
『細川幽斎・忠興のすべて』
米原正義　編（新人物往来社）
『三好長慶』長江正一　著（吉川弘文館）
『民俗の発見 2　鬼と修験のフォークロア』
内藤正敏（法政大学出版局）
『室町物語集　上下』（岩波書店）
『名刀と日本人　刀がつなぐ日本史』
渡邉妙子　著（東京堂出版）
『名刀と名将』福永酔剣　著（雄山閣）
『舞草刀研究紀要 1 ～ 13』舞草刀研究会　著
『大和の伝説』高田十郎　編（木原文進堂）
徳川家康没後 400 年記念特別展「大関ヶ原展」図録
特別展「柳川・立花家の至宝」　図録

協力者の皆様のご紹介

「萌える！日本刀事典」の製作にあたり、下記の皆様に素材提供、取材協力などのご協力をいただきました。この場をもってお礼にかえさせていただきます。

関鍛冶伝承館
関市観光課
関市刀剣研磨外装技術保存会
関伝日本刀鍛錬技術保存会 刀匠会
日本美術刀剣保存協会
全国刀剣商業協同組合
トム岸田
銀座誠友堂
二十五代藤原兼房
藤原兼房鍛刀場
福留房幸
木下宗風
片山恒
橋本幸律
岸野輝仁
東京国立博物館
徳川美術館
九州国立博物館
京都国立博物館
北野天満宮
新発田市観光振興課
刀剣伝承館　天田昭次記念館
永青文庫
石上神宮
一関市博物館
嚴島神社
立花家史料館
吉川史料館
神宮徴古館
刀剣博物館
富山市立天文台
那覇市歴史博物館
箱根神社
福岡市博物館
二荒山神社
前田育徳会
丸亀市立資料館
米沢市上杉博物館
玉名市歴史博物館こころピア
本妙寺
ボストン美術館
埼玉県歴史と民俗の博物館
富士山本宮浅間大社
佐野美術館
三井記念美術館
林原美術館
建勲神社
久能山東照宮博物館
豊国神社
本興寺
鹿島神宮宝物館
倉敷刀剣美術館
和鋼博物館
大山祇神社
佐賀県立博物館
上杉邦憲
株式会社　便利堂

（敬称略、順不同）

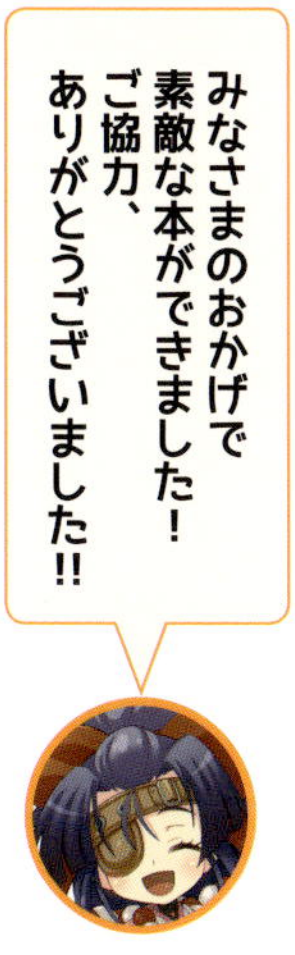

みなさまのおかげで
素敵な本ができました！
ご協力、
ありがとうございました!!

イラストレーター紹介

この「萌える！ 日本刀事典」のために、なんと55人ものイラストレーター様が素敵なイラストを描き下ろしてくださいました！
ここでみなさまをご紹介させていただきます！

C-SHOW《ししょう》

●案内キャラクター
●イラストカット

刀本ということで、何度目かの登場になる、カグヤたちナビキャラを描かせていただきました。今回は、他のイラストレーターの方々にもにカグヤを描いてもらえたのですが、いろんなカグヤを見られてとっても幸せでしたー！

おたべや
http://www.otabeya.com

アカバネ

●表紙

今回は日本刀事典の表紙でしたので、シンプルで力強い印象を見た人に与えられる様見せ場となる要素を刀と女の子の上半身に絞り、刀の面妖な輝きを表現出来るように勤めてみました。本屋さんなどで表紙を見て魅かれるものがあったならば幸いです。

zebrasmise
http://www.zebrasmise.com/

kgr《けーじーあーる》

●童子切安綱(p19)

童子切安綱を担当させていただきました、kgrと申します。
天下の名刀鬼斬り刀、厨二心をくすぐられながら好きな刀とふともも強調絵を描けてとても楽しかったです。

Shenova
http://shenova.org/

こぞう

●三日月宗近(p16)

三日月宗近のイラストを担当させていただいたこぞうと申します。
天下五剣の一振りということで頑張って描かせていただきました。真剣の重みを一度は体感してみたいものです。

少年少女隊
http://soumuden.blogspot.jp/

ヨシノリョウ

●鬼丸国綱(p27)

鬼丸国綱を担当いたしましたヨシノリョウと申します。
日本刀と女の子の、言葉では表現しきれない魅力がイラストを通じで少しでも伝われば嬉しいです。

one's opinion
http://yoshinoryo.tumblr.com/

蟹丹《かにたん》

●数珠丸恒次(p25)

数珠丸恒次を担当しました蟹丹です。
キャラやシチュエーションなど割と自由にしてよさそうだったので、かなり好き放題やらせて頂きました(笑)。ネコミミ、ヘッドホン、お腹、太もも、お尻、そして刀。即ち大正義。(はなぢ)

Pixivページ
http://www.pixiv.net/member.php?id=201008

オギノ

●小烏丸(p35)

刀好きなので楽しく描けました。

牛首馬肉
http://oginogino.web.fc2.com/

葉山《はやま》えいし

●小狐丸(p33)

葉山と申します。
今回は小狐丸を担当させていただきました。
けもみみが大好きなので、とても楽しかったです！

Glow_b
http://sdkusdk.blog10.fc2.com/

チーコ

●鬼切国綱(p39)
●南泉一文字(p79)

女の子と刀という組み合わせは、普段からよく描いているテーマでしたので楽しく描かせていただけました。内容もシリアスと日常の2点描いておりますのでどちらかでも皆さんに気に入ってもらえれば嬉しいです！

Pixiv ページ

http://www.pixiv.net/member.php?id=21101

田島幸枝《たじまゆきえ》

●獅子王(p36)

獅子王を担当した田島幸枝と申します。鵺を退治した源頼政ちゃんが褒美にこの刀を拝領した、という場面です。このほんわか顔で鵺を倒しちゃうなんて、頼政ちゃん相当手練れですね！三度目の事典、今回も楽しく描かせていただきました。ありがとうございます！

norari

http://norari.jp/

nove《のーう》

●狐ヶ崎為次(p43)

nove と申します。今回は日本刀を知る良い機会になりました。
武装と女の子の組み合わせはロマンがあって楽しいですね。イラストから少しでも真剣の冷たい空気を感じていただければ幸いです。

Pixiv ページ

http://www.pixiv.net/member.php?id=892097

風花風花《かざはなふうか》

●微塵丸(p41)

微塵丸の担当で蘇我兄弟（…姉妹？）を描かせていただきました。
刀ってカッコイイですよね。少年漫画でも人気な武器として鉄板ですし…。
とても楽しく描かせていただきました。

風雪嵐花

http://www.kazabanahuuka.info/

湯浅彬《ゆあさあきら》

●小竜景光(p49)

湯浅彬と申します。
千早城の城壁に現れた楠木正成を描かせていただきました！小竜景光は倶利伽羅龍の彫り物がとても素敵な刀で、描くのがとっても楽しかったです…！

さく．COM

http://oryzivora.net/

tecoyuke《てこ》

●菊御作(p46)

今回、日本刀「菊御作」とその持ち主「後鳥羽上皇」のイラストを担当させていただいたtecoyuke です。打ち上がった刀を鍛冶師達と見据えている様子を描いてみました。刀剣製作が趣味だからこそ拘りぬかれた刀なのだと思います。

Pixiv ページ

http://www.pixiv.net/member.php?id=4857336

平井《ひらい》ゆづき

●瀬昇太刀(p53)

瀬昇太刀ちゃんを担当しました平井ゆづきですー。和風×女の子って組み合わせが大好きなので楽しく描けました！普段なかなか描かない部分もあって勉強になったなあ～ありがとうございました！

ゆろぐ

http://yuyuhiyuyu.jugem.jp/

鉄豚《てつぶた》

●祢々切丸(p51)

今回祢々切丸のイラストを担当させていただきました鉄豚と申します。
祢々切丸という刀を初めて知ったのですが伝承がとても面白い刀で描かせていただいてとても楽しかったです！妖怪祢々は鵺をイメージさせていただきました ^^

こぶらの

http://cobranonono.dousetsu.com/

活断層《かつだんそう》

●千代金丸(p57)

千代金丸を担当させていただきました、活断層と申します。刀と使い手のお話は刀の数だけあるというのが魅力の一つですね。
こんがり肌＆白髪という自分の好きな要素を詰めたのでハンアンチ王が描いてるうちに可愛く思えてきてしまいました（笑）

U-rica

http://u-rica.jimdo.com/

U35《うみこ》

●大般若長光(p55)

今回「大般若長光」という刀を描かせて頂きました。初めて耳にした刀だったので、いろいろ調べてみると、刀の特徴などとても面白い刀でした。
少し玄奘三蔵の雰囲気を取り入れましたが、幻想的なイメージが出ていたら嬉しいです。

amaon

http://amaon.blog.fc2.com/

魚《うお》ウサ王《おう》

●義元左文字(p63)

某施設で手裏剣を投げていた時に偶然左文字のレプリカを見せてもらっていたので、今回このような機会を頂いたのは運命としか思えません。

魚ウサ王国

http://uousa.blog.shinobi.jp/

天川《あまかわ》さっこ

●雷切丸(p61)

初めての書籍のお仕事が萌える！シリーズで、しかも日本刀、大変光栄です！ 私の好きなポイントであるお胸や、ふとももは描いていてとっても楽しかったです！ 試行錯誤しながら描いた 1 枚なので、読者の皆様にも楽しんでいただけましたら幸いでございます!!

マジカルキス

http://sakko0212.wix.com/magicalkiss

わし元《もと》

●骨喰藤四郎(p69)

はじめまして、わし元と申します。個人的に大好きな九州大友家・足利将軍家の両方と関わりのある『骨喰藤四郎』を描かせて頂けて恐悦至極！愛だけは詰め込みましたので楽しんでいただければ幸いです。

Twitter アドレス

https://twitter.com/washimoto9

はんぺん

●へし切長谷部(p65)
●五虎退吉光(p127)

「五虎退吉光」「へし切長谷部」を担当させていただきましたはんぺんです。
刀とキャラと場面を同時に見せてという無茶振り設定に困惑しつつ、頑張って描いてみました！(゜ω゜)っφ

PUU のほむぺ〜じ

http://puus.sakura.ne.jp/

鈴根《すずね》らい

●歌仙兼定(p75)

歌仙兼定を描かせていただきました、鈴根らいです！
ヤンデレちゃんなイメージで描いていましたが…よく考えたらこの方は何も間違ってなくて、間違ってたのは周りの全員だった様な気がしてきちゃいました！ヤバイ、乗っ取られる…！

鈴根らい地下室

http://green.ribbon.to/~raisuzune/

らすけ

●石田正宗(p71)

石田正宗とその持ち主の石田三成を担当させていただきました。特徴ある鞘を目立たせたくて戦闘中に鞘が吹き飛んだというイメージで描いていますが、実は眼鏡も吹き飛んでいます。何百年も前の刀なのに未だ美しいその姿には感動いたしました。

Raison d'être

http://rathke-high-translunary-dreams.jimdo.com/

タムチロイドフェニックス　銀河龍《ぎんがりゅう》ー黄昏《たそがれ》ー

●大包平(p81)

タムチロイドフェニックス 銀河龍ー黄昏ーですよ！！！！！！毎日がんばって生きていますよ！！！！！！武蔵御嶽神社さんの宝物殿は個人的に好きですよ！！！！さらに神主の方が超イカした方なので最高ですよ！！！！！

ほにもこ

http://honimoko.web.fc2.com/

あり子《こ》

●ソハヤノツルキウツスナリ(p77)

はじめまして、ソハヤノツルキを担当したあり子と申します。この度は事典に参加させていただいたばかりか大好きな和のモチーフで描かせていただけて大変嬉しく思います。
普段は仕事で男子ばかり描いてるので女子を描けて楽しかったです。

Twitter アドレス

https://twitter.com/ahrico

閏《うるう》あくあ

●武蔵正宗(p85)

武蔵正宗を担当させていただきました、閏あくあと申します。
独特の二刀流ということでやんちゃっぽく宮本武蔵を描かせていただきました。
日本刀は美しいですね〜！

Pixiv ページ

http://www.pixiv.net/member.php?id=4057947

しょういん

●村雨(p83)

もともと南総里見八犬伝が好きだったので、この刀を描かせていただくのは本当に嬉しかったです。村雨丸は相手を斬るとき水しぶきが発生し、血が刀にまったくつかないそうです。美しくかっこいい村雨丸の良さが伝わればうれしいです。

Pixiv ページ

http://www.pixiv.net/member.php?id=2148690

KATZO《かずと》 FURUYA《ふるや》

●蛍丸(p93)

この度、蛍丸の作画を担当させていただきましたイラストレーターの KAZTO FURUYA です。今回描かせて頂いた蛍丸は光の表現にこだわって作りを考えました。刀と女の子が一目でわかるように色合いに気を配って描いています。

Pixiv ページ

http://www.pixiv.net/member.php?id=5834305

ryota《りょうた》

●流星刀(p87)

初めまして、「流星刀」を担当させて頂きました ryota と申します。
キラキラしたファンタジーな世界が大好きです。

loose leaf

http://ry-o-ta.tumblr.com/

皐月《さつき》メイ

●イラストカット

はじめまして、皐月メイと申します。今回はちびキャラのカットを数点描かせていただきました。色々な時代、色んな地方の雰囲気が上手くでていればうれしいなと思います。ちなみに今回一番気に入っているのは江戸城をバックにドヤ顔決めてる殿様です。

Pixiv ページ

http://www.pixiv.net/member.php?id=381843

テトラポッド

●実休光忠(p99)

実休光忠を描かせていただきましたテトラポッドと申します。萌えというより勇ましい絵になってしまいました。よく本屋で資料探しをしているときに見かけていた事典シリーズの 1 点を描けるとは思っていませんでした！楽しんでいただけますと幸いです。

tetrapod

http://tetrapod.weebly.com/

とんぷう

●イラストカット

ゲームとかで出てきてもつい選んでしまうんですが、日本刀って何であんなに心くすぐられるんでしょうかねぇ。
刀身もさることながら鍔の装飾とかも魅力的ですよね。

ROCKET FACTORY

http://rocketfactory.jpn.org/

湖《こ》湘《しょう》七《しち》巳《み》

●イラストカット

この度たくさんのカラーカットを描かせていただきました、湖湘七巳と申します。いっぱいカグヤちゃんが描けて幸せでした。そして、デフォルメキャラで登場していただきました二十五代藤原兼房様、ご本人より丸っこい似顔絵になり申し訳ございませんでした…！

極楽浄土彼岸へ逝こそ

http://homepage3.nifty.com/shichimi/

河内《かわち》やまと

●舞草刀(p123)

今回は舞草鍛冶を描かせていただきました！和服やら日本刀やらアイヌやらケモミミやら、至極素敵な題材を使わせて頂いたのに、魅力を引き出しきれない自分が情けない限りであります－（>_<）

んこみみ

http://kawachiyamato.tumblr.com

しらこみそ

●九鬼正宗(p119)

いつもファンタジーなど洋風なイラストを描くことが多いので刀というテーマと共に和風モチーフに挑戦できて嬉しかったです！

しそ巻き

http://sirakomiso.tumblr.com/

蒼月《あおつき》しのぶ

●二つ銘則宗(p129)

今回、二つ銘則宗を担当させて頂きました、蒼月しのぶです。一文字則宗の傑作として今尚受け継がれる美しい刀剣を担当できただけで嬉しい限りです。
日本刀（武器）を持った女の子が大好物ですので、最後まで楽しんで描かせて頂きましたー。

COLORLESS

http://mayshpenguin.x.fc2.com/

えめらね

●笹貫(p125)

今回「笹貫」を担当しましたえめらねです。「波平行安」が失敗作だと思って捨ててしまった刀ですが、実はすごい切れ味で地面に突き立ってるだけで笹を貫いてしまう程だったそうです。私もこれまでボツにしたイラストの中に実はすごい絵があったりして…？

AlumiCua

http://emerane.dokkoisho.com/index.html

天領寺《てんりょうじ》セナ

●妙法村正(p140)

村正を担当させていただいた天領寺セナと申します。日本刀ってかっこいいですよね！個人的にも日本刀を所持しておりますが、どんどんコレクションが増えてしまいそうです。今回は有名な村正の名刀を描かせていただけたことを本当に嬉しく思っています。

ROSY LILIY

http://www.lilium1029.com/

児玉酉《こだまゆう》

●大兼光(p131)

この度は大兼光とその持ち主を描かせて頂きました。最近佐野美術館に行ったばかりですが、刀剣類は実際この目にすると魂吸われるような感覚というか、圧倒されるので皆様も是非足をお運び下さい！

Pixiv ページ

http://pixiv.me/amadok79

しのはらしのめ

●イラストカット

はじめましてもしくはこんにちは、しのはらです。今回は日本刀事典ということで昔はっちゃけて模造刀を購入しちゃったという過去を暴露せずにはいられません。いやほんとテンションあがりますよあれ (^o^) そんなわけで自分も本の内容楽しみです早く見たい…！

しのしの

http://sinosino.cocotte.jp/

祀花《まつりか》よう子《こ》

●虎徹(p143)

近藤勇と長曽根虎徹を担当させていただきました、祀花よう子です。

「クールな男勝り」そんなイメージでデザインしました。

見どころはショートパンツと脚でしょうか。

虎柄のソックスが気に入っています。

maturica

http://maturica.net/

あみみ

●イラストカット

今回は一枚絵ではなく、カラーカットを３点描かせていただきました。

他の方がデザインしたキャラを描かせて頂くのは、自分の手癖とはまた違う発見があって難しいと同時にとても面白いです。

お誘いありがとうございましたー！

えむでん

http://mden.sakura.ne.jp/mden/

藤井英俊《ふじいえいしゅん》

●日本列島地図●日本刀カット　Vector scan

http://vectorscan.exblog.jp/

れんた

●大典太光世(p22)●竹俣兼光(p97)　既視感

http://detectiver.com/

salada《さらだ》

●俵藤太の毛抜形太刀(p31)　Pixiv ページ

http://pixiv.me/salada

ジョンディー

●不動国光(p101)　Mind_Jack

http://johndee180.wix.com/johndeeeeeee

坂本《さかもと》みねぢ

●ニッカリ青江(p67)　没我絵巻

http://hosystem.blog36.fc2.com/

よつば

●姫鶴一文字(p59)　Trevo

http://428clv.blog.fc2.com/

白《しろ》い鴉《からす》

●瓶割一文字(p95)　Pixiv ページ

http://www.pixiv.net/member.php?id=92435

かる

●古今伝授行平(p73)　Pixiv ページ

http://www.pixiv.net/member.php?id=426002

毛玉伍長《けだまごちょう》

●イラストカット　けづくろい喫茶

http://kedama.sakura.ne.jp/

しかげなぎ

●イラストカット　SugarCubeDoll

http://www2u.biglobe.ne.jp/~nagi-s/

フジヤマタカシ

●イラストカット　Pixiv ページ

http://www.pixiv.net/member.php?id=142307

Genyaky《げんやき》

●和泉守兼定(p135)　SHELLBOX

http://genyaky.blog.fc2.com/

■索引

項目名	分類	ページ数
合口打刀拵	拵え	58
青江派	刀匠・刀匠集団	24、66、88
赤羽刀	用語	115
足利義輝	歴史上の人物	14、15、54、68、100
小豆長光	失われた刀	96
阿蘇惟澄	歴史上の人物	92
熱田神宮	地名・建物	76、88、133
天田昭次	刀匠・刀匠集団	34
天田収貞	刀匠・刀匠集団	34
綾杉肌	地肌	90
有栖川親王の村正	古刀	139
粟田口	刀匠・刀匠集団	26、38、126
池田光政	歴史上の人物	80
生駒光忠	古刀	98、132
石田正宗	由緒ある名刀	70、121
石田三成	歴史上の人物	70、121
石上神宮	地名・建物	32
板目肌	地肌	90
一期一振	古刀	126
一関市博物館	博物館	122、158
一文字	刀匠・刀匠集団	44、58、89、94、111、128、130、144、145
伊藤一刀斎	歴史上の人物	94
糸巻太刀拵	拵え	18
井上真改	刀匠・刀匠集団	148
今荒波一文字	古刀	128
上杉謙信	歴史上の人物	58、89、96、120、126、132
内反り	反り	102
鵜首造	造り込み	28
永青文庫	組織	72、74、120、132
榎本武揚	歴史上の人物	86
大包平	由緒ある名刀	15、18、80
大兼光	古刀	133
『大典太太刀小鍛治薙刀記』	資料・物語	21
大典太光世	天下五剣	15、20、21、76、147
『大友興廃記』	資料・物語	60
大山祇神社	博物館	133、159
奥平信昌	歴史上の人物	54、120
『御腰物台帳』	資料・物語	84
おそらく造	造り込み	28
織田信長	歴史上の人物	20、54、62、64、72、80、88、98、100、132、133、138
鬼切国綱	由緒ある名刀	38
鬼丸国綱	天下五剣	15、26、126、158
鬼丸拵	拵え	26
鏡肌	地肌	90
景光（備前長船景光）	刀匠・刀匠集団	48、132、133
鹿島神宮宝物館	博物館	158
春日神社	地名・建物	32
歌仙兼定	由緒ある名刀	74、134、136
歌仙拵	拵え	74
兼定（二代目和泉守兼定／ノサダ）	刀匠・刀匠集団	74、76、134、136、157
兼定（ヒキサダの刀）	古刀	136
兼定（三代目和泉守兼定／ヒキサダ）	刀匠・刀匠集団	136
包平（備前国の刀匠）	刀匠・刀匠集団	80
甕割一文字	失われた刀	94
環頭太刀	その他剣	106、107
菊桐紋蒔絵糸巻太刀拵	拵え	14
菊御作	由緒ある名刀	44、45
木曾義仲	歴史上の人物	40
北野天満宮	地名・建物	38
吉川史料館	地名・建物	42
吉川友兼	歴史上の人物	42
狐ヶ崎為次	由緒ある名刀	42
九五式軍刀	現代刀	114
京都国立博物館	博物館	44、124、128、145、158
『享保名物帳』	資料・物語	21、66、84、128、132、133、144
切刃造	造り込み	28
金象嵌（金象嵌銘）	用語	62、64、66、132、133、145
金梨地糸巻太刀拵	拵え	66
食い違い樋	樋	102
九鬼正宗	古刀	121
楠木正成	刀匠・刀匠集団	48
国家（粟田口国家）	刀匠・刀匠集団	124
国綱（粟田口国綱／藤六左近国綱）	刀匠・刀匠集団	26、38、126
國綱（備前国の刀匠）	刀匠・刀匠集団	38
国俊（来国俊）	刀匠・刀匠集団	92、146
国光（進藤五国光）	刀匠・刀匠集団	126
国光（来国光）	刀匠・刀匠集団	146
国行（来国行）	刀匠・刀匠集団	98、146
互の目乱れ	刃文	90
倉敷刀剣美術館	博物館	159
黒田孝高（黒田官兵衛）	歴史上の人物	64
毛抜形太刀	その他剣	30、105、106、109、122
建勲神社	地名・建物	62
謙信景光	古刀	89、132
郷義弘	刀匠・刀匠集団	145
『小鍛治』	資料・物語	32
小烏丸	由緒ある名刀	28、34
小狐丸	由緒ある名刀	32、42
古今伝授行平	由緒ある名刀	72
五虎退吉光	古刀	89、126
腰反り	反り	102
腰樋	樋	102
虎徹（長曽根興里入道虎徹）	刀匠・刀匠集団	142、147
後鳥羽上皇	歴史上の人物	44、45、128
小早川隆景	歴史上の人物	121
御番鍛冶	用語	45
小竜景光	由緒ある名刀	48
近藤勇	歴史上の人物	142
埼玉県歴史と民俗の博物館	博物館	132
佐賀県立博物館	博物館	159
坂上田村麻呂	歴史上の人物	76
先反り	反り	102
笹貫	古刀	124
貞次（青江貞次）	刀匠・刀匠集団	66
定秀（豊後国の刀匠）	刀匠・刀匠集団	36
左藤寒山	その他人物	64、98
実成（備前実成）	刀匠・刀匠集団	36、145
左文字	刀匠・刀匠集団	144
三条宗近	刀匠・刀匠集団	14、15、32、109、126、145
山鳥毛一文字	由緒ある名刀	89
獅子王	由緒ある名刀	36、50
実休光忠	失われた刀	98
鎬造り	造り込み	28
数珠丸恒次	天下五剣	24
『酒呑童子絵巻』	資料・物語	18
『承久記』	資料・物語	44
『常山紀談』	資料・物語	66、98
菖蒲造	造り込み	28
水心子正秀	刀匠・刀匠集団	148
杉原祥造	その他人物	24
直刃	刃文	90
助平（備前国の刀匠）	刀匠・刀匠集団	80
助宗（一文字助宗）	刀匠・刀匠集団	44、45
磨り上げ（大磨り上げ）	用語	12、20、48、58、62、66、70、118、133、137、146
関鍛冶	刀匠・刀匠集団	134
関鍛冶伝承館	博物館	136、157
瀬昇人刀	由緒ある名刀	52
瀬登太刀	古刀	52
瀬登丸	古刀	52
相州伝	五箇伝	60、110、111、118、122、126、133、138、142、144
添え樋	樋	102
曾我十郎祐成	歴史上の人物	40
曾我五郎時政	歴史上の人物	40、52
『曾我物語』	資料・物語	40
ソハヤノツルキウツスナリ	由緒ある名刀	76
大般若長光	由緒ある名刀	54
『太平記』	資料・物語	26
平将門	歴史上の人物	30、34、109
高平（備前国の刀匠）	刀匠・刀匠集団	80
武田信玄	歴史上の人物	96、133
竹俣兼光	失われた刀	89、96、98
伊達政宗	歴史上の人物	118、158
為次（青江為次）	刀匠・刀匠集団	42
俵藤太（藤原秀郷）	歴史上の人物	30
俵藤太の毛抜形太刀	由緒ある名刀	30
丁字刃	刃文	90
千代金丸	由緒ある名刀	56
千代鶴国安（越前国の刀匠）	刀匠・刀匠集団	88
次延	刀匠・刀匠集団	44
次家	刀匠・刀匠集団	44
津田越前守助弘	刀匠・刀匠集団	82、147
恒次（青江恒次）	刀匠・刀匠集団	24、45
鉄剣	その他剣	105、106、107
東京国立博物館	博物館	14、18、21、24、36、48、54、70、80、115、126、128、144、147、158
刀剣博物館	博物館	82、84、139、142、148、156、159
童子切安綱	天下五剣	15、18、38、54、80、109、144、158
藤四郎（粟田口藤四郎吉光）	刀匠・刀匠集団	68、126、145
同田貫	刀匠・刀匠集団	146
濤瀾乱れ	刃文	82、147
尖り刃	刃文	90
徳川家康	歴史上の人物	54、62、64、70、76、80、88、96、120、121、138、139
徳川美術館	博物館	78、120
徳川秀忠	歴史上の人物	21
飛び焼き刃	刃文	90
富山市立天文台	地名・建物	86
豊国神社	地名・建物	68
豊臣秀吉	歴史上の人物	20、21、26、62、64、68、70、96、98、100、115、121、126、132、137、145
中反り	反り	102
長光（備前長船長光）	刀匠・刀匠集団	54、96、130、133
薙刀直造	造り込み	28
波平行安	刀匠・刀匠集団	124、158
南無薬師景光	古刀	133
南泉一文字	由緒ある名刀	78
『南総里見八犬伝』	資料・物語	82
日蓮上人	歴史上の人物	24
ニッカリ青江	由緒ある名刀	66
祢々切丸	由緒ある名刀	50、52
則宗（一文字則宗）	刀匠・刀匠集団	44、45、128
箱根神社	地名・建物	40
長谷部国重	刀匠・刀匠集団	64
林原美術館	博物館	121
攀安知	歴史上の人物	56
肥後拵	拵え	74
『肥後刀装録』	資料・物語	74
土方歳三	歴史上の人物	134
土方歳三の兼定	新々刀	134、136
備前長船	刀匠・刀匠集団	45、48、89、98、111、128、130
備前長船刀剣博物館	博物館	157
備前伝	五箇伝	111、128、130、145、157
備前友成	刀匠・刀匠集団	145
姫鶴一文字	由緒ある名刀	58、89
日向正宗	古刀	121
平造り	造り込み	28
福岡市博物館	地名・建物	64
福永酔剣	その他人物	21、76、94、118、100、118、120
藤原兼房	刀匠・刀匠集団	166、167、170、171、175
二筋樋	樋	102
二つ銘則宗	古刀	128
二荒山神社	地名・建物	50、52
不動国光	失われた刀	100
『平家物語　剣の巻』	資料・物語	38
不動正宗	古刀	120、121
『平家物語』	資料・物語	36、38
へし切長谷部	由緒ある名刀	64
戸次道雪（立花道雪）	歴史上の人物	60
伯耆安綱	刀匠・刀匠集団	18、144
『宝剣小狐丸』	資料・物語	32
北条時政	歴史上の人物	26
包丁正宗	古刀	120
棒樋	樋	102
細川忠興	歴史上の人物	72、74
細川幽斎（細川藤孝）	歴史上の人物	72
蛍丸	失われた刀	92
骨喰藤四郎	由緒ある名刀	68
本阿弥	その他	21、26、64、96、120、121、132、133、145
本興寺	地名・建物	24
前田育徳会	組織	20
前田利常	歴史上の人物	21
長曽根興里作	新刀	142
真柄太刀（末之青江）	由緒ある名刀	88
真柄十郎左右衛門直隆	歴史上の人物	88
孫六兼元	古刀	134、136、157
正宗（五郎入道正宗）	刀匠・刀匠集団	70、84、118、120、121、138、144、145、148
正目肌	地肌	90
三池典太光世	刀匠・刀匠集団	20、76、147
三日月宗近	天下五剣	14、15、18、32、109、158
微塵丸	由緒ある名刀	40
三井記念美術館	博物館	121
光忠（備前長船光忠）	刀匠・刀匠集団	98、100、130、132
光長（舞草光長）	刀匠・刀匠集団	122
源頼朝	歴史上の人物	26、38、40、42
源頼政	歴史上の人物	36
源頼光	歴史上の人物	18
美濃伝	五箇伝	110、111、134、136、138、157、178、179
宮本武蔵	歴史上の人物	84
妙法村正	古刀	138
三好実休義賢	歴史上の人物	98
武蔵正宗	由緒ある名刀	84
無反り	反り	102
村雨	由緒ある名刀	82
村正	刀匠・刀匠集団	138、139
舞草鍛冶	刀匠・刀匠集団	122、158
舞草刀	古刀	122
杢目肌	地肌	90
鋒両刃造	造り込み	28
両刃造	造り込み	28
山城伝	五箇伝	111、126
大和伝	五箇伝	110、111、124、134
結城秀康	歴史上の人物	70
行平（豊後行平）	刀匠・刀匠集団	45、72
行光（加賀国の刀匠）	刀匠・刀匠集団	88
義憲	刀匠・刀匠集団	32
義元左文字	由緒ある名刀	62
米沢市上杉博物館	地名・建物	58
鎧通造	造り込み	28
雷切丸	由緒ある名刀	60
来派	刀匠・刀匠集団	100、146
『琉球国由来記』	資料・物語	56
流星刀	由緒ある名刀	86
和鋼博物館	博物館	159
蕨手刀	その他剣	106、108

〈萌える！ 事典シリーズEXTRA〉

萌える！ 日本刀事典

2015年7月31日 初版発行

著者 TEAS事務所
発行人 松下大介
発行所 株式会社 ホビージャパン
〒151-0053 東京都渋谷区代々木2-15-8
電話 03（5304）7602（編集）
03（5304）9112（営業）

印刷所 株式会社廣済堂

乱丁・落丁（本のページの順序の間違いや抜け落ち）は購入された店舗名を明記して当社パブリッシングサービス課までお送りください。送料は当社負担でお取り替えいたします。但し、古書店で購入したものについてはお取り替えできません。

ISBN978-4-7986-1038-2 C0076